L'HONNEUR
DES LOCKHART

JULIA LONDON

L'HONNEUR
DES LOCKHART

Traduit de l'américain par Élisabeth Luc

POUR elle

Titre original :

Highlander in love
A Pocket Star Book published by Pocket Books,
a division of Simon & Schuster, Inc., New York

Eilean Ros, vendredi 27 mai

Chère mademoiselle Lockhart,
J'accuse réception de votre aimable lettre de mercredi dernier à propos d'une supposée malédiction qui pèserait sur toute fille née chez les Lockhart. Je tiens à vous assurer que, selon moi, ce ne sont que balivernes. Je demeure fermement convaincu qu'une personne possédant votre courage et votre esprit est capable d'épouser l'homme de son choix sans songer une seconde au diable ou au mauvais sort. Je ne crois pas non plus qu'un homme qui a obtenu par contrat la main de la fille d'un Lockhart – à bon prix, de surcroît, si je puis me permettre – ait quoi que ce soit à redouter d'une quelconque malédiction, sinon de mourir d'exaspération compte tenu de la nature entêtée des Lockhart, d'une manière générale.
Merci encore, mademoiselle Lockhart, de vous soucier de mon bien-être. Sachez que je suis impatient de fixer la date de notre mariage.
Bien à vous,

Douglas

1

Eilean Ros, Trossachs, Highlands, Écosse

Dos au mur, ou plutôt à la cheminée, Payton Douglas était littéralement encerclé par l'ennemi. La mine grave, les Lockhart semblaient sur le point de fondre sur lui tels des rapaces. Comment diable avaient-ils pu entrer, alors qu'il recevait des personnages très en vue de Glasgow ? Pour l'heure, ses invités étaient passablement ivres après une dégustation du whisky distillé chez lui, au domaine d'Eilean Ros.

Les Lockhart semblaient désespérés. De leur propre aveu, ils traversaient une période difficile. Leur cher ami Hugh MacAlister les avait pris totalement au dépourvu en dérobant à leur nez et à leur barbe leur précieux bijou de famille, une statuette en or représentant une bête aux yeux de rubis.

Griffin Lockhart, à qui l'objet avait été subtilisé, venait d'affirmer avec fougue qu'il vengerait cet affront en temps voulu. Dans l'immédiat, le forfait de MacAlister laissait la famille dans le plus profond dénuement. Pour honorer leur dette, les Lockhart se voyaient contraints de fiancer Mared, leur fille unique, à l'homme qui leur avait prêté la somme colossale dont ils avaient besoin pour récupérer la statuette. Or cet homme n'était autre que Payton Douglas.

Celui-ci observait la seule des cinq personnes ayant envahi la pièce à se montrer étrangement détendue. Assise derrière le bureau, elle faisait tourner un porte-plume entre ses doigts tandis que Payton écoutait, stoïque, les arguments de son père. Face au clan, il ne pouvait qu'écouter.

À en juger par la façon dont lady Lockhart remuait les lèvres en même temps que son mari, son discours était manifestement préparé. Il affirmait en substance que, bien que descendant d'ancêtres ayant fait couler le sang des Lockhart au cours de toutes les guerres de l'histoire, Payton devait prendre Mared pour femme, conformément à l'accord conclu par les deux parties lors du prêt, remboursable dans un délai d'un an.

— On se croirait dans quelque roman populaire ! s'exclama lady Lockhart.

Derrière elle, Mared sourit, amusée par cette image.

— Franchement, madame, je n'ai jamais lu un roman aussi incroyable, répondit Payton. Si je comprends bien, vous ne comptez pas honorer l'accord que nous avons conclu et qui garantit la somme que je vous ai prêtée ?

Cette question déclencha les rires nerveux des quatre Lockhart aux cheveux bruns : Carson, le patriarche, Aila, son épouse, mince et gracieuse, Liam, leur fils aîné, un robuste militaire, et son jeune frère Griffin, un peu plus trapu et chaleureux.

— Pas du tout ! assura Liam. Mais nous n'aurions jamais imaginé cette trahison de la part de MacAlister.

— Je sais, vous me l'avez maintes fois répété. Néanmoins, il vous a trahis et vous me devez une somme rondelette, non ?

Les autres échangèrent des regards penauds. Mared soupira et ouvrit un livre posé sur le bureau.

Griffin fit un pas en avant, un large sourire aux lèvres.

— Si je puis me permettre... Le problème, c'est que, sans la bête, nous n'avons pas les moyens de rembourser ton prêt si généreusement accordé...

— Trois mille livres ! lui rappela Payton. C'est plus que généreux !

— En effet, admit Griffin en lançant un regard inquiet aux membres de sa famille. Cependant, il y a peut-être une erreur…

— Je regrette, mais il n'y a aucune erreur. Ton père a signé une reconnaissance de dette.

— Certes, dit Griffin. Et nous t'avons promis la main de Mared en gage. Hélas, pour parler franchement, Douglas, tout le monde connaît ses sentiments à l'égard de tes… disons de tes réformes.

Il croisa le regard de sa mère.

— Je sais très bien ce qu'elle en pense, Griffin, répliqua Payton, exaspéré.

Dans toute la région, nul n'ignorait que Mared se refuserait à épouser un Douglas. Elle lui reprochait notamment d'avoir introduit l'élevage des moutons autour des lochs.

— Elle déteste viscéralement les Douglas, reprit-il. Votre sœur, vous l'aurez remarqué, messieurs, n'hésite guère à exprimer ses sentiments.

Mared étouffa un petit rire et continua de feuilleter son livre, consacré à la production de la laine et la tonte des moutons.

— Certes, fit Griffin, visiblement agacé par l'attitude de Mared. Mais on ne peut lui reprocher de manquer de conviction.

L'intéressée leva la tête, ses yeux verts pétillants de malice.

Payton foudroya les Lockhart du regard. Voilà précisément ce qu'il reprochait à Mared. Elle avait grandi parmi ses entêtés de frères et, à part Griffin, peut-être, ils avaient la ferme conviction que les moutons qu'il avait introduits sur ses terres envahissaient une région traditionnellement réservée à leurs bovins. Peu à peu, l'élevage des Lockhart avait été repoussé vers des parcelles plus réduites, provoquant leur chute. Désormais, la famille la plus exaspérante d'Écosse était pauvre.

Ils n'avaient pas tout à fait tort, mais Payton avait la certitude que les bêtes des Lockhart ne pouvaient paître comme il le fallait dans les Highlands. Elles ne représentaient donc pas une entreprise rentable. Ces imbéciles se faisaient des illusions s'ils croyaient encore aux méthodes d'autrefois, aux petites exploitations familiales. N'ayant plus de revenus suffisants, ils en avaient été réduits à voler des statuettes à leurs cousins anglais.

De son côté, Payton croyait en un système accordant un revenu équitable au plus grand nombre, à l'élevage ovin et, pour ceux que cela intéressait, à la production de whisky, ce qui était son cas. C'est pourquoi il était désireux de régler ce problème au plus vite pour rejoindre les quatre messieurs susceptibles d'investir une somme substantielle dans sa distillerie.

Mal à l'aise, Griffin rompit le silence.

— Et... notre Mared mérite peut-être un peu de compassion, non ? Après tout, avec cette malédiction...

La jeune femme hocha vivement la tête pour souligner ces propos.

— Franchement... Douglas, fit Griffin, tiens-tu tant à l'épouser, en dépit de cette malédiction qui pèse au-dessus de sa tête tel un nuage noir ?

Payton s'esclaffa.

— Vous ne croyez tout de même pas à ces sornettes ! Il n'y a vraiment que les paysans pour accorder foi à ces bêtises ! Pourquoi pas les fées et les trolls, pendant que vous y êtes ?

— Tu ne peux nier qu'aucune fille Lockhart ne s'est jamais mariée, intervint Liam. Peut-être est-il exact qu'une fille Lockhart ne peut convoler avant d'avoir regardé dans le ventre de la bête...

— Vous espérez me faire peur avec vos contes à dormir debout ?

Il ignora le sourire amusé de Mared, qui s'installa plus confortablement dans son fauteuil pour effleurer du bout des doigts le bureau.

— Vous faire peur ! s'exclama lady Lockhart en posant une main rassurante sur le bras de Payton.

Au grand jamais, monsieur ! Nous ne voulons pas vous effrayer, mais discuter avec vous au nom de notre fille.

Payton parla d'un ton posé, pesant chaque mot.

— Franchement, madame, je n'ai jamais vu Mared laisser autrui s'exprimer en son nom. Comme on dit, elle n'a pas la langue dans sa poche.

— Voilà qui est fort joliment tourné, monsieur, lança Mared d'un ton mielleux, sortant enfin de son mutisme.

— Vous ne comptez pas respecter cette clause du contrat ? s'enquit Payton.

— Sachez que les Lockhart règlent toujours leurs dettes, monsieur, intervint lady Lockhart en foudroyant sa fille du regard. Mais nous avons besoin d'un peu de temps pour retrouver M. MacAlister.

— Combien de temps ?

— Dix mois. En plus des deux qui nous restent, bien sûr.

Un an de plus ? Exaspéré, Payton passa la main dans ses cheveux. Que répondre à une telle requête ? Il ne savait que penser de toute cette histoire. C'est sur une impulsion inexplicable qu'il avait exigé la main de Mared en guise de caution, au moment d'accorder ce prêt aux Lockhart. Sans doute avait-il succombé au sourire démoniaque de la jeune femme, cet après-midi-là, dans son salon. Les Lockhart n'avaient certainement pas imaginé une seconde qu'ils en arriveraient là. À présent, Payton n'était même pas sûr de vouloir convoler. En observant Mared, il devinait sa jubilation intérieure face à son désarroi manifeste. Il fallait être fou pour souhaiter épouser cette diablesse !

En vérité, toutefois – et il se refusait à l'admettre –, il aimait Mared. Il l'avait toujours aimée.

Depuis le retour de Griffin en Écosse, quatre mois plus tôt, Payton n'avait jamais évoqué l'emprunt ni la question du mariage. Or il restait à peine deux mois avant l'expiration du délai de remboursement prévu. S'ils ne remboursaient pas, les Lockhart seraient contraints de lui céder la main de Mared. Et voilà qu'ils exigeaient un délai supplémentaire…

— Non, dit-il d'un ton ferme. Pas question que je vous accorde plus de temps. Je vous ai prêté une somme importante que vous avez manifestement dilapidée.

— Pas du tout! protesta Griffin.

— Ce que vous en avez fait ne me regarde en rien, mais vous allez devoir me rembourser selon les modalités prévues. Je n'ai donc pas le choix…

— Des terres! proposa vivement Griffin. Nous te céderons une partie de nos terres.

Payton réfléchit un instant. C'était une solution raisonnable, mais pas très enthousiasmante. Les terres des Lockhart étaient séparées des siennes par le Ben Cluaran, une montagne. De plus, s'il acceptait leurs terres, il ne leur resterait pratiquement plus rien à exploiter. Sans oublier que ces terres étaient bien trop éloignées du domaine pour qu'il puisse les cultiver de façon efficace. La main-d'œuvre lui coûterait trop cher. À moins qu'il n'y élève des moutons, ce que les Lockhart refuseraient en bloc, car ils ne juraient que par les bovins.

Secouant la tête, Payton se tourna vers le patriarche.

— Vous avez accepté mes conditions, Lockhart. Je vous demande de fixer la date de nos fiançailles.

Soudain, le sourire de Mared s'envola. Elle referma vivement son livre et regarda son père, comme tous les autres membres de la famille. Carson se frotta le menton d'un air pensif, puis poussa un soupir.

— Disons un an et un jour après la signature de l'emprunt, répondit-il enfin.

— Carson! lança lady Lockhart.

— *Mo ghraidh*, il a raison, vous le savez bien. Nous avons accepté les termes de l'accord, de même que Mared…

— Bien malgré moi, père!

— Peut-être, mais tu as tout de même accepté. Nous savions que Griffin risquait d'échouer dans son entreprise. À présent, nous devons tenir parole, ma fille.

Lady Lockhart en eut le souffle coupé.

— Il est trop tard, Aila, grommela Carson. Quelle autre solution lui reste-t-il ? Douglas est le seul homme de la région à n'accorder aucune foi aux histoires de fées et d'elfes ! Il est le seul qui veuille bien d'elle !

Ces arguments ne convainquirent aucune des deux femmes, qui affichaient une expression meurtrière.

— N'ayez crainte pour votre bien-être, demoiselle, assura Payton avec douceur. Je m'engage à vous traiter avec tous les égards.

— Quelle prétention ! explosa Mared. Les Lockhart et les Douglas sont ennemis jurés depuis dès siècles !

— Vous ne comprenez pas, Payton Douglas, renchérit lady Lockhart. Ce n'est pas pour le bien-être de Mared que nous nous inquiétons, c'est pour le vôtre !

Elle semblait si convaincue qu'il ne put s'empêcher de rire.

— Votre fille ne me fait pas peur. N'ayez crainte, elle ne me fera aucun mal.

Sa réaction désinvolte eut le don d'attiser la colère de la jeune femme. Debout, elle croisa les bras, l'air implacable.

— Je ne vous épouserai pas, Payton Douglas.

— Mared ! s'exclama sa mère.

Payton sourit. Il prendrait certainement bien du plaisir à dompter cette furie dans son lit.

— Oh si, Mared, vous m'épouserez. Je pense que la question est entendue. À présent, veuillez m'excuser, j'ai des invités.

Sur ces mots, il adressa un signe de tête aux Lockhart et quitta la pièce où régnait une atmosphère pesante. En s'imaginant au lit avec Mared, il ne put s'empêcher de tressaillir d'anticipation.

Cette nuit-là, dans sa chambre située dans l'ancienne tourelle de Talla Dileas, Mared réfléchissait.

Il n'était pas question pour elle de baisser les bras.

Si les membres de sa famille étaient incapables de la sauver de ce destin funeste, qu'ils aillent au diable !

Au cœur de la nuit, dans cette chambre pleine de courants d'air, Mared écrivit deux lettres à la lueur d'une chandelle, pendant que la maisonnée dormait.

La première était adressée à Mlle Beitris Crowley, la fille du notaire d'Aberfoyle. Mared s'était liée d'amitié avec la jeune fille. Lors de longues promenades avec Beitris au bord du loch Ard, face à Eilean Ros, Mared avait pu jauger les capacités de son amie de devenir la future lady Douglas.

Elle en était arrivée à la conclusion que si l'odieux laird Douglas rencontrait une jeune fille plus charmante qu'elle, et mieux disposée envers lui, il oublierait peut-être les termes inacceptables de son accord avec les Lockhart pour épouser une prétendante qui lui correspondait mieux à tous les points de vue. Elle lui avait même fait part de son idée, mais Payton avait éclaté de rire en affirmant que n'importe quelle femme ferait une meilleure épouse qu'elle, jeune ou vieille, riche ou pauvre, maigre ou pulpeuse.

Mared était déterminée à lui faire entendre raison, avec l'aide de Beitris ou pas. Celle-ci était d'une timidité maladive, surtout quand elle se trouvait en présence de Payton. Elle avait comploté des rencontres inopinées à plusieurs reprises, mais la pauvre Beitris n'avait même pas reçu un baiser. Douglas lui faisait peur. C'était bien naturel, après tout.

— Il est très imposant, vous ne trouvez pas ? avait déclaré Beitris un après-midi, après l'avoir croisé à Aberfoyle.

Douglas semblait exercer sur elle le même effet que sur la plupart des femmes de la région, ce qui n'avait pas échappé à Mared.

Vous devez absolument comprendre, écrivit-elle à Beitris, *qu'échanger des banalités ne vous mènera pas loin. Un homme aime savoir qu'il est apprécié par une femme. Il aime être l'objet de toutes ses attentions. Il doit avoir la possibilité de se montrer galant, et c'est à vous de créer les conditions idéales, car les hommes sont en général trop stupides pour se débrouiller seuls. Faites tomber votre mouchoir, peut-être, ou laissez Douglas vous aider à ouvrir votre ombrelle...*

Elle avait de l'affection pour Beitris, mais la trouvait quelque peu empotée quand il s'agissait de séduire. La malheureuse n'avait jamais été courtisée officiellement.

Mared non plus, d'ailleurs. Tous les hommes de la région la redoutaient comme la mort, à cause de cette malédiction qui pesait sur ses épaules. Elle avait toutefois été témoin des innombrables conquêtes de son frère Griffin. Il avait, disait-on, cherché à attirer toutes les femmes du comté dans son lit, avant de se rendre à Londres d'où il avait ramené une épouse. Mared n'ignorait rien des subtilités du badinage et de la séduction. Elle en savait en tout cas bien plus que Beitris.

Quand elle eut conclu ses instructions, elle cacheta la lettre, puis reprit sa plume, les dents serrées.

À l'honorable lord Douglas, seigneur de toutes les terres...

C'était peut-être excessif, mais elle s'en moquait. Elle écrivit donc pour solliciter l'honneur de rendre visite à sa cousine, Sarah Douglas, qui, d'après les rumeurs qui circulaient à Aberfoyle, était venue passer l'été à Eilean Ros.

Les yeux plissés, elle relut sa lettre. Satisfaite de constater que sa prose était élégante et courtoise, elle cacheta la missive qu'elle posa sur son secrétaire avant de souffler la chandelle. Puis elle se glissa dans son lit, un sourire aux lèvres.

Peu lui importait l'accord conclu par sa famille : elle n'épouserait pas cet homme.

C'était impossible. L'épouser équivaudrait à admettre sa défaite. De plus, son rêve de s'installer à Édimbourg était plus vivace que jamais.

Dix ans plus tôt, elle y avait passé quinze jours, avant que sa famille ne connaisse des revers de fortune. C'était une ville magique, qui grouillait de personnages fascinants. Chaque soir étaient organisées des fêtes somptueuses. Mais le plus important était que nul ne la connaissait, là-bas. Les citadins ne croyaient pas en ces malédictions des Highlands. Ils la traitaient comme une personne normale. Dans sa région, les paysans voyaient en elle une sorcière.

Durant son séjour à Édimbourg, elle avait même eu quelques prétendants potentiels, d'où sa certitude de ne pouvoir trouver le bonheur qu'en ville.

Jamais elle n'épouserait Payton Douglas, ce qui la condamnerait à rester confinée dans ce trou perdu sa vie durant. Elle ne pourrait prononcer un mot, faire un pas sans être épiée par des regards inquisiteurs. Quel bonheur ce serait de vivre libre, à Édimbourg !

C'est sur ces pensées qu'elle sombra enfin dans le sommeil.

Elle se mit à rêver qu'elle marchait au bord du loch Ard en compagnie d'un jeune homme aux cheveux blonds qui lui souriait et lui volait des baisers furtifs. Ils flânèrent jusqu'à croiser une foule animée. En s'approchant pour voir ce qui pouvait passionner à ce point les gens, Mared se rendit compte qu'il s'agissait d'une exécution publique.

En levant les yeux, elle reconnut la première lady Lockhart, une femme d'une grande beauté qui avait tout sacrifié par amour. Les mains attachées dans le dos, elle s'agenouilla et se pencha vers le billot.

À côté d'elle se tenait Livingstone, son amant, la corde autour du cou.

Avec effroi, Mared regarda le bourreau pendre l'amant de la dame. Tandis que le malheureux s'agitait, en proie aux ultimes spasmes, deux hommes posèrent la tête de la jeune femme sur le billot. Au moment où le bourreau brandit sa hache, elle cria :

— *Fuirich do mi !* Attends-moi !

Le bourreau lui trancha la tête, qui roula aux pieds de Mared. Celle-ci se mit à hurler. Elle chercha son prétendant des yeux, mais il avait disparu. Son cri d'effroi attira néanmoins l'attention de la foule. Chacun reconnut la fille de lady Lockhart, la maudite, une femme marquée par le diable et condamnée aux enfers.

— Toute fille née au sein du clan Lockhart ne pourra convoler qu'après avoir touché le ventre de la bête ! lança une vieille femme.

La foule se mit à scander cette phrase en fondant sur Mared.

La jeune femme s'enfuit en hurlant, pourchassée par la foule. Au bord de la rivière, elle se rendit compte qu'ils la traquaient toujours. Elle se jeta à l'eau et sombra jusqu'au fond, luttant pour se libérer de ses lourds vêtements. N'ayant pu reprendre son souffle, elle se sentit étouffer...

Soudain, Mared se redressa dans son lit, les mains sur son cou, enchevêtrée dans ses draps, le front moite de sueur.

Elle reprit lentement son souffle, puis se leva et s'approcha d'un pas hésitant de la cheminée, le cœur battant à se rompre.

Comme toujours, ce cauchemar l'avait bouleversée.

Payton Douglas ne la retiendrait pas ici, captive d'une région qui la méprisait. Rien ne l'empêcherait de s'échapper pour trouver refuge à Édimbourg.

2

La date des fiançailles étant fixée, Payton jugea prudent d'aider Mared à surmonter cette épreuve en faisant en sorte qu'elle se sente acceptée, voire admirée. Il mit donc un point d'honneur à la courtiser… avec autant de ferveur qu'elle tentait d'échapper à ses attentions.

Il lui fit livrer des douzaines de roses, accompagnées de billets faisant son éloge, offrit des bouteilles de son meilleur whisky à son père et ses frères. Il répondit promptement à chacune des lettres de la jeune femme, qui commençaient à s'accumuler sur son bureau.

Mlle Sarah Douglas, sa cousine, qui avait été éduquée en France et résidait désormais à Édimbourg, séjournait à Eilean Ros. Elle tenait à aider Payton à trouver une nouvelle gouvernante, après le décès de Mme Craig qui était à son service depuis de nombreuses années. Depuis son arrivée, Sarah assistait, non sans exaspération, aux efforts que déployait son cousin pour courtiser sa promise.

Un jour, les deux cousins chevauchaient côte à côte, lors d'une inspection du domaine.

— Je ne comprends pas pourquoi tu souhaites en arriver là, dit Sarah.

— Pourquoi ? fit Payton, sur son superbe étalon. Je ne rajeunis pas, tu sais. J'ai déjà trente-deux ans, et il est grand temps pour moi d'engendrer un héritier à qui léguer la fortune des Douglas.

— D'accord, mais avec quelqu'un d'autre, je te prie. Il serait plus sage de prendre celle-ci comme gouvernante. Au moins, elle a plus de plomb dans la cervelle que ces idiotes que nous avons rencontrées jusqu'à présent.

Payton posa un regard perçant sur sa cousine.

— Tu parles de la future lady Douglas, alors prends garde à ce que tu dis, Sarah. La malheureuse n'a pas toujours eu une vie aisée, dans son trou perdu. Elle n'est peut-être pas aussi facile à vivre que toi, mais elle n'en mérite pas moins ton respect.

— Elle mérite peut-être mon respect, admit Sarah en haussant les épaules, mais je ne vois pas pourquoi elle mériterait le tien. Vraiment, Payton ! Tu ne vas tout de même pas épouser une Lockhart !

Payton réprima un sourire. Mared Lockhart avait gagné son admiration bien des années plus tôt.

— Il est temps de tourner la page sur ces vieilles querelles. Pensons plutôt au présent et à l'avenir.

Mared l'attirait depuis toujours sans qu'il sache vraiment pourquoi. Lorsqu'ils étaient enfants, il avait voulu lui voler une friandise. Mared n'avait pas pleuré, ni couru chercher sa nurse. Elle l'avait projeté dans les orties avant de le marteler de ses petits poings. Son frère Liam avait dû les séparer.

Au fil des années, Payton s'était mis à apprécier les formes de la jeune fille. Il avait souvent rêvé de lui toucher les seins. Mais ce n'est que plus tard, devenu jeune homme, qu'il l'avait vue se muer en une femme superbe, bien qu'intouchable à cause de cette malédiction qui pesait sur elle. Il était tombé amoureux d'elle, de son caractère bien trempé plus que de son apparence.

Il avait remarqué comment les paysans soupçonneux fermaient leurs portes dès qu'elle passait devant chez eux, et mettaient leurs enfants en garde de ne pas l'approcher. La plupart des villageois d'Aberfoyle sifflaient derrière le dos de la jeune femme et l'évitaient avec soin lors des fêtes et autres événements. Dans la région des lochs, elle était traitée en paria, et Payton admirait sa dignité face à tant d'ignorance et de bêtise.

Cela faisait presque sept ans qu'il avait pris conscience de ses sentiments pour elle, à l'occasion du vingtième anniversaire de Mared, lorsqu'il l'avait embrassée pour la première fois – un geste impulsif, un acte de pure folie... Il l'avait serrée dans ses bras et avait senti la réaction de son corps qui était venu à la rencontre du sien...

Puis elle lui avait mordu la lèvre.

Lors de cet instant furtif, Payton l'avait désirée plus que tout au monde.

À ses yeux, Mared Lockhart était l'unique touche de couleur dans un univers grisâtre, l'unique lueur dans cette existence rustique. La flamme qui s'était allumée en lui, sept ans plus tôt, ne s'était jamais éteinte. Elle brûlait pour la seule femme de toute l'Écosse qui n'avait aucune admiration pour lui, laird Payton Douglas d'Eilean Ros.

L'évocation de ce souvenir le fit rire.

— Qu'est-ce qui t'amuse tant ? s'enquit Sarah.

— Je n'en sais rien, en réalité, répondit-il avec entrain.

Il porta son attention sur le chemin qui s'élargissait pour contourner un bosquet de chênes. Eilean Ros surgit derrière les arbres.

Si son domaine ne correspondait pas vraiment à la signification de son nom, l'île des Roses, le château se dressait sur un terrain qui descendait jusqu'au loch Ard. C'était une vaste demeure nichée dans les pins, bâtie deux siècles plus tôt par le cinquième seigneur Douglas. Quand le grand-père de Payton en avait hérité, il rêvait d'un palais au pied des Highlands et s'était lancé dans d'importants travaux. Hélas, il n'en vit jamais la fin.

À sa mort, Payton était devenu seigneur du domaine et avait achevé les travaux, ajoutant une aile à la maison qui comptait désormais quatorze chambres à coucher, trois grands salons, plus les innombrables pièces de réception et bureaux. C'était un véritable palais dont nul autre seigneur écossais ne pouvait s'en-orgueillir.

Cependant, songea-t-il avec amertume, nul autre que lui ne vivait dans une maison aussi silencieuse.

Souvent il parcourait les couloirs, n'entendant que le bruit de ses pas sur le parquet. Il mourait d'envie d'emplir les lieux de rires et de chaleur. Quand ses frères étaient partis à la conquête du monde – Lachlan en Inde, Padraig en Amérique –, il était resté l'unique héritier des Douglas. Son premier fils hériterait du nom et de la fortune familiaux. Telle était sa croix.

Après avoir contourné le bosquet, les deux cavaliers découvrirent la maison dans sa totalité...

Et un âne attaché à l'ombre d'un chêne, près d'une charrette en piteux état.

— Oh, non, soupira Sarah en fronçant les sourcils. Je n'arrive pas à croire qu'elles soient venues dans ce...

— Sois gentille, Sarah, recommanda Payton en mettant son cheval au trot.

Mared et Natalie, sa nièce de douze ans, observaient un portrait de la huitième lady Douglas, l'arrière-grand-mère de Payton, tandis que deux domestiques s'affairaient à préparer le salon pour servir le thé, sous l'œil attentif de Beckwith, le majordome.

— Son mari a tué notre arrière-grand-père lors d'un duel, murmura Mared à Natalie en lançant un regard discret au majordome.

— Un duel ? souffla l'enfant, dont les yeux bleus se mirent à pétiller.

— Oui. Ils sont odieux, ces Douglas. Ne l'oublie jamais. Le mari de celle-ci a provoqué notre ancêtre en duel uniquement parce qu'il était tombé amoureux.

Natalie en demeura bouche bée.

— Je suis sûr que vous lui avez fourni un récit très précis des événements, mademoiselle Lockhart, lança la voix de Payton, derrière elles.

Elles n'avaient pas entendu ses pas sur le tapis et sursautèrent. Mared porta la main à sa poitrine.

— Allons, monsieur! Prenez garde! Nous avons failli mourir de peur!

Il esquissa un sourire malicieux et se pencha vers elle, plongeant ses yeux gris dans les siens.

— Vous avez raconté toute l'histoire à cette jeune fille, n'est-ce pas? insista-t-il.

L'arrière-grand-père de Mared était amoureux de la femme représentée sur ce portrait. Mais la malheureuse était prisonnière d'un mari odieux. Comment reprocher à un Lockhart d'avoir voulu lui offrir un peu de bonheur?

— Bien sûr, affirma-t-elle avec un sourire plein d'audace, avant de faire la révérence. En douteriez-vous, monsieur?

Il la prit par le coude pour l'aider à se redresser. Son regard s'attarda sur le décolleté plongeant.

— En ce qui vous concerne, mademoiselle, je doute même de ma propre santé mentale.

Elle s'y prenait donc à merveille, songea-t-elle avec un sourire de satisfaction. Elle attira Natalie près d'elle et écarta la main de Payton.

— Vous vous rappelez Mlle Natalie...

L'enfant fit une révérence.

— Comment allez-vous, monsieur? demanda-t-elle avec un accent anglais.

Avec un sourire charmant, Payton lui fit un baisemain.

— Fort bien. C'est un plaisir de recevoir une si jolie jeune fille à Eilean Ros.

Le visage de l'enfant s'illumina. Payton Douglas était décidément un charmeur invétéré. Lorsqu'il se tourna à nouveau vers Mared, elle eut l'impression que son regard perçant voyait à travers ses vêtements. Quant à son sourire, il avait de quoi embraser sa robe.

— Cela fait bien longtemps que je ne vous avais vue parée d'une toilette au ton si vif, si je puis me permettre... et de rubans, commenta-t-il, l'air étonné.

Comment une femme pouvait-elle arborer une robe jaune somptueuse sans ensorceler tous les hommes de la région ?

— Je n'en ai pas le souvenir non plus, monsieur, répondit-elle, car je n'ai pas gardé souvenir de notre dernière entrevue.

Elle sourit, satisfaite de sa repartie. Avant qu'il puisse rétorquer, elle désigna Beitris. Sagement assise sur l'un des fauteuils bordant la pièce aux murs tapissés de soie, la frêle et blonde jeune fille avait les mains crispées sur ses genoux.

— N'est-ce pas merveilleux ? reprit Mared. J'ai réussi à convaincre Mlle Crowley de m'accompagner. Je sais que vous l'appréciez de plus en plus. Je me suis dit que vous seriez heureux de sa présence.

— En toute franchise, vous ne cessez de me gratifier de sa présence depuis quelque temps déjà, répliqua Payton.

Il afficha un sourire chaleureux et traversa la pièce en quelques enjambées. Ses bottes d'équitation et sa culotte de cheval le moulaient comme une seconde peau.

Malgré ses réticences à son égard, Mared ne put s'empêcher de l'observer. Il ne portait ni gilet ni veste, rien qu'une chemise d'un blanc immaculé. Ses cheveux dorés avaient poussé et effleuraient son col. Si elle avait été femme à s'intéresser à l'apparence d'un homme – ce qui n'était pas le cas –, elle l'aurait trouvé séduisant.

La pauvre Beitris était manifestement de cet avis, car elle semblait fondre littéralement sur son siège. Elle s'efforçait pourtant de ne pas fixer lord Douglas, mais sa présence emplissait la pièce.

Lorsqu'il arriva à sa hauteur, elle se leva vivement.

— Monsieur, merci d'accepter de nous recevoir.

Il lui prit la main et se pencha vers elle.

— Tout le plaisir est pour moi, mademoiselle Crowley.

Dès que ses lèvres l'effleurèrent, la jeune fille rougit.

— Payton! Mon Dieu, tu ne te changes donc pas pour recevoir nos invitées?

Mlle Douglas était une jeune femme blonde et mince qui semblait toutefois petite à côté de son cousin. Elle entra dans la pièce, vêtue d'une élégante tenue d'équitation.

— Sarah, tu connais notre voisine, Mlle Douglas?

— Bonjour, mademoiselle, dit Mared avec une révérence impeccable. Comment allez-vous?

— Très bien, merci, mademoiselle Lockhart.

Mared se faisait-elle des idées ou avait-elle décelé un soupçon de dédain dans le ton de cette citadine venue d'Édimbourg?

— Et voici Mlle Crowley, reprit Payton, ainsi que, bien sûr, Mlle Natalie Lockhart, ajouta-t-il avec un sourire.

Sarah adressa un signe de tête à l'enfant, puis s'éventa avec affectation.

— Je vous en prie, mesdemoiselles, asseyez-vous. Le thé sera servi incessamment. Veuillez excuser notre tenue.

Elle posa sur le pantalon de cuir et la chemise de Payton un regard réprobateur.

— Nous rentrons à peine d'une promenade dans le parc, expliqua-t-elle. Nous ne vous attendions pas si tôt.

Elle s'installa sur un divan dont le velours semblait flambant neuf. Elle s'assit en plein milieu, de sorte qu'il ne restait de place pour personne d'autre.

Beitris opta timidement pour le canapé assorti. Quand Natalie voulut la rejoindre, Mared lui indiqua vivement un fauteuil, de façon à laisser une place libre à côté de Beitris.

Payton et elle demeurèrent debout, à se dévisager. Il lui adressa ce sourire démoniaque qui avait le don de lui faire dresser les cheveux sur la tête, puis alla s'asseoir poliment près de Beitris.

Un sourire au coin des lèvres, Mared prit place à côté de Natalie.

Payton offrit à Mared la satisfaction de le voir étendre le bras sur le dossier du siège. Aussitôt, Beitris rougit violemment et baissa les yeux.

— Vous ai-je précisé que Mlle Crowley vient de terminer ses études à Édimbourg ? déclara habilement Mared. Son père est notaire à Aberfoyle.

— Vraiment ? fit Mlle Douglas avec indifférence, en scrutant l'un de ses ongles. Je suppose qu'il y a peu de travail pour un notaire, dans un petit village comme Aberfoyle. En tout cas, on n'y trouve aucune gouvernante digne de ce nom.

— Votre père doit être ravi de votre retour à la maison, mademoiselle Crowley, intervint Payton. Je suppose qu'il va recevoir la visite de tous les jeunes célibataires de la région...

Beitris rougit si violemment que Mared redouta un malaise. Ce serait merveilleux ! Si elle s'évanouissait, Payton serait obligé de l'aider à retrouver ses esprits. Allons, Beitris, un petit effort, songea-t-elle.

Mais la jeune fille ne succomba pas.

— Je... je ne sais pas, monsieur, balbutia-t-elle.

— C'est le cas, dit Mared avec entrain, car Mlle Crowley possède de nombreuses qualités. Elle joue du piano avec talent et pratique plusieurs langues. Sans compter ses dons au tir à l'arc.

Payton se tourna vers Mared, les yeux pétillants d'amusement.

— Voilà qui est fort impressionnant, commenta-t-il. Je trouve qu'une jeune fille instruite et douée au tir à l'arc a beaucoup de charme.

— Ah, le thé est servi, annonça Sarah en se levant avec grâce.

Un valet, surveillé de près par le majordome, entra dans la pièce chargé d'un immense plateau en argent. Il y avait de quoi festoyer.

— J'aimerais beaucoup que vous me parliez de vos études, mademoiselle Crowley, reprit Douglas. J'ai toujours pensé que c'est en instruisant nos filles que nous sauverons ce pays. Ce n'est que par l'éducation que le progrès est possible. Vous êtes un exemple à suivre.

Ses propos étaient si grotesques que Mared eut bien du mal à ravaler une exclamation incrédule.

— Plaît-il, mademoiselle Lockhart ? Vous avez dit quelque chose ? s'enquit Payton d'un air narquois.

Natalie, qui avait pris l'incrédulité de sa tante pour de la peine, vint à sa rescousse.

— Mlle Lockhart est instruite, elle aussi ! Il y a quantité de livres à Talla Dileas.

— J'ignorais que tu t'intéressais tant à l'instruction des jeunes filles, dit Sarah Douglas à son cousin en faisant signe à Beckwith de servir le thé.

— C'est pourtant le cas. Je ne supporte pas l'ignorance, de façon générale. Quel que soit leur sexe, les ignorants sont trop conservateurs et empêchent tout progrès.

Choquée, Mared ne put garder le silence. Pour cet homme, le progrès impliquait de chasser des gens de leur maison. Des cottages étaient laissés à l'abandon dans toute la région, car leurs habitants étaient partis pour Glasgow ou ailleurs en quête de travail.

— Tout dépend de ce que l'on nomme le progrès, monsieur, dit-elle. Je suppose que, pour vous, il consiste à chasser les métayers de leurs terres pour développer l'élevage ovin, alors que les méthodes traditionnelles permettaient à chacun de prospérer.

— De prospérer ! s'exclama-t-il en riant comme devant une remarque amusante proférée par une enfant. Comment pouvez-vous parler de prospérité quand ces familles n'avaient même pas de quoi manger chaque jour ? Non, mademoiselle Lockhart. Le véritable progrès se trouve dans le bien-être d'un peuple. Lorsque les anciennes méthodes ne fonctionnent plus, il faut en trouver de nouvelles pour avancer ensemble.

— Et elle joue très bien du piano. Elle parle des langues étrangères, mais avec un accent, ajouta Natalie.

— Certes, votre tante est très cultivée, déclara Payton aimablement.

L'intéressée l'aurait volontiers giflé.

— Vraiment, monsieur, tenez-vous à ennuyer Mlle Crowley avec vos discours fumeux sur le progrès? demanda-t-elle avec entrain.

— Nullement! protesta Beitris. C'est très intéressant.

— Mlle Crowley a voyagé, reprit Mared, ignorant son amie. N'est-ce pas, Beitris?

— Eh bien... j'ai eu l'occasion de visiter la France.

— La France! J'aime beaucoup ce pays, intervint Sarah. Avez-vous apprécié ce voyage?

— Je ne puis vraiment l'affirmer, répondit Beitris en posant sa tasse. Nous avons eu une traversée très difficile. Durant mes deux semaines de séjour à Paris, je n'ai pas réussi à m'en remettre totalement. Ensuite, il y a eu le trajet de retour. Je suis encore un peu fatiguée.

Payton risquait de la trouver trop fragile à son goût, lui qui était de robuste constitution.

— Mademoiselle Crowley, vous êtes trop modeste, dit vivement Mared. Vous avez une mine superbe.

— Mlle Lockhart n'a pas connu une seule journée de maladie depuis son enfance, lança Natalie d'une voix forte.

— C'est remarquable, commenta Payton en lui adressant un clin d'œil. Votre tante n'est pas comme nous autres, simples mortels. Elle est dotée d'une santé de fer.

— Pas du tout! s'exclama Mared. C'est le bon air des Highlands, rien de plus, qui n'est pas pollué par les fumées des usines qui poussent à Glasgow comme des champignons, grâce à votre progrès.

Payton émit un rire condescendant.

— Vous marquez un point, admit-il en s'inclinant. Dans les Highlands, nous n'avons rien à craindre du progrès pour ce qui est de la pureté de l'atmosphère.

Mared sentait monter la tension. Cet homme était aussi entêté que l'âne des Lockhart. Soudain, elle posa sa tasse et se leva.

— Puis-je vous quitter un instant, monsieur? demanda-t-elle d'un ton doucereux en désignant à Payton un portrait de son grand-père. J'aimerais raconter à ma nièce l'histoire de nos ancêtres.

— À votre guise, mademoiselle Lockhart.

Mared lui adressa un sourire pincé et s'éloigna, la tête haute, Natalie sur ses talons.

Arrivée à l'extrémité de la pièce, elle entendit Payton déclarer:

— Je crois que nous n'avons pas encore eu le plaisir de vous faire visiter le parc, mademoiselle Crowley. Permettez-moi de vous servir de guide...

— Oh, fit Beitris. Volontiers!

— Cousine, te joins-tu à nous?

— Non, merci, Payton. Je l'ai maintes fois parcouru.

Mared écouta les pas décidés, suivis des petits pas timides de Beitris. Mlle Douglas s'éclaircit la gorge. Mared posa la main sur l'épaule de Natalie, lui indiquant qu'elle devait aller s'asseoir près de Sarah Douglas.

L'enfant s'exécuta.

— Êtes-vous déjà allée en Angleterre? s'enquit-elle.

Elles se mirent à parler de Londres, tandis que Mared faisait mine de contempler les trop nombreux portraits des Douglas, en s'approchant discrètement d'une fenêtre.

Elle les aperçut très vite. Ils marchaient côte à côte. Beitris tenait Payton par le bras et il semblait penché vers elle. Ils flânaient tranquillement. De temps à autre, la jeune fille levait la tête vers lui. Sans doute le dévorait-elle des yeux. Au bout d'une allée, même si Mared ne distinguait pas clairement la scène, il s'inclina pour l'embrasser.

C'est du moins ce que Mared crut voir. Elle ne pouvait en avoir la certitude... Mais si, il avait embrassé Beitris !

Son plan se déroulait à merveille. Pourquoi, dans ce cas, avait-elle les entrailles nouées ? Peu lui importait ! Elle se détourna de la fenêtre, tout sourires, et alla rejoindre Natalie et Sarah.

Quand Beitris et Payton réapparurent enfin, Douglas affichait un large sourire et Beitris avait les joues empourprées. Les Douglas raccompagnèrent leurs invitées.

Payton aida Mlle Crowley à montrer sur le siège étroit de la charrette tandis qu'un palefrenier attelait l'âne. Natalie grimpa à l'arrière. Mared fut la dernière à s'installer. Elle avait eu du mal à se parer de sa coiffe ourlée de dentelle, qu'elle ne portait que rarement. Au moment où elle allait prendre place, Payton plongea dans son regard et lui tendit galamment la main.

Les sourcils froncés, elle accepta son aide à contrecœur. Il serra ses doigts dans les siens d'un geste possessif. Une douce chaleur envahit la jeune femme. Son trouble était si fort qu'elle ôta vivement sa main de la sienne pour saisir les rênes que lui tendait le palefrenier.

Alors seulement, elle osa baisser les yeux vers Payton, dont les yeux gris étincelaient d'une lueur inquiétante.

— Bonne journée, mademoiselle Lockhart, et merci d'avoir amené Mlle Crowley et Mlle Natalie. Ce fut un plaisir.

— Je vous en prie, répondit-elle avec entrain, le cœur battant à tout rompre. En route ! Et bonne journée à vous !

Sans lui laisser le temps d'esquisser un geste, elle fit claquer les rênes sur la croupe de l'âne, qui partit au trot.

30

Heurté de plein fouet par la charrette, Payton chuta. Seul le cri de sa cousine avertit Mared qu'un accident venait de se produire.

3

En dépit des protestations de Sarah, qui affirmait qu'il aurait pu mourir, Payton n'était pas blessé. Certes, il eut le souffle coupé, l'espace d'un instant, mais c'est dans sa dignité qu'il fut le plus touché.

D'un ton froid, il suggéra à Mared de confier les rênes à une personne ayant un peu plus de délicatesse.

Avant de s'éloigner d'un pas incertain, soutenu par sa cousine et son palefrenier, il eut le temps de déceler une lueur alarmée dans les prunelles vertes de Mared.

— Je sais à quoi vous pensez, jeune fille, lui dit-il acerbe. Et vous vous trompez !

Cet avertissement lui valut un regard noir. Puis la jeune femme remonta sur la charrette qui s'ébranla.

Cette nuit-là, Payton ne parvint pas à trouver le sommeil. Des images de Mared, de malédictions ancestrales et de charrettes accidentées vinrent le hanter.

Dès le lendemain matin, toutefois, il se sentit mieux et s'efforça de la courtiser de plus belle. Au cours des quelques jours qui suivirent, il lui fit livrer des fleurs. En recevant son message l'informant que la bruyère des Highlands avait provoqué sur sa peau une étrange allergie, il ne put s'empêcher de sourire. Il l'invita ensuite à se promener à cheval, à Eilean Ros, mais elle déclina son offre, sous le prétexte qu'elle venait de se fracturer une jambe.

Quand Payton franchit enfin le Ben Cluaran pour lui rendre visite à Talla Dileas, interrompant une partie de quilles familiale sur la pelouse, il constata que la jambe de Mared s'était rétablie comme par miracle. La jeune femme daigna obéir à son père, qui lui intimait de laisser Payton jouer à son côté. Elle jura même sur l'honneur qu'elle n'avait pas délibérément jeté la lourde boule sur la botte de son invité.

Payton déploya donc mille efforts pour dompter cette tigresse, mais il ne cessait de croiser Mlle Crowley, qui était présente chaque fois qu'il se trouvait en compagnie de Mared. Celle-ci s'évertuait à les laisser seuls. Il rencontrait les deux amies à l'église, sur la route, lors des fêtes de village à Aberfoyle, où les habitants se réunissaient pour jouer de la musique et boire de l'alcool.

Dernièrement, il avait vu Mlle Crowley et Mared chez le confiseur. Il s'y arrêtait à chacun de ses passages au village, car il était friand de sucreries. À la demande peu discrète de Mared, il acheta des bonbons pour Mlle Crowley, mais éprouva une grande satisfaction à priver Mared de cet honneur.

Il croisa Mlle Crowley le lendemain, en retournant à la forge récupérer un cheval. Elle se promenait dans la rue, avec Mared, qui semblait passer beaucoup de temps à Aberfoyle.

— C'est une heureuse coïncidence, assura-t-elle avec un sourire radieux.

Soudain, elle se rappela quelque course urgente à faire et prit ses jambes à son cou, laissant Payton seul avec Beitris.

En fait, il appréciait cette jeune femme. Quand elle eut surmonté la peur qu'il semblait lui inspirer, il découvrit une personne charmante, de compagnie agréable, mais de façon amicale. Cela ne suffisait pas pour l'épouser, même si Mared semblait déterminée à les marier. Il devinait d'ailleurs que Mlle Crowley éprouvait les mêmes sentiments à son égard. Elle semblait bien plus attirée par le fils du forgeron que par lui.

C'était une bonne chose, car il ne voulait pas que Mlle Crowley souffre à cause des manigances stupides de Mared.

Par une matinée claire et dégagée, au terme de deux jours de pluies diluviennes, Payton sella son étalon Murdoch, puis siffla l'un de ses meilleurs chiens de berger, Cailean, pour inspecter son troupeau et partir à la recherche d'éventuelles brebis égarées.

Il chemina lentement. Les sabots de Murdoch s'enfonçaient dans la boue, au pied du Ben Cluaran. Même Cailean ne put gambader au-devant de son maître. Elle dut se résoudre à suivre le cheval, ce que rechignaient à faire les chiens de berger. Au loin, dans les collines verdoyantes qui s'étendaient à perte de vue, Payton distinguait ses bêtes qui paissaient, minuscules points blancs.

Dans une semaine ou deux, il ferait descendre le troupeau. Il fallait l'empêcher de paître l'herbe jusqu'à la racine. Quand il eut atteint l'entrée de Glen Ard, Payton remonta en amont vers une brèche située entre les collines, guidant la chienne vers un point d'eau.

Il mit pied à terre pour se désaltérer également.

Soudain, il perçut le bruit sourd et inquiétant de la chute d'un objet, le long du versant de la colline, heurtant les arbres et les rochers. Toujours accroupi, Payton regarda par-dessus son épaule et vit une grosse pierre rouler vers lui. Se levant d'un bond, il saisit les rênes de Murdoch et le tira. La pierre heurta violemment un arbre et fut détournée vers la droite, avant de s'arrêter à l'endroit précis où Payton buvait l'eau de la rivière.

Cailean alla renifler la pierre, mais Payton demeura figé sur place, pris d'une peur rétrospective. La pierre était plus grosse qu'un bélier. S'il n'avait pas bougé, il serait mort.

— *Mi diah !*

Une voix s'éleva au-dessus de sa tête. Payton soupira et, les mains sur les hanches, se retourna.

— Vous êtes blessé ? s'enquit Mared en courant sur le chemin pour venir à sa rencontre.

Elle tenait un panier et traînait son plaid vert et bleu derrière elle. Sous son chapeau de paille, ses cheveux bruns n'étaient pas attachés.

En le rejoignant, elle observa longuement la pierre avant de poser sur Payton un regard plein d'effroi.

— Vous allez bien ?

— Je vais très bien. Elle ne m'a pas touché ! répondit-il d'un ton bourru. Qu'est-ce qui vous prend, de pousser de grosses pierres vers le bas de la colline ? Vous auriez pu me tuer !

— Je ne l'ai pas poussée ! s'exclama-t-elle, indignée. J'ignore comment elle s'est mise à rouler.

Payton grommela dubitatif.

— Parole d'honneur ! insista-t-elle. La terre est humide. La pierre a dû se détacher...

Il s'interrompit. Face à l'expression de Payton, elle fronça les sourcils.

— Vraiment, si j'avais voulu vous tuer, j'aurais choisi une méthode lente et douloureuse. Et j'aurais fait en sorte de ne' pas être soupçonnée. Je n'ai pas bougé cette maudite pierre !

Payton la crut. Mared était une femme exaspérante, impertinente, irrévérencieuse, mais, à sa connaissance, elle n'avait rien d'une criminelle. Il émit un soupir et passa la main dans ses cheveux. Cailean trotta vers la jeune femme et plaça sa tête sous sa main, en quête de caresses. Aussitôt, elle se pencha pour cajoler la chienne, sans se soucier de la jalousie de ses propres chiens qui l'entouraient.

Payton la contempla. Elle était si belle, avec ses longs cheveux noirs, à se promener dans la lande comme elle le faisait souvent, vêtue d'une robe couleur de bruyère qui moulait ses formes. Elle portait à la poitrine un *luckenbooth*, une broche qui attestait de la richesse des Lockhart autrefois, mais dont l'aspect terni montrait ce qu'ils avaient perdu.

— Joli chapeau, commenta-t-il sèchement.

Avec un rire, Mared se redressa.

— Il appartenait à mon père.

Elle considéra à nouveau la pierre, puis se tourna vers lui.

— Vous n'êtes pas blessé, donc ?

Il secoua la tête.

— C'est à cause de la malédiction, dit-elle d'un ton détaché. Vous pensez peut-être qu'il s'agit d'incidents fortuits, mais ce sont des avertissements : il ne faut pas m'épouser, voilà ce qu'on cherche à vous dire.

— Cette malédiction n'existe pas, Mared, affirma-t-il en regardant son panier. Qu'est-ce que vous transportez ?

Il se mit à tapoter sa paume de sa cravache tout en s'approchant de la jeune femme.

— Ce ne sont pas là des baies de mes mûriers, tout de même ?

Mared dévora une mûre et hocha la tête sans vergogne.

— Vous ne devez pas cueillir de fruits sur mes terres sans m'en demander la permission, déclara-t-il en se servant généreusement.

— Je ne recommencerai pas, car ces mûres ne sont plus aussi sucrées qu'autrefois. Qu'avez-vous donc fait pour les rendre acides ? s'enquit-elle en l'observant sous le bord de son chapeau. Vous leur avez souri, peut-être…

— Si vous n'aimez pas les baies que vous volez de ce côté de la montagne, vous n'avez qu'à vous rabattre sur les terres de Sorley, suggéra-t-il d'un ton aimable.

Le vieux Sorley gouvernait sa vallée d'une poigne de fer. Jamais il n'aurait toléré que l'on cueille ses fruits, même si la voleuse était une ravissante jeune femme.

— Chacun sait que les baies de Sorley sont plus petites que les vôtres, répliqua Mared en glissant quelques fruits dans sa bouche.

Face à tant d'audace, Payton arqua les sourcils. Mared se contenta de déguster les baies en soutenant son regard. Il brandit sa cravache pour écarter une mèche de cheveux bruns de son épaule.

— Et que faites-vous donc, par cette belle journée? Vous chassez les brebis des Douglas, histoire de semer la zizanie?

— Vos brebis! Je n'ai que faire de vos malheureuses bêtes, dit-elle avec un sourire malicieux qui creusait des fossettes sur ses joues. Puisque vous tenez à le savoir, je reviens de chez Donalda.

— Donalda! railla Payton.

Il s'agissait d'une vieille femme qui vivait au fond de la vallée. Certains lui attribuaient des pouvoirs magiques, d'autres voyaient en elle la meilleure guérisseuse des Highlands. D'autres encore, comme Payton, la considéraient simplement comme une mégère.

— Pourquoi? Souffrez-vous d'une maladie que le médecin ne saurait traiter?

— En effet, répondit-elle en riant. Cela s'appelle une promesse de mariage.

Il ne put réprimer un sourire.

— Et comment Donalda compte-t-elle vous guérir de cette terrible maladie? En m'affligeant d'une malédiction?

— Elle m'a remis une fiole, expliqua Mared en brandissant un petit flacon qu'elle portait autour de son cou, retenu par un cordon. Je dois m'en servir pour vous ouvrir les yeux sur la vérité, le moment venu.

— M'ouvrir les yeux? Mais je connais la vérité depuis le départ. Jamais je n'en ai douté.

Avec un haussement d'épaules, elle lâcha la fiole et prit une autre mûre.

— Puisque vous êtes si clairvoyant, vous ne me forcerez pas à respecter ce stupide engagement de mariage.

— Vous avez accepté les termes de cet emprunt, lui rappela-t-il. Trois mille livres, c'est une somme.

— Je n'avais pas le choix. Jamais je n'aurais accepté, si ma famille n'avait pas eu cruellement besoin de cet argent.

— Vous ne cessez de me le répéter. Toutefois, vous avez dit oui. De plus, ce que je vous offre est-il donc si pénible ?

Elle le surprit en souriant d'un air charmant. Puis elle posa son panier et croisa les bras en le scrutant avec attention.

— Ce n'est pas ce que vous avez à m'offrir, Payton, car c'est bien plus que je ne pourrais l'espérer, admit-elle.

Il ressentit un certain plaisir mêlé d'étonnement à l'entendre prononcer son prénom.

— Mais vous ne pouvez changer votre nom, reprit-elle, ni l'histoire de nos deux familles.

— Quelle histoire ? grommela-t-il. Feriez-vous allusion à l'époque où vous m'avez martelé de vos petits poings, quand nous avions dix et cinq ans ? Ou quand vous m'avez mordu alors que j'essayais de vous embrasser ? Vous songez peut-être à ce *ceilidh* où vous m'avez ouvertement coupé la parole avant d'éclater de rire.

— Je pensais aux nombreuses offenses que votre famille a infligées à la mienne. Les Douglas et les Lockhart se battent depuis la nuit des temps, l'auriez-vous oublié ?

— Vos maudits Lockhart ont toujours été bien trop fiers !

— Vos maudits ancêtres ont incendié Talla Dileas ! répliqua-t-elle.

— Parce que vos maudits ancêtres avaient trahi les habitants des montagnes. De plus, Talla Dileas n'était pas grand-chose, à l'époque. Ignorez-vous que vos ancêtres ont massacré le troupeau des Douglas ?

— Parce que la moitié de ces bêtes avaient été déro-bées aux Lockhart par les vôtres ! Le puissant et généreux seigneur Douglas a fait pendre deux Lockhart sur le témoignage d'un gamin !

— Oui... Mais ces deux crapules avaient enlevé une fille Douglas pour la violenter.

Mared eut un geste désinvolte.

— Ce ne sont que des ragots. Et le duel entre nos arrière-grands-pères ?

— Ce sont les Lockhart qui ont commencé en cocufiant les Douglas !

Mared s'indigna :

— Comment osez-vous accuser mon arrière-grand-père ?

— Vous plaisantez ! C'était la pire crapule que les lochs aient jamais vue naître ! Et le duel entre nos grands-pères ?

La jeune femme se mit à rire.

— C'est un Douglas qui a provoqué ce duel à cause d'une stupide partie de cartes. On peut à peine parler de duel, car les deux hommes avaient tellement bu que votre Douglas a touché notre Lockhart d'une balle dans le postérieur !

Cette anecdote l'amusait au plus haut point.

Payton ne put s'empêcher d'être gagné par son hilarité.

— Vous voyez, Mared, combien ces histoires sont ridicules !

— Imbécile ! lança la jeune femme avec un sourire chaleureux. Un Douglas et une Lockhart ne sont pas faits pour se marier. Vous n'avez donc rien appris de nos ancêtres ? Nos sangs sont comme l'eau et l'huile, ils ne peuvent se mêler.

Payton ne semblait plus du tout amusé. Il posa le bout de sa cravache sur le bras de la jeune femme.

— Vous espérez donc me refourguer une fille dont le sang peut se mêler au mien, c'est cela ? Une fiancée de remplacement, en quelque sorte ? Où est donc passée votre ombre, Mared ? Je croyais qu'elle vous suivait partout... Ou bien ne vient-elle qu'à Aberfoyle ?

Aussitôt, le sourire de Mared s'élargit.

— Ainsi, elle vous manque ? Dois-je l'emmener chez vous, à nouveau ?

— Mlle Crowley doit vraiment être ravie d'avoir un chaperon tel que vous, fit-il en glissant sa cravache le long de son bras. Qu'a-t-elle donc fait pour mériter cet honneur ?

Mared ignora la question et la cravache.

— Vous la trouvez jolie, n'est-ce pas ? Allez, avouez-le !

Avec un ricanement de dérision, Payton posa la cravache sur l'épaule de Mared.

— Certes, mais elle ne m'attire pas particulièrement.

— Vraiment ? demanda-t-elle, les yeux pétillants de malice.

Elle se hissa sur la pointe des pieds et se pencha vers lui.

— Pour un homme insensible à son charme, vous l'avez pourtant embrassée, dit-elle d'un air triomphant, avant de reculer.

— Je l'ai embrassée, moi ? répéta-t-il en glissant sa cravache sur le menton parfait de Mared, puis sur sa joue.

— Vous l'avez embrassée ! insista-t-elle en repoussant la cravache, les sourcils froncés. Ne le niez pas. Vous ne traiterez pas Mlle Crowley comme une conquête de plus. Elle mérite bien mieux !

— Comme toujours, ce que vous racontez n'a pas de sens !

Il effleura son nez de sa cravache et se pencha vers elle, de sorte que leurs visages se frôlèrent.

— Je ne l'ai pas embrassée !

— Mais si ! s'exclama la jeune femme, les mains sur les hanches. Je vous ai vu, pendant que vous vous promeniez avec elle dans ce parc qui est une véritable jungle, soit dit en passant.

— Surveillez vos propos, mademoiselle, prévint-il en se redressant. Ce parc n'a rien d'une jungle. C'est le plus bel exemple de jardin paysagé de toute l'Écosse !

Et je n'ai pas embrassé Mlle Crowley, même si la tentation était grande, je l'avoue, car c'est une ravissante jeune femme, dotée d'un bon caractère, ce qui ne court pas les rues dans nos contrées, Mared Lockhart !

— Donc, vous niez l'avoir embrassée ? s'enquit Mared, indignée.

— Absolument ! rétorqua Payton, exaspéré. Vous êtes vraiment la personne la plus agaçante qu'il m'ait été donné de rencontrer. Vous déployez mille efforts pour que je trouve votre amie à mon goût, mais vous vous comportez comme si vous étiez jalouse de l'attention que je lui porte !

— Jalouse ? répéta-t-elle avant d'éclater de rire. Vous me croyez jalouse ? Vous avez perdu la raison ! Mlle Crowley est une amie très chère. Je vous posais cette question dans son intérêt, et non dans le mien.

En dépit de ses protestations, elle avait les joues empourprées. Elle était vraiment jalouse ! Elle qui œuvrait pour lui faire croire qu'elle le détestait.

Cette réaction ravissait Payton. Il sourit et tapota sa hanche de sa cravache, d'un air taquin.

— Vous êtes jalouse, Mared Lockhart. Vous désirez que je vous embrasse, voilà tout.

— Ne soyez pas ridicule ! s'exclama-t-elle. Je ne suis pas jalouse le moins du monde.

— Mais si !

Il remonta sa cravache vers son épaule et contempla sans vergogne son corps enchanteur.

— Vous m'avez amené votre amie pour mener à bien vos manigances, mais en croyant me voir l'embrasser, vous avez regretté de ne pas être à sa place. Vous avez envie que je vous embrasse en ce moment même. Vous avez envie du baiser d'un Douglas.

Elle recula vivement.

— Vous êtes visiblement tombé dans une cuve de ce breuvage que vous nommez whisky. Il faut être fou pour croire une seconde que je veuille quoi que ce soit de vous, surtout un baiser !

Payton s'avança vers elle et glissa sa cravache sur sa poitrine.

— Si, vous en avez envie. Voyez comme vous rougissez. Je parie qu'une femme de votre âge, qui n'a jamais connu le contact d'un homme, a passé bien des heures, la nuit, à rêver d'un baiser…

— Vous m'insultez! gronda-t-elle, écarlate.

— Vous avez dû passer bien des nuits, dans votre lit, à rêver de ma bouche sur vos douces lèvres…

Sur ces mots, il posa sa cravache sur ses lèvres, mais Mared la repoussa violemment.

— Vous vous êtes demandé si ma bouche était tendre ou brutale, poursuivit Payton, ravi d'être le témoin de son trouble, de sa colère. Si elle était sèche ou humide…

Elle émit un grognement rauque et le frappa à l'épaule. Payton la saisit par le poignet et l'attira vers lui en riant. Puis il l'embrassa longuement. Quand il releva la tête, il était triomphant.

Il ne cherchait qu'à la taquiner, mais en voyant ses yeux verts et en la sentant retenir son souffle, à la fois étonnée et subjuguée, son instinct viril reprit le dessus.

Lâchant sa cravache, il enlaça la jeune femme et posa la main sur sa joue brûlante, puis l'obligea à lever les yeux vers lui.

Elle semblait furieuse et tenta de le repousser des deux mains.

— Vous vous flattez, comme d'habitude. Au risque de vous décevoir, je ne passe pas mes nuits à penser à vous, dans mon lit! Je laisse cela à la malheureuse Mlle Crowley.

— Allons, calmez-vous. Je lis la vérité dans votre regard. Vous avez imaginé ce baiser, et bien davantage, sans doute. Quand je pense qu'une belle femme telle que vous est maudite au point de ne jamais connaître un homme… Vous devez vous demander ce que l'on ressent, nue, entre des bras d'un homme, et lors de la pénétration.

— Vous êtes d'une vanité sans limites ! lança-t-elle en se débattant.

— Je ne le nie pas, admit-il avec un rictus désinvolte. Mais vous êtes une menteuse si vous affirmez ne jamais y avoir pensé.

Il prit son visage entre ses mains pour l'embrasser à nouveau.

Elle parut surprise, comme si elle ne l'en croyait pas capable. Le corps de la jeune femme se raidit contre le sien tandis qu'il goûtait la saveur de ses lèvres pulpeuses.

Aussitôt, Payton s'embrasa de désir. Une vague de plaisir le submergea. Il fallait qu'il arrête, avant de commettre une erreur grossière. Mais Mared lui rendit son baiser, d'abord maladroitement, puis avec conviction. Son chapeau tomba à terre. Payton lui caressa doucement le visage pour la calmer, l'apaiser. Très vite, il sentit toute tension s'échapper de son corps. Elle pencha même la tête en arrière pour mieux s'abandonner à son baiser.

Dès qu'elle lui offrit le bout de sa langue, Payton se sentit englouti par un tourbillon de sensations. Tandis que leurs souffles se mêlaient, il se mit à explorer sa bouche offerte, goûtant sa saveur de mûre. Son parfum délicat enflamma ses sens.

Encouragé par l'ardeur de la jeune femme, il approfondit son baiser. Sans se faire prier, Mared se lova contre lui. Il la serra plus fort et glissa une jambe entre ses cuisses. Elle étouffa une plainte et frissonna. Elle s'agrippa à ses épaules, puis enfouit les doigts dans ses cheveux tout en se frottant contre son membre gonflé de désir.

Payton oublia tout pour ne songer qu'au plaisir indicible de cette étreinte. Lentement, il caressa sa hanche, puis son flanc, montant vers un sein rond. Il insinua les doigts dans son décolleté afin de mieux caresser sa chair et libéra un sein qu'il prit entre ses lèvres.

— Ah ! souffla-t-elle en se cambrant légèrement pour mieux l'accueillir.

Il se mit à titiller son mamelon dressé tout en maintenant ses hanches collées contre lui.

Le moindre mouvement de Payton provoquait un spasme de plaisir chez Mared. Quand elle fut pantelante, il remonta le long de son cou et s'empara à nouveau de sa bouche. Il la plaqua plus fort contre lui pour sentir ses seins nus contre son torse.

Son désir avait fait place à un besoin irrépressible de la pénétrer. Sa raison força son corps à résister, car il ne pouvait la faire sienne sur un chemin, en pleine nature.

Arrachant ses lèvres des siennes, il remit de l'ordre dans le décolleté de Mared. Puis il enfouit le visage dans son cou pour l'implorer:

— Venez avez moi, maintenant, et laissez-moi vous donner du plaisir, murmura-t-il d'une voix rauque en lui caressant les cheveux. Ce plaisir dont vous avez rêvé...

Elle sembla retrouver ses esprits et s'écarta de lui, chancelante, la main sur la poitrine. Il la vit surgir du brouillard de son propre désir pour le dévisager avec effroi.

En la voyant ramasser son plaid et son chapeau, sans oublier la cravache, Payton se passa la main sur la bouche. Lorsqu'elle se redressa enfin, son regard exprimait le trouble et le désir. Elle posa les yeux sur le renflement suggestif de son pantalon avant de le dévisager à nouveau.

Il tendit la main, s'offrant à elle.

Mared la fixa, réfléchit à sa proposition tacite, puis ses beaux yeux verts s'embuèrent de larmes.

— Non, murmura-t-elle.

— Non, ne pleurez pas... Vous savez bien que je vous aime depuis longtemps, dit-il d'une voix douce. *Carson a tha eagal ort?*

— Je n'ai pas peur! répliqua-t-elle en réponse à sa question, avant de lui assener un coup de cravache sur la main. Mais jamais je ne tomberai dans votre piège!

Sur ces mots, elle tourna les talons et s'éloigna dans la vallée, suivie de ses chiens.

Payton demeura immobile, à regarder ses cheveux longs voleter dans son dos, son panier lui heurtant la hanche à chaque pas. Il réagit bien après que ses sens se furent calmés.

Ce n'est que lorsque Cailean se mit à japper qu'il bougea enfin.

4

Après ce baiser enivrant, Mared parcourut le chemin dans une sorte de torpeur. Son corps et son esprit étaient incapables de se remettre de la sensation des lèvres de Payton sur son sein dénudé.

Il l'avait embrassée. Ce long baiser profond, elle pensait ne jamais en faire l'expérience. S'il ne l'avait pas retenue fermement, elle se serait liquéfiée de plaisir.

Ç'avait été aussi inattendu qu'extraordinaire. Le désir s'était emparé d'elle, embrasant ses entrailles d'une chaleur inconnue. Son cœur battait à tout rompre, lui coupant le souffle, l'obligeant à respirer à travers lui, à partager son souffle.

Le simple souvenir de ce moment suffisait à la faire frissonner de la tête aux pieds. Malgré elle, elle se retourna. Il n'avait pas bougé. Fermement campé sur ses jambes, il tenait sa cravache. Mared se détourna vivement, de peur de trahir son trouble, même à cette distance.

Réprimant les élans de son corps, elle s'éloigna, car il s'agissait de Payton Douglas, un homme qui avait provoqué la ruine de sa famille en introduisant dans la vallée l'élevage des moutons. Ses ancêtres n'avaient cessé d'agresser les Lockhart, et voilà qu'il entendait la contraindre au mariage pour trois mille malheureuses livres, lui interdisant toute possibilité de choisir son destin.

Elle ne pourrait donc fuir cet endroit et sa malédiction.

Il était homme à attirer sans peine n'importe quelle femme dans ses filets. Elle s'en voulait d'avoir cédé aussi rapidement, d'avoir été troublée par ses paroles au point d'en trembler comme une feuille.

Laissez-moi vous donner ce plaisir dont vous avez rêvé...
Au cours des jours suivants, Mared se répéta ces paroles. Dans sa chambre, lors d'un après-midi morne et gris, elle se remémora leur baiser dans ses moindres détails en observant la fiole que lui avait remise Donalda.

Le jour de ce baiser, elle avait parcouru les collines pour se rendre dans la petite chaumière isolée entourée de bruyère et de fleurs sauvages, dans un effort désespéré d'éviter ces fiançailles qui approchaient en silence, telle une armée ennemie.

La chaumière n'avait pas changé depuis l'enfance de Mared, lorsque, avec ses frères, elle venait épier la vieille femme, essayant de deviner le contenu des divers récipients posés devant la porte. Liam affirmait qu'il s'agissait de champignons dans les petits et de lutins et de crapauds dans les plus grands.

— C'est une sorcière, soufflait-il pour effrayer ses cadets.

En grandissant, Mared avait compris que Donalda n'était qu'une veuve sans le sou, à l'esprit vif, et dotée d'une grande intuition. Elle sentait toujours la présence de quelqu'un dans le vallon. Ce matin-là, elle était venue accueillir Mared sur le pas de la porte avant même que la jeune femme n'ait atteint la clairière.

— Je t'attendais, petite, avait-elle déclaré en essuyant ses mains noueuses sur son tablier.

Elle l'avait fait entrer dans son petit cottage sombre, éclairé uniquement par un feu de cheminée, au-dessus duquel pendait une marmite. Deux chats étaient allongés parmi les flacons et les fioles qui jonchaient la table. La pièce n'était meublée que d'une chaise en bois et d'un matelas à même le sol.

Donalda avait soulevé le couvercle de la marmite. Une odeur de tourbe avait envahi la pièce. Elle avait reposé le couvercle, s'était essuyé les mains et dirigée vers une étagère.

La vieille femme s'était haussée sur la pointe des pieds et avait cherché quelque chose à tâtons. Puis elle s'était tournée vers Mared pour lui tendre une petite fiole.

— Garde-la près de ton cœur, lui avait-elle recommandé en refermant le poing de la jeune femme dessus. À l'approche de tes fiançailles, tu boiras ceci sous la pleine lune.

— Qu'est-ce que c'est? s'était-elle enquise, hésitante.

Donalda s'était penchée vers elle, les yeux teintés de mystère.

— Cela ouvrira les yeux sur la vérité.

— Vous parlez des Douglas?

— Je parle de quiconque doit voir la vérité.

À présent, Mared fixait la fiole, se demandant quelle potion pouvait ouvrir les yeux de quiconque sur la vérité, alors qu'elle était incapable de la voir elle-même.

En toute honnêteté, il existait une petite vérité qu'elle n'admettrait jamais. Jamais! Payton avait raison. Elle avait passé bien des nuits blanches, à rêver de passion. Elle n'avait jamais connu les caresses d'un homme, comme il le disait. Certains lui avaient pris la main ou volé de chastes baisers, mais jamais aucun n'avait caressé son corps comme elle le désirait chaque fois qu'elle rêvait de Payton Douglas.

Et parfois du fils du forgeron d'Aberfoyle, un beau jeune homme brun.

Quelques jours s'étaient écoulés depuis son entrevue avec Payton, dans les collines. Rien ne parvenait à apaiser son tourment ni sa fièvre.

Une lettre de Beitris vint empirer la situation. La jeune fille lui racontait que lord Douglas lui avait rendu une visite fort polie, et que sa mère l'avait trouvé charmant. Quant à son père, il voyait en lui un gentleman très cultivé.

Mared froissa rageusement le courrier de son amie et la jeta dans la cheminée. Voilà bien une attitude masculine que d'embrasser une femme avec une passion débordante puis d'aller rendre visite à une autre, en présence de ses parents !

Elle frappa du poing sur son secrétaire et se rappela qu'elle avait obtenu ce qu'elle cherchait. Ses manigances avaient porté leurs fruits : elle n'épouserait pas Payton Douglas, car celui-ci demanderait la main de Beitris Crowley. Elle était sauvée !

Et sa vie ne serait qu'un grand vide.

Ce serait une existence morne, certes, mais bien préférable à un mariage avec un Douglas. À Talla Dileas, au moins, elle ferait ce qu'elle voudrait, même si le vieux château familial tombait en ruine et si les Lockhart risquaient de tout perdre. Heureusement, quand elle se serait installée à Édimbourg, elle serait traitée avec respect et courtoisie. Elle rencontrerait des hommes aussi séduisants que Payton, issus de familles qui n'avaient jamais été rivales de la sienne.

Oui, elle trouverait un moyen de vivre à Édimbourg, dût-elle s'y rendre à pied !

Mared poussa un long soupir et glissa la fiole dans son décolleté. Puis elle alla à la fenêtre pour observer le toit délabré de la véranda, en contrebas, et le paysage verdoyant dans le lointain. Dans le brouillard, elle aperçut une silhouette sombre, sur la route. La jeune femme plissa les yeux, puis fronça les sourcils. C'était une voiture tirée par deux chevaux. Elle voyait les lanternes se balancer et le blason doré peint sur la portière.

Encore lui ! Elle leva les yeux au ciel. Si seulement il ne se sentait pas libre de venir à Talla Dileas quand bon lui semblait…

Toutefois, elle se précipita vers sa coiffeuse pour se recoiffer et se mettre un peu de rose aux joues. Enfin prête, elle descendit voir ce qu'il voulait.

Le temps de parcourir le labyrinthe de couloirs et de salons, que des générations de Lockhart avaient ajouté au bâtiment initial, elle atteignit le grand salon d'origine. En entendant des rires, elle soupira.

La pièce était lumineuse et confortable, avec son feu de tourbe dans la cheminée. Mared rejoignit ses belles-sœurs : Ellie, blonde aux yeux bleus comme sa fille, assise sur le canapé, et Anna, la brune aux yeux noirs, les mains posées sur son ventre qui commençait à s'arrondir. Les deux femmes riaient, ce qui n'avait rien d'inhabituel, car elles étaient les meilleures amies du monde depuis l'arrivée d'Anna en Écosse. Ce qui était incongru, en revanche, c'est qu'elles riaient en compagnie de Payton et sa cousine.

En fait, cette pimbêche de Sarah Douglas souriait franchement en buvant du thé dans l'une des rares tasses de porcelaine qu'ils n'eussent pas cassées au fil du temps. Quant à Payton... Seigneur, il tenait Duncan, le bébé de Liam et d'Ellie, dans ses bras.

Ellie, la traîtresse qui avait confié son enfant à un Douglas, fut la première à remarquer sa présence.

— Mared ! s'exclama-t-elle.

Tous les regards se portèrent sur elle, y compris celui de Payton, qui affichait un large sourire comme s'il était un habitué de Talla Dileas.

— Mared, regarde qui est venu nous voir ! lança Anna en se levant péniblement.

Naturellement, Payton se précipita, tenant toujours le bébé dans un bras, pour aider Anna à retrouver l'équilibre.

Mared s'arrêta au milieu de la pièce et fit une révérence un peu désinvolte à la cousine de Payton.

— Bonjour, mademoiselle Douglas. Bienvenue à Talla Dileas.

Sarah hocha la tête un peu sèchement.

— Mademoiselle Lockhart, quel plaisir de vous voir, dit Payton en s'inclinant tandis que Duncan s'agrippait au revers de sa veste. Cela me réchauffe le cœur.

Sur ces mots, il osa lui adresser un clin d'œil.

— C'est charmant, commenta Ellie.

— C'est scandaleux, marmonna Mared en fronçant les sourcils car son neveu gazouillait et souriait à Payton. Que se passe-t-il, monsieur ? Vous devons-nous également le premier petit-fils de mon père ?

Payton s'esclaffa et se mit à bercer l'enfant.

— S'il ne tenait qu'à moi, mademoiselle Lockhart, je peuplerais Eilean Ros de dizaines de rejetons tels que celui-ci.

— Vraiment, Payton ! protesta sa cousine en riant. Tu es bien audacieux.

Étrangement, c'était la première fois que Mared entendait Payton exprimer un sentiment de cette nature. En le regardant bêtifier devant Duncan, lui chanter des chansons, elle l'imaginait fort bien en père de famille, au point qu'elle en frémit.

— Lord Douglas nous a apporté du thé, dit Anna en désignant une boîte posée sur la table. N'est-ce pas gentil ?

— Du thé ?

— Oui, déclara Payton en rendant l'enfant à sa mère. Mon petit doigt m'a dit que vous en manquiez. Sarah et moi tenons à partager avec vous.

— C'est… c'est une pensée assez… inhabituelle, commenta Mared en s'asseyant près d'Anna. Mère vous en sera très reconnaissante, car elle n'a pas bu une tasse de thé digne de ce nom depuis quinze jours.

— Je vous en prie, fit Payton en baissant la tête.

— Asseyez-vous donc, monsieur, dit Ellie, qui confia l'enfant à une femme de chambre.

Payton prit place juste en face de Mared, sur un divan qui avait grand besoin d'être restauré.

— Comptez-vous demeurer encore longtemps à Eilean Ros, mademoiselle Douglas ? s'enquit Anna.

— Je resterai tant que mon cousin aura besoin de moi. Nous recherchons désespérément une gouvernante depuis le décès de Mme Craig. Tant que nous n'en aurons pas déniché une qui ait les références adéquates, je ne partirai pas. Je ne puis laisser cette maison sans présence féminine, de peur que mon cousin ne la transforme en pavillon de chasse.

Les dames acquiescèrent, mais Mared se contenta d'un grommellement de dédain.

— Quel dommage que vous ne trouviez pas la perle rare, soupira Anna. Je suis certaine qu'il existe bien des femmes désireuses de travailler.

— La plupart d'entre elles sont parties à Glasgow, intervint Mared.

— Et celles qui restent ne sont même pas dignes de gérer une grange, ajouta Sarah.

— C'est une chance que votre cousin n'ait pas besoin de plus que cela, suggéra Mared avec un sourire candide.

Elle pensait faire preuve d'esprit, mais Mlle Douglas parut atterrée. Ellie et Anna foudroyèrent leur belle-sœur du regard. Seul Payton semblait amusé.

— Mademoiselle Lockhart, je vous en prie, ne nous épargnez pas vos véritables sentiments à l'égard d'Eilean Ros.

Ellie et Anna gloussèrent, soulagées, sans pour autant pardonner à Mared, qui se demanda quand elles étaient passées à l'ennemi.

Sarah Douglas, elle, demeura inflexible.

— Je vous présente mes excuses, monsieur, mademoiselle Douglas, déclara Mared à contrecœur, la tête baissée. Ce n'était qu'une plaisanterie, mais elle manquait de finesse, hélas.

Mlle Douglas fit une moue de dédain. En parfaite hôtesse, Anna s'enquit auprès de Payton de la récolte d'orge. Il se mit à parler de ses cultures avec enthousiasme, de ses difficultés d'irrigation, des excellents résultats obtenus. Cette récolte lui serait utile pour la distillerie qu'il envisageait de construire. De plus, ses chers moutons pouvaient paître dans les champs en friche. De toute évidence, il était fort satisfait de sa réussite.

Mared en fut contrariée. Ellie et Anna semblaient pleines d'admiration pour lui. Ce qui faisait fulminer Mared était qu'elle était la seule vraie Lockhart de la pièce, et qu'elle ne pouvait s'empêcher d'être attirée par cet homme, en dépit de ses efforts pour résister à son charme.

Au moment de prendre congé, Payton s'inclina devant Ellie et Anna, qui se pâmaient presque. C'était là le danger d'introduire des Anglaises dans la maison, songea Mared. Elles n'avaient aucun sens du passé et ne se rendaient pas compte que cet homme, en amenant des moutons dans les collines, avait bouleversé l'existence de tous. En prêtant cet argent aux Lockhart, il avait aussi bouleversé l'existence de Mared. Ellie et Anna ne voyaient en lui qu'un homme charmant.

— Si je puis me permettre, dit-il en accompagnant sa cousine à la porte du salon, précédé de Dudley, le majordome, j'aimerais inviter toute la famille à Eilean Ros vendredi prochain, car je donne une réception.

Mared se méfia. Jamais Payton n'avait organisé de *ceilidh*.

— Merci, mais ce ne sera pas possible, dit-elle vivement.

Ellie intervint à son tour :

— Comme c'est aimable à vous ! lança-t-elle avec une révérence digne d'un duc. Je suis certaine que notre seigneur sera enchanté de cette invitation.

— Non, il... fit Mared, mais Anna l'empêcha de poursuivre.

— Bien sûr que si ! Il me disait justement, cette semaine, qu'il aimerait sortir davantage.

Mared adressa à Anna un regard sombre. Son père était incapable de dire une chose pareille. Il passait son temps à se lamenter sur la déchéance de Talla Dileas.

— Formidable ! conclut Payton. Je considère que vous avez accepté. Bonne journée, mesdames.

Il se tourna ensuite vers Mared.

— Et mademoiselle Lockhart...

Les deux traîtresses encadrèrent Mared pour saluer les Douglas en gaélique.

Dès que Dudley eut refermé la porte d'entrée, Mared fit volte-face pour fusiller ses belles-sœurs du regard.

— Auriez-vous oublié le nom de nos ennemis ?

Anna se mit à rire, mais Ellie poussa un soupir de lassitude.

— Calme-toi, chérie, dit-elle en la prenant par le bras. Nous savons parfaitement où se trouvent nos ennemis.

— Absolument, renchérit Anna. Mais quelle femme pourrait ignorer cet homme ? Il est très séduisant. Parfois, j'ai peine à me rappeler pourquoi il est notre ennemi. Il est si beau… Rien à voir avec les blancs-becs londoniens.

— Tu ne comprends pas, Anna…

— Bien sûr que si ! coupa-t-elle sans laisser à Mared le temps d'énumérer les défauts de Payton. Je suis un peu bête, voilà tout. Douglas est un vaurien, un traître… et je ne me rappelle pas la suite. Je l'ai trouvé très attendrissant dans sa façon de jouer avec Duncan.

— Tout le monde s'extasie devant Duncan, Anna. Même les ogres, apparemment. Si tu sais que cet homme est notre ennemi, pourquoi t'es-tu comportée comme s'il s'agissait du régent en personne ?

— Parce que nous sommes au courant de la nouvelle, répondit Ellie avec un sourire radieux.

— Quelle nouvelle ? s'enquit Mared.

— Celle-ci, fit Ellie avec enthousiasme. Quand Liam s'est rendu à Glasgow pour chercher du travail, il a croisé par hasard sir Malcolm, qui lui a appris que la sœur de Hugh MacAlister, Mme Reed, était venue d'Aberdeen pour soigner sa mère souffrante, qui serait à l'agonie.

— Et quelle nouvelle nous apporte donc Aileen ? demanda Mared, alarmée.

— Nous l'ignorons encore, répondit Ellie. Liam et Griffin se rendront dès demain au domaine des Mac-

Alister pour bavarder un peu. D'après Griffin, Hugh est assez proche de sa sœur Aileen. Si un membre de la famille sait où il se trouve, c'est bien elle. Sans oublier que sa pauvre mère est malade, ce qui fera peut-être rentrer la dernière des crapules à la maison.

Mared en eut le souffle coupé. Était-ce possible ? Son cauchemar serait-il terminé si Hugh réapparaissait en Écosse avec la bête ? Elle n'osait l'espérer, de peur de connaître une nouvelle déconvenue. Chaque fois qu'elle entendait prononcer le nom de MacAlister, elle ne pouvait s'empêcher de songer aux paroles flatteuses qu'il avait murmurées à son oreille, avant que Griffin et lui ne partent pour l'Angleterre :

— Je reviendrai, Mared, car je ne vois le soleil que dans vos yeux. Vous êtes une rose d'Écosse et votre image restera gravée dans mon cœur. Elle me guidera vers la lumière jusqu'à mon retour.

C'était ce qu'il avait déclaré la veille de son départ, agenouillé face à elle, alors qu'il tentait de lui voler un baiser. Mared s'était moquée de lui, mais elle avait apprécié ses attentions, de même que le chaste baiser qu'elle lui avait accordé ce soir-là. L'odieux personnage ! Il ignorait le sens du mot honneur.

— Je suppose que Hugh se trouve en Amérique, dit-elle d'un ton morne en s'asseyant à côté d'Anna. Jamais il ne remettra les pieds en Écosse de peur d'être pendu, pas même pour voir sa mère mourante.

— Peut-être. Mais où vont les chiens quand ils n'ont nulle part où se réfugier et quand ils ont faim ? Ils rentrent au bercail, dit Ellie.

— Et quel rapport avec les Douglas ? Pourquoi avoir accepté son invitation ? Les Lockhart n'ont jamais cherché à fréquenter Eilean Ros.

— C'est justement le plus beau de l'histoire, expliqua Ellie en échangeant un regard complice avec Anna. Nous serons tous présents, vendredi soir, quand Liam et Griffin viendront lui annoncer la bonne nouvelle : il sera remboursé intégralement, avec les intérêts, et il ne t'aura pas. Nous pourrons faire la fête.

Elles regardaient Mared comme si elles avaient déjà localisé MacAlister et la bête. Mared sourit, loin d'être aussi confiante.

— Et s'ils ne le retrouvent pas ?

Anna et Ellie échangèrent un nouveau regard.

— Dans ce cas, fit Ellie en examinant la manche de sa robe, il serait naturel que nous participions à une… réception. Histoire de faire plus ample connaissance… avec notre futur… parent.

— Il ne fera jamais partie de cette famille, Ellie ! Jamais je ne consentirai à l'épouser !

— Pourtant Mared, il est très… fit Anna, mais Mared se leva pour quitter la pièce.

— Il est beaucoup de choses, Anna, mais jamais je ne m'abaisserai à épouser un Douglas !

Sur ces mots, elle quitta le salon.

5

L'instinct de Mared ne l'avait pas trompée. Comme elle l'avait soupçonné, Anna et Ellie s'étaient montrées trop optimistes. Griffin et Liam étaient rentrés du domaine des MacAlister, trois jours plus tard, couverts de boue et les mains vides.

Non seulement Aileen, la sœur de MacAlister, ignorait où il se trouvait, mais elle avait paru, selon Griffin, très étonnée d'apprendre que son frère avait dérobé la bête. Liam se montra moins compréhensif. Il soupçonnait une vile conspiration des MacAlister. La guérison de leur mère, que l'on disait à l'agonie, n'en était qu'une preuve supplémentaire.

Mared considérait pour sa part qu'Aileen serait bien surprise d'apprendre ce que son frère avait manigancé. Face à la mine déconfite de ses frères, elle déclara que sa présence au *ceilidh* des Douglas n'était pas indispensable. Las de ces querelles, son père décréta qu'elle se rendrait chez Douglas, qu'elle le veuille ou non. La jeune femme dut se résoudre à passer une soirée à Eilean Ros. Elle revêtit tout de même sa plus belle robe, en brocart pourpre, ornée de broderies sur les manches et au bord du décolleté. Hélas, il avait fallu la raccommoder à maintes reprises. C'était une robe d'hiver d'une couleur qui seyait mal aux longues nuits d'été écossaises, mais la jeune femme n'en possédait pas d'autre.

Cela ne dérangeait pas Mared outre mesure. Lors de ces soirées mondaines, elle demeurait en général en retrait, car les gens semblaient avoir peur d'elle. Elle se moquait de ce que Payton allait penser de sa tenue. Il ne connaissait que trop bien cette vieille robe. Lors du bal de Noël de l'année précédente, il en avait palpé la manche en disant :

— Vous devriez porter des couleurs plus claires.

Il lui avait souri avec une tendresse qui l'avait déstabilisée, l'emplissant d'un trouble inconnu.

— Un jour, avait-il promis, vous ne serez plus obligée de porter chacune de vos robes plus d'une fois.

Elle laissa ses belles-sœurs la coiffer d'un chignon très en vogue à Londres, d'après elles, avec un fin ruban de soie emprunté à Beitris. Des boucles d'oreilles en améthyste vinrent parfaire sa toilette.

— Vous êtes sûre que je suis à la dernière mode ? s'enquit-elle en s'observant dans le miroir.

— Naturellement ! Tu es ravissante, assura Ellie en contemplant son œuvre.

— Si nous étions à Londres, tu serais taxée d'originale, renchérit Anna, assise sur son lit. Tout le monde apprécie les beautés sombres et exotiques.

Mared ignorait si elle avait une apparence exotique, mais elle appréciait cette image d'elle-même. Si seulement elle avait une robe neuve…

Sans Griffin et Anna, qui préféra rester à la maison, vu son état, ainsi que Natalie, jugée trop jeune, les Lockhart prirent un vieux carrosse qu'ils empruntaient autrefois pour les grandes occasions, mais qui était devenu leur unique moyen de transport, tiré par deux malheureux ânes. Ils cheminèrent péniblement à travers le Ben Cluaran.

En arrivant, ils découvrirent avec étonnement de nombreux autres véhicules garés dans l'allée. Un couple venait de descendre, l'homme portait une cape noire et la femme une robe dorée étincelante.

— Comme c'est beau ! s'exclama Ellie. Liam, c'est un vrai bal !

— Bon sang, marmonna-t-il dans sa barbe en tirant sur son col trop serré.

— Un bal ! lança Mared, soudain mal à l'aise. Il n'a jamais été question d'un bal. Il a parlé d'un *ceilidh* !

— Sais-tu depuis combien de temps je ne suis pas allée à un bal ? demanda Ellie en portant ses mains gantées à sa gorge. Regardez ! Vous voyez cette jeune fille en rose ?

Mared se tourna dans la direction indiquée par sa belle-sœur. Resplendissante dans sa robe de bal rose, Beitris marchait sagement derrière ses parents.

— Seigneur, marmonna Liam. Il s'agit bien d'un maudit bal.

— Tu devrais t'en réjouir ! lança Ellie avec entrain. Tu connais toutes les danses de salon. D'après Anna, durant ton escapade à Londres, tu as fait merveille en société.

Liam fronça les sourcils.

— Je n'aime pas les bals, grommela leur père. Il y a trop de bruit et trop de monde !

— Tu te contenteras de sourire et d'avoir l'air heureux d'être venu, lui recommanda sa femme avant de s'adresser à Mared. Je suppose qu'il a envie que tous les habitants de la région le voient au bras de notre fille. C'est ce que fait en général un homme de son rang lorsqu'il envisage de se marier.

Mared n'y avait pas songé. À cette perspective, elle sentit son cœur s'arrêter de battre.

— Je refuse d'entendre cela ! s'exclama-t-elle, les mains plaquées sur les oreilles, tandis que la voiture s'arrêtait.

— Tu n'y peux rien, Mared. Ne tente pas le destin, lui dit sa mère. Un Lockhart ne faillit jamais à sa parole !

Sur ces mots, elle tendit la main à Liam qui avait déjà mis pied à terre.

La fête battait son plein. Mared avait la nette impression que tous les habitants des vallées alentour étaient présents, parés de leurs plus beaux atours. Les salons ne suffisant pas à accueillir tout le monde, de nombreux convives avaient envahi la terrasse donnant sur le loch Ard si serein. Violonistes et joueurs de cornemuse enchaînaient danses et quadrilles. Sur la piste et sur la terrasse, des dizaines de couples tournoyaient déjà.

Des laquais portant la livrée traditionnelle des Douglas, avec perruque poudrée et culotte, fendaient la foule, chargés de plateaux. L'alcool coulait à flots.

Mared prit une chope de whisky et la but d'une traite, discrètement appuyée contre un mur, pendant que ses parents dansaient ensemble. Ellie avait pour cavalier le pasteur d'Aberfoyle, et Liam riait en compagnie de soldats des Highlands.

Cependant, pas un signe de Payton. C'était Mlle Douglas qui avait accueilli les Lockhart et les avait invités à entrer dans la salle de bal. Peut-être Payton se trouvait-il sur la terrasse ? Mared eut envie d'aller vérifier, mais elle se sentait si mal à l'aise, dans sa vieille robe rapiécée, qu'elle préféra rester tapie dans l'ombre.

De plus, pourquoi se soucierait-elle de Payton, après tout ? Elle devrait au contraire se réjouir de la présence de tant d'invités à ce bal. Il y avait de quoi monopoliser l'attention de leur hôte. Payton pourrait faire la roue devant toutes les jeunes filles à marier, qui ne demandaient pas mieux, à l'image de Beitris. Une soirée bien pénible en perspective...

C'est alors que le diable en personne apparut à la porte donnant sur la terrasse. À son bras, Beitris semblait radieuse. Ils entrèrent dans la salle de bal. La jeune femme était visiblement heureuse, voire un peu amoureuse.

Quant à Payton... il était superbe dans son élégant costume, avec sa ceinture en soie blanche. Et il paraissait très satisfait de lui-même.

Mared ignora le trouble qui l'envahissait et se convainquit qu'ils formaient un couple parfaitement assorti. Une belle jeune femme, un homme séduisant : elle pouvait se féliciter de son entreprise de rapprochement.

Si seulement il ne l'avait pas embrassée, s'il ne l'avait pas caressée, et si seulement elle ne lui avait pas rendu ce baiser…

Voyant passer un laquais, elle prit une autre chope de whisky. L'alcool apaisa son tourment, l'envahissant d'une chaleur rassurante.

À l'issue d'un quadrille, Douglas confia Beitris à M. Abernathy, le fils du forgeron, pour se tourner vers Mared, qui sursauta.

Elle le vit s'approcher. Décidément, il n'avait eu aucun mal à la repérer. Redressant fièrement la tête, elle lui sourit avec indifférence.

Il ne parut pas déstabilisé pour autant. En la rejoignant, un sourire narquois au coin des lèvres, il s'inclina. Pour toute réponse, Mared se contenta de glisser légèrement sur le mur qui lui servait d'appui.

— Mademoiselle Lockhart, je me réjouis de votre présence, dit-il en la toisant sans vergogne.

— Merci de m'avoir invitée à ce bal, sous le prétexte habile d'un simple *ceilidh*.

Il arqua un sourcil, les yeux pétillants.

— Un prétexte ? Vous vous méprenez, ma chère. Il s'agit d'une soirée entre amis où l'on danse, histoire de détendre l'atmosphère. N'est-ce pas la définition d'un *ceilidh* ?

— Il me semble qu'un *ceilidh* est une réunion plus intime et moins guindée, monsieur.

— Vous jouez sur les mots, assura-t-il. On ne peut servir à boire à un Écossais sans qu'il se mette à danser.

Elle devait admettre qu'il avait raison.

— Le contraire me semble difficile, en effet.

— Je me permettrai donc de vous inviter à faire un tour de piste.

— Vous me connaissez suffisamment, monsieur, pour savoir que je ne danserai pas pour vous distraire.

— Alors dansez pour vous distraire vous-même, insista-t-il en lui tendant la main.

Secouant la tête, elle détourna les yeux.

— Allons, accordez-moi cette danse, Mared, dit-il d'une voix douce. Il est un peu discourtois de dire non à son hôte, vous ne trouvez pas ?

Elle observa un instant sa main tendue.

— Tout le monde va vous traiter de fou, si vous dansez avec la maudite.

— Mared *leanman*, dit-il, employant un terme d'affection en effleurant sa main de la sienne. Vous devriez comprendre que je me moque comme d'une guigne de ce que les gens pensent. Venez danser…

Il lui adressa un sourire désarmant auquel elle ne put résister. Les effets de l'alcool, la magie de la musique la poussèrent à accepter. Malgré elle, elle glissa sa main dans la sienne. Quand il lui souriait ainsi, elle avait l'impression qu'ils partageaient quelque secret intime. Il plaça sa main sur son avant-bras et fendit la foule des danseurs, ignorant les regards critiques.

Fidèle à sa parole, Payton semblait indifférent au qu'en-dira-t-on. Il s'inclina face à sa cavalière.

Mared fit une révérence digne de ce nom et sourit même lorsqu'il l'enlaça. Perdue pour perdue, autant profiter de la soirée. Avec un léger gloussement, elle plaça une main légère sur son épaule puissante.

La musique monta d'un ton. Aussitôt, Payton entraîna la jeune femme au rythme des notes endiablées, la serrant contre lui, au point qu'elle sentait son eau de Cologne. Ce parfum lui rappela le baiser qu'ils avaient échangé à Glen Ard, la sensation de ses lèvres sur sa peau nue, sa cuisse entre les siennes. Malgré elle, elle rougit.

— À quoi pensez-vous ? demanda-t-il.

Cette question la prit au dépourvu. Avait-il deviné ses pensées ? Pouvait-il soupçonner combien ce baiser l'avait marquée ? Troublée par son sourire et par la lueur équivoque qu'elle décelait dans son regard d'acier, Mared fit ce qu'elle avait coutume de faire quand elle se sentait menacée : elle feignit l'indifférence.

— Vous ne devinez donc pas ? Je me demandais pourquoi vous aviez invité les Lockhart à ce bal ridicule. Ce n'est pas dans les habitudes des Douglas.

— Si les Douglas n'ont pas coutume de convier les Lockhart, c'est parce que ceux-ci, surtout lorsqu'ils se déplacent en troupeau, peuvent se montrer un peu... *fiadhaich*.

Mared s'esclaffa, car les Lockhart en disaient autant des Douglas, les traitant volontiers de sauvages, de rebelles.

Il répondit à son rire par un sourire ravageur qui engloutit la jeune femme dans un tourbillon de désir. Il l'attira contre lui.

Elle ne résista pas.

— Que faites-vous ? demanda-t-elle. Vous allez déclencher un scandale en dansant ainsi avec une fille Lockhart, une femme maudite, de surcroît.

— Chut, souffla-t-il. J'aime vous sentir dans mes bras. Nul ne se moquera de vous, ce soir. Qu'ils pensent ce qu'ils veulent. Il faut leur faire savoir que vous serez bientôt une Douglas, à votre tour.

Une Douglas... Mared eut un mouvement de recul, cherchant à se libérer du bras qui la tenait enserrée.

— Lâchez-moi !

— Que se passe-t-il ? Vous ne pouvez nier ce qui va arriver !

— Arrêtez ! lança-t-elle. Sinon, je vais faire un scandale.

— Petite imbécile, maugréa-t-il en l'attirant vers lui. Je vous ai courtisée, j'ai fait mon possible pour vous faciliter les choses...

— Là n'est pas le problème, rétorqua-t-elle, de plus en plus désespérée. Je ne supporte pas d'être contrainte à ce mariage.

— Dans ce cas, je vous conseille de ne pas parler d'honneur à tort et à travers, Mared.

— Vous croyez donc que j'ai donné ma parole librement? s'enquit-elle, incrédule. Vous croyez qu'une femme est libre? Je connais le même sort que la majorité des femmes. Je me plie à la volonté de mon père et de mes frères.

— Seigneur! Cessez donc de vous apitoyer sur vous-même! Vous obéirez à la sage décision de votre père parce que vous êtes trop stupide pour faire vos choix. Ce que je vous propose, c'est une vie agréable, mais vous êtes trop entêtée pour en prendre conscience.

— Vous ne me proposez rien, vous imposez tout!

Il serra plus fortement sa main dans la sienne.

— Pas de provocation, dit-il. Ma patience a des limites. Quand nous serons mariés, je ne tolérerai pas tant d'impertinence et de dédain.

— Vraiment? Et comment pensez-vous m'en empêcher, je vous prie?

Son expression se fit plus sombre. Refusant de la regarder, il la fit tournoyer au rythme de la musique, qui se tut enfin. Il s'inclina. Elle baissa les yeux et s'inclina à son tour, crispée.

Cependant il n'en avait pas terminé avec elle. La prenant par le bras, il l'entraîna sans ménagement vers la terrasse.

Mared voulut protester, malheureusement il s'empressa de lui couper la parole,

— Non! Ne dites rien! Vous me détestez, cela me semble évident, toutefois vous serez bientôt ma femme, que cela vous plaise ou non. Ce soir, vous allez trop loin.

Le souffle court, elle voulut se dégager de son emprise, mais il la retint fermement.

— Lâchez-moi!

— Cessez de faire l'enfant! J'ai un cadeau à vous offrir, Mared. Dans un terrible moment d'égarement, j'ai pensé vous offrir un cadeau.

— Oh non… gémit-elle.

Il émit un grommellement agacé, puis lâcha son bras au moment où ils atteignaient la balustrade donnant sur le parc où brûlaient des torches.

— Vous avez le don de compliquer la situation, dit-il sèchement. Je ne comprends pas pourquoi vous n'acceptez pas votre destin. Si j'étais un Lockhart, je n'admettrais jamais une telle impertinence.

Il glissa la main dans sa poche.

— Si vous étiez un Lockhart, ce discours n'aurait pas lieu d'être.

Il fronça les sourcils.

— Je voulais vous offrir ce petit gage de mon estime pour vous faire comprendre que j'ai l'intention de vous honorer, dit-il.

Le cadeau était si somptueux qu'elle en eut le souffle coupé. Mared porta la main à sa gorge en fixant le *luckenbooth* en forme de chardon en or incrusté d'émeraudes autour d'un diamant, de la couleur du clan Lockhart. Finement ciselé, le bijou portait l'inscription: *Fidèle et loyal.*

Jamais elle n'avait possédé d'objet aussi précieux. Cette pensée la toucha, mais elle en voulait à Payton de son extravagance. La valeur de cette broche suffirait à nourrir sa famille pendant longtemps.

— Jamais je ne vous arracherai aux Lockhart, assura-t-il d'un ton un peu bourru. Je comprends très bien que vous restiez loyale envers votre famille, même quand vous porterez le nom de Douglas.

Elle décela dans son regard une certaine affection qui fit battre son cœur. Elle observa à nouveau le *luckenbooth*.

— Acceptez-le, dit-il d'une voix douce.

Mared était tentée. Elle aimait le contact du bijou dans sa main, mais elle ne pouvait s'empêcher de considérer une acceptation comme une trahison.

Comprenant sa réticence, Payton la prit par le bras tandis qu'elle reculait. Il l'attira vers lui, dans la chaleur de son corps.

— Vous n'allez pas me refuser cela, reprit-il. Si vous ne le prenez pas, que voulez-vous que j'en fasse ?

Doucement, il inséra deux doigts dans le décolleté de la jeune femme. Aussitôt, sa peau s'embrasa. Elle dut se mordre les lèvres pour réprimer un petit cri. Payton agrafa la broche sur le tissu de sa robe, juste au-dessus de son cœur. Ensuite, sa main s'attarda un peu sur le bijou. Puis il la regarda droit dans les yeux.

Mared y lut le feu du désir. Peut-être ressentait-il le même trouble qu'elle... Cette impression de se consumer de l'intérieur.

Mais Payton ôta la main de son décolleté, puis la glissa le long de son bras pour lui prendre le poignet. Il se pencha et déposa un baiser au coin de ses lèvres.

Pétrifiée, Mared riva les yeux sur le foulard de Payton. Comment interpréter un baiser aussi tendre, mais qui déclenchait en elle une foule de sensations ?

Il la lâcha et recula d'un pas pour demeurer à distance raisonnable. Mared effleura le bijou qu'il venait d'agrafer à sa robe, tandis que Payton s'appuyait à la balustrade, les bras croisés.

Soudain, dans un terrible fracas, la balustrade céda sous son poids. Poussant un cri d'effroi, Mared tendit les bras vers lui, mais il avait déjà perdu l'équilibre et disparu en contrebas.

Aussitôt, les invités affluèrent.

— Reculez ! Reculez ! hurla un homme en saisissant Mared par les épaules.

— Reste avec Ellie ! lui ordonna Liam en se précipitant vers l'extrémité de la terrasse.

Mared fut entraînée dans la salle de bal. Très vite, sa mère et Ellie apparurent à leur tour.

— Que s'est-il passé ? s'enquit sa mère, le souffle court.

Imitant toutes les dames de l'assemblée, Ellie se hissa sur la pointe des pieds pour scruter le lieu de l'accident.

Mared tremblait à tel point qu'elle dut serrer ses mains l'une contre l'autre. Elle imagina Payton, gisant sur les dalles, la nuque brisée. Elle ferma les yeux pour chasser cette image terrifiante.

— Je ne sais pas, bredouilla-t-elle. Je le jure ! Il s'est appuyé contre la balustrade et… elle a cédé. J'ai essayé de… mais… mais il…

Elle ne parvenait pas à dire qu'elle l'avait tué, qu'il était mort à cause de la malédiction qui pesait sur elle.

Sa mère posa une main rassurante sur son bras.

— Allons, allons… Ce n'est qu'un accident.

— Regarde ! Il va bien ! s'exclama Ellie avec soulagement. Je le vois, là-bas. Il est debout, sur la terrasse.

— Il est vivant ? demanda Mared, incrédule.

— Bien sûr ! Son manteau est déchiré, et son pantalon crotté, mais il parle aux personnes qui l'entourent.

— Il a de la chance d'avoir échappé à la malédiction, commenta une femme.

Le sang de Mared se figea dans ses veines. Elle avait reconnu la voix de Mme Dahlstrom. Près d'elle, elle sentit sa mère se crisper également.

— Selon moi, il a survécu à un peu de charpente moisie et à un éboulis de pierres, rien de plus, déclara Ellie avec dédain.

Mme Dahlstrom ne l'entendait pas de cette oreille.

— Vous êtes anglaise, madame Lockhart, lança-t-elle en la foudroyant du regard. Vous ne comprenez pas les secrets des Highlands.

Sur ces mots, elle se tourna vers Mared.

Ellie n'était pas femme à s'en laisser conter.

— Effectivement, madame, dit-elle en se plaçant devant Mared. Mais je comprends la superstition et l'ignorance.

Elle tourna le dos à Mme Dahlstrom pour regarder sa belle-sœur.

— Viens, chérie, allons nous asseoir en attendant que tout le monde se calme. Prenons un petit verre de whisky.

Du whisky… Mared en aurait volontiers avalé une barrique. Sans réfléchir, elle suivit sa belle-sœur, sous le regard bienveillant de sa mère.

6

Si Payton connaissait l'état délabré de sa balustrade en cet endroit précis, il fut le premier étonné de la voir céder aussi facilement sous son poids. Par chance, il avait atterri dans une haie touffue, quelques mètres plus bas. Il avait échappé de peu à une mort certaine.

Pour l'heure, il ne souffrait que d'égratignures sans gravité.

Il pria Sarah de faire jouer l'orchestre et ordonna que l'on serve à boire aux invités. Des pots de fleurs furent disposés sur la terrasse pour éviter une nouvelle chute.

Accompagné de Beckwith, son majordome, il regagna ses appartements pour se changer. Quelques minutes plus tard, lorsqu'il réapparut, il perçut une modification dans l'atmosphère qui régnait dans la salle de bal, où l'humeur festive avait fait place à une sourde inquiétude.

L'accès à la terrasse était désormais interdit aux invités. Si quelques courageux dansaient encore, la plupart demeuraient en retrait, à bavarder en petits groupes. Dans la salle à manger, des couples se régalaient en silence de rôti de bœuf, de pâté en croûte et de saumon poché. Tout semblait rentré dans l'ordre depuis l'incident, mais un nuage sombre planait sur Eilean Ros.

Payton vérifia que ses invités ne manquaient de rien et les rassura sur son état de santé. Sarah crut bon de lui expliquer ce qui avait jeté un voile de morosité sur la soirée, comme s'il ne l'avait pas deviné. Tant de personnes étaient au courant de ses prochaines fiançailles avec Mared que les ragots allaient bon train. Les théories les plus fantaisistes sur les elfes et autres malédictions se répandaient comme une traînée de poudre.

— J'ai l'impression qu'ils ne danseront plus tant que Mared ne sera pas partie, lui murmura Sarah face au manque d'enthousiasme des invités. Ils ont peur d'elle et de sa malédiction. Ils s'attendent presque que tu meures à tout instant. De plus, ils redoutent les conséquences de leur venue sous ton toit.

— Ce ne sont que des ignorants, répondit-il d'un ton acerbe. Où est Mared ?

— Je ne sais pas, fit Sarah en haussant les épaules. Lady Lockhart l'a emmenée.

— Fais danser tout le monde, ordonna Payton avant de partir en quête de Mared.

Il trouvait aussi absurde de croire à ces malédictions ridicules qu'aux histoires d'elfes et de gnomes. Pourtant les habitants des Highlands, même les plus instruits, s'accrochaient à leurs superstitions. Il fallait faire cesser ces bêtises dès ce soir, songea-t-il, furieux. Le moment était venu d'annoncer officiellement son intention d'épouser Mared Lockhart, puis de prouver à tous qu'il était capable de survivre à cette union.

Il lui restait à convaincre la jeune femme de l'accompagner et, cette fois, il n'admettrait aucune discussion.

Il débusqua les Lockhart dans le vestibule, en train d'enfiler leurs manteaux. Seule Mared manquait à l'appel.

— Vous partez ? s'enquit-il.

— Oui, répondit Liam, furieux, en aidant sa femme. Nous ne sommes plus les bienvenus dans cette maison.

— Bien sûr que si !

— Nous ne sommes pas les bienvenus, Douglas, pas après cette chute. Il suffit de voir leurs têtes ! Ils ne cessent de murmurer le nom de Mared et de l'observer comme si elle était le diable en personne. Toute sa vie durant, elle a été rejetée. Nous ne voulons pas lui imposer cette épreuve. Et à toi non plus, d'ailleurs.

Son ton agressif déplut fortement à Payton.

— Je compte expliquer à mes invités que leurs craintes sont infondées. Pour cela, vous devez m'accorder quelques minutes. Je dois m'entretenir d'abord avec Mared.

— Elle est dehors ! dit lady Lockhart sans masquer sa colère. Elle est partie loin de ces gens.

— Un moment, dit Payton à Liam. Accorde-moi au moins un instant.

Sans attendre de réponse, il sortit dans la nuit d'un pas déterminé.

D'instinct, il sut où trouver la jeune femme. Ainsi qu'il s'y attendait, elle s'était réfugiée au bord du lac, en contrebas de l'allée, fixant les eaux argentées sous la lune. Cailean, la chienne, l'avait accompagnée, comme pour la protéger.

— Mared…

Au clair de lune, il la vit sourire en se retournant. C'était une qualité qu'il admirait, chez elle, cette capacité à sourire en toute circonstance, en dépit de cette malédiction.

— Cette chienne est une vraie Douglas, dit-elle en désignant Cailean qui avait rejoint son maître.

— Mared, répéta-t-il. Vous n'êtes pas responsable de cet incident. La balustrade était délabrée depuis longtemps. J'aurais dû la faire réparer. Elle a cédé sous mon poids, rien de plus.

— Bien sûr que je n'y suis pour rien ! lança-t-elle. Je ne vous ai pas poussé, il me semble !

Elle rit amèrement et se détourna pour admirer le lac.

— Peut-être avez-vous cru un moment que je l'avais fait ?

— Non.

Il passa la main dans ses cheveux, ne sachant que dire.

— Mared, *leanman*... je sais que vous leur faites peur...

— Franchement, monsieur, ne me dites pas que vous êtes venu me parler de cette malédiction! lança-t-elle d'un ton provocateur. Si tel est le cas, sachez que je me suis juré de ne jamais gaspiller une minute de ma vie pour des superstitions ou autres histoires de sorcellerie. Il n'y a rien à y gagner.

— Je m'en réjouis, répondit Payton en s'approchant d'elle. Vous devriez dissiper les moindres doutes qui subsistent sur cette malédiction dès ce soir.

Mared lui adressa un regard plein de dédain.

— Comment faire? Comment comptez-vous convaincre les habitants de cette région qui croient à ces légendes depuis des siècles?

— En annonçant officiellement nos fiançailles.

Elle poussa un cri d'effroi et fit volte-face.

— Vous ne feriez pas une chose pareille!

— Bien sûr que si. Nous allons nous marier, et je trouve que le moment est bien choisi pour oublier toutes ces bêtises, la malédiction, l'emprunt...

— *Criosd!* s'exclama-t-elle, implorant le Ciel. Pourquoi me persécutez-vous de la sorte? Pourquoi une telle insistance? Je ne veux pas vous épouser, Payton Douglas! Je ne puis l'exprimer plus clairement, il me semble! Je ne veux rien avoir à faire avec vous!

Il dut lutter pour maîtriser sa colère.

— Vous avez peur de cette malédiction, vous aussi. Je le lis dans votre regard et dans le tremblement de vos mains.

— Vous ne savez rien! persifla-t-elle. Pourquoi diable vous évertuer à nier que Beitris Crowley est la femme qu'il vous faut? Demandez-la en mariage!

— Je ne suis pas attiré par Beitris Crowley, et vous le savez aussi bien que moi!

Il respira profondément.

— Je demeure persuadé que vous êtes la personne qui redoute le plus cette malédiction...

Elle émit un grommellement exaspéré et se couvrit le visage de ses mains.

Payton l'obligea à le regarder dans les yeux.

— Vous avez peur que l'un de nous ne meure avant la date des fiançailles, mais cela ne se produira pas. Je vous donne ma parole que rien ne vous arrivera. Jamais.

Elle secoua la tête.

— Dieu me vienne en aide ! Vous ne comprenez vraiment pas !

— Si, je comprends, insista-t-il en lui prenant la main pour y déposer un baiser. Je m'engage à vous protéger. Jamais vous ne manquerez de rien…

L'espace d'un instant furtif, Payton crut voir des larmes scintiller dans ses yeux verts, mais Mared s'empressa de dégager sa main de la sienne.

— Vous m'offrirez une vie de richesse, c'est cela ? rétorqua-t-elle d'un ton plein de fiel. Vous croyez vraiment que c'est la malédiction qui me retient ?

— Oui.

— Eh bien, vous êtes un imbécile ! cria-t-elle. Je ne veux pas devenir une Douglas ! Plutôt mourir maudite que de devenir une Douglas ! Je ne cesse de vous répéter que je vous déteste, vous et les vôtres ! Mais vous persistez…

La colère de Payton monta d'un cran. Les mains sur les hanches, il la foudroya du regard.

— Les vieilles rancœurs n'ont rien à voir avec…

— Si, au contraire ! coupa Mared en brandissant un poing rageur. Et vous pouvez reprendre ceci ! Je n'en veux pas !

Elle lui tendit le *luckenbooth*.

Il n'avait même pas remarqué qu'elle l'avait dégrafé de sa robe. La déception le submergea, se mêlant à sa colère.

— Que voulez-vous dire ? demanda-t-il. C'était un cadeau de fiançailles.

— Je ne veux pas devenir votre fiancée ! Vous voulez m'imposer ce sort comme vous avez provoqué la chute de ma famille.

— Comment…

— Ne faites pas mine de ne pas comprendre ! Vous avez introduit des moutons dans la région, et nous ne parvenons plus à élever nos propres bêtes. Vous avez provoqué nos revers de fortune avec vos méthodes égoïstes, et maintenant vous voulez décider de mon avenir ! Je n'épouserai pas un Douglas !

Sur ces mots, elle lui jeta le bijou au visage. Il tomba à ses pieds, dans la boue.

— Je n'ai jamais voulu vous épouser, poursuivit-elle avec véhémence. Je ne supporte pas votre présence. Je ne vous estime pas, je ne vous aime pas et je ne vous aimerai jamais ! Vous m'entendez ? Je ne vous aimerai jamais ! Et si vous aviez un tant soit peu d'honneur, vous me libéreriez de ces fiançailles qui me révulsent !

Elle étouffa un sanglot et se mit soudain à l'implorer :

— Je vous en supplie, monsieur… ne m'obligez pas à cela !

Elle s'exprimait avec tant d'émotion qu'elle chancela, de sorte qu'il dut la rattraper. Mais elle se dégagea vivement de son emprise.

— Je vous en prie, monsieur…

La rage et la déception l'emportèrent, aveuglant presque Payton. Il crispa la mâchoire, atterré. Il vit qu'elle semblait avoir peur de lui.

Lui-même redoutait la violence de sa propre réaction. Il s'efforça de maîtriser ses pulsions. Il avait adoré cette femme, avait tout fait pour lui prouver ses bonnes intentions à son égard, et n'avait reçu en échange que son mépris et ses manigances stupides. Il avait fait preuve de courtoisie, de bienveillance, l'avait traitée comme une reine… En cet instant, il la détestait. Pour la première fois de sa vie, il la haïssait et désirait la chasser à jamais de son existence.

Il l'observa un instant, puis la prit par le bras pour l'attirer brutalement vers lui.

— Qu'est-ce que vous faites ? demanda-t-elle en se débattant.

— Comment comptez-vous rembourser la dette de votre famille ? Comment allez-vous me verser trois mille livres ?

Mared retint son souffle. Ses yeux verts exprimèrent son trouble. Payton la repoussa avec dégoût en désignant l'allée.

— Allez-vous-en ! Laissez-moi, ainsi que ma famille !

— Mais…

— Non ! hurla-t-il. Vous avez dit votre dernier mot, Mared ! Votre choix est fait, et je vais faire le mien ! Je trouverai une solution de remboursement et, cette fois, vous respecterez vos engagements, ou je vous traîne devant les tribunaux ! Allez-vous-en !

Elle hésita, puis s'enfuit dans l'allée en direction de la voiture des Lockhart. Liam l'attendait, et Payton les vit s'éloigner.

Il s'attarda un long moment au bord de l'eau, le souffle court, le cœur meurtri, le temps de se calmer avant de retourner auprès de ses invités pour poursuivre une fête qu'il avait organisée en l'honneur de Mared.

7

Dès l'instant où Dudley l'informa qu'elle était convoquée dans le bureau, Mared comprit que Payton avait fixé ses conditions.

Depuis cette soirée terrible où elle l'avait laissé seul au bord du lac, elle redoutait ce moment. Elle n'avait pas cherché à lui faire mal. En réalité, elle avait pour lui une certaine estime, mais il lui avait imposé ce cadeau de fiançailles et était sur le point d'annoncer publiquement leur union prochaine, ce qui était inacceptable. Si bien qu'elle avait cédé à la panique…

Mared observa son reflet dans le miroir terni accroché au-dessus de sa coiffeuse. Elle avait les yeux cernés. Se drapant dans son châle, elle descendit dans le bureau familial.

Dans le couloir, elle entendait la voix de son père et celle de Griffin. Sur le seuil de la pièce, elle releva fièrement la tête et entra.

Avant même de voir Payton, debout près de la cheminée, elle perçut sa présence. Les jambes un peu écartées, il n'avait pas ôté sa cape et tenait ses mains derrière le dos. Il était aussi grand que Liam, mais semblait les dominer de sa prestance. Quant à son regard, il était glacial.

L'espace d'un instant, Mared perdit l'usage de la parole. Elle se sentit même rougir sous le regard intense. Elle chercha le soutien de sa mère, mais celle-ci fixait le sol.

— Allons, ma fille, fit son père d'un ton las.

La jeune femme s'avança. Son père lui désigna un siège, près de lui. Elle se rendit compte que toute la famille était réunie. Liam se tenait derrière Ellie, qui regardait Mared avec pitié. Griffin était à côté du bureau, la mine grave. Quant à Anna, elle baissait la tête.

Face à son père, Mared ne put s'empêcher de remarquer combien il avait les traits tirés. Il faisait bien plus que ses soixante ans. Les rides autour de ses yeux verts étaient plus prononcées, et sa barbe de trois jours était grise.

— Mared, *leanman*, dit-il avec un soupir en posant la main sur sa joue. Tu es si entêtée que tu ne vois même plus ton propre intérêt.

Elle écarquilla les yeux.

— D'après toi, que pouvions-nous faire ? ajouta-t-il. Tu croyais peut-être que trois mille livres allaient tomber du ciel pour rembourser notre dette ?

— N... non, bredouilla-t-elle en se tournant vers les autres.

Tous évitaient son regard, à part sa mère, qui semblait sur le point de fondre en larmes. Mared risqua un coup d'œil vers Payton, qui ne bronchait pas, se contentant de la considérer froidement.

— Tu es consciente du fait que nous avons une dette à rembourser, n'est-ce pas ? reprit son père en lui tapotant la main.

— Oui.

Bien sûr qu'elle en était consciente ! Comment l'oublier ? Elle ne songeait même qu'à cela, cherchant une solution à ce problème épineux. Si seulement ils n'avaient pas emprunté une telle somme...

— Tu espérais que Hugh reviendrait et nous rendrait la bête ?

Mared secoua négativement la tête.

— Hugh ne remettra plus jamais les pieds en Écosse. Jamais.

— Tu as raison, dit son père en se penchant vers elle. Dans ce cas, au nom du Ciel, pourquoi avoir rejeté Douglas ?

Mared s'attendait à cette question.

— Vous le savez parfaitement, père. Parce que c'est un Douglas, justement, répondit-elle d'un ton posé.

— Certes, c'est un Douglas. Un maudit Douglas ! s'emporta son père en frappant les accoudoirs de son fauteuil de ses poings rageurs. Mais que nous reste-t-il à faire, désormais ?

Soudain, il se leva et arpenta la pièce.

— On peut dire que tu nous mets dans un sacré pétrin, ma fille ! Tu ne nous laisses pas le choix. Tu as fermé toutes les portes !

— Carson ! s'exclama sa femme, mais celui-ci lui fit signe de se taire.

— Non, Aila, non. Je ne tolérerai pas que tu plaides en sa faveur. Son entêtement nuit à la famille ! Regarde ce qu'elle a fait ! Regarde ce qu'elle nous oblige à faire !

— Je ne comprends pas, dit Mared, soudain inquiète. Qu'allons-nous devoir faire ?

— Sois forte, Mared, prévint Liam. Tu dois faire ton devoir dans l'intérêt de la famille.

— Quel devoir ? s'étonna la jeune femme en se levant d'un bond, la gorge nouée.

— Tu as donné ta parole d'honneur, Mared ! Et c'est sur cette parole que j'ai accepté les termes de l'emprunt. Puisque tu refuses de respecter ta parole, tu ne nous laisses pas le choix ! cria son père.

Mared se sentit ébranlée.

— Que voulez-vous dire, père ? Quel choix ?

— Ce qu'il veut dire, c'est que vous serez tout de même à moi, intervint Douglas d'une voix de velours.

La peur de Mared fit place à de la rage.

— Qu'avez-vous fait ? Qu'avez-vous donc dit…

— Non, coupa-t-il en pointant sur elle un index menaçant. Ne me parlez pas sur ce ton. Vous devez le respect à votre employeur.

— Comment ? demanda Mared avant d'éclater d'un rire hystérique. À quoi riment ces sornettes ?

— Mared, dit sa mère à voix basse. Écoute, je t'en prie. Nous n'avons pas le choix.

Le cœur de la jeune femme battait la chamade.

— Dites-moi ce que vous avez fait ! ordonna-t-elle à Payton.

Il arqua un sourcil et riva sur elle son regard d'acier.

— Comment cela, ce que j'ai fait ? Je vous conseille de prendre garde à vos paroles, car je ne tolère aucune insolence de la part de mes domestiques.

Elle mit un certain temps à assimiler le sens de ces paroles. Au moment où elle comprit enfin, Griffin la prit fermement par la taille.

— Non, Mared, souffla-t-il à son oreille. Non. Écoute. Tu en as assez dit.

— Vous êtes devenus fous ! hurla-t-elle en griffant le bras de son frère. Je ne fais pas partie de ses domestiques et je n'en ferai jamais partie. Jamais !

— Si, hélas, confirma Griffin.

Mared eut l'impression de se vider de son sang. Elle observa le sourire narquois de Payton. Il jubilait. Elle s'était refusée à lui, et il se vengeait.

Elle se retourna et posa la tête sur l'épaule de son frère.

— Non, implora-t-elle dans un sanglot. Non, ne me faites pas cela… Il ne cherche qu'à m'humilier.

Griffin poussa un soupir peiné et posa la main sur sa tête pour la serrer contre lui.

— Écoute, Mared. Tu as refusé de l'épouser, tu as bafoué notre parole, c'est donc à Douglas de fixer ses conditions. Il pouvait avoir nos bêtes ou…

Il se tut. Soudain, il prit sa sœur par les épaules et la repoussa pour la regarder dans les yeux.

— Il pouvait prendre nos bêtes, dont nous avons besoin pour survivre, ou il pouvait te prendre comme gouvernante pendant un an en remboursement de notre dette.

C'était encore pire que ce qu'elle imaginait.

— Non! cria-t-elle. Tu ne peux accepter cela! C'est scandaleux! Absurde! Je préfère croupir en prison, mais ne me faites pas cela!

— Nous avons pris un risque, toi aussi, et nous avons perdu, Mared. Les Lockhart paient toujours leurs dettes, et tu vas honorer notre accord. Tu feras ce qu'il t'ordonne dans l'intérêt de la famille.

Mared ravala un sanglot.

— Je préfère griller en enfer plutôt que d'être à son service ne serait-ce qu'une seconde, grommela-t-elle avec tristesse.

— Vous n'avez pas le choix, déclara Payton dans son dos. Je vous donne une heure pour faire vos bagages et prendre congé des vôtres.

Sa voix glaciale lui était insupportable. Elle fit volte-face pour le fusiller du regard.

— Ne croyez pas que vous allez me traiter comme une vulgaire femme de chambre!

— Je vous traiterai comme bon me semblera. Et je vous prie de vous adresser à moi avec respect. Vous m'appellerez monsieur. Je suis désormais votre seigneur.

Mared ouvrit la bouche, mais son frère réagit promptement en la poussant vers Ellie.

— Emmène-la dans sa chambre et aide-la à faire ses bagages, dit-il.

— Vous ne me ferez pas taire! Je n'ai pas fini de donner mon avis! cria Mared tandis que sa belle-sœur l'entraînait hors de la pièce, sa mère et Anna sur ses talons.

Ce n'est que dans le couloir qu'elle laissa libre cours à ses larmes.

8

Mared éclata en sanglots dans les bras de sa mère, alors qu'Ellie et Anna l'exhortaient désespérément à tenter une autre approche avec Douglas.

— Quelle approche ? gémit-elle pitoyablement.

— Il faut agir en douceur, répliqua Anna. C'est Griffin qui me l'a appris. On peut briser un homme à force de gentillesse.

Mared sanglota de plus belle. Ses pleurs redoublèrent d'intensité lorsque Douglas assura aux Lockhart qu'elle serait libre le dimanche après-midi, comme tous ses domestiques, et pourrait venir les voir à sa guise.

Sa mère l'embrassa une dernière fois, lui murmurant à l'oreille qu'il était temps de partir. Mared suivit donc Douglas dans l'allée, où l'attendait la voiture noire arborant le blason d'Eilean Ros.

Tandis que le valet de pied prenait sa vieille valise, Mared essuya furtivement une larme, en attendant qu'il ouvre la portière du véhicule.

Payton la devança pour s'installer dans le luxueux habitacle.

— Vous vous installerez, avec le cocher, lui lança-t-il d'un ton bourru.

Le valet referma la portière et leva les yeux vers Mared. Comme elle ne bougeait pas, il se dirigea vers le siège du cocher en remontant le col de son manteau.

— Tiens ! Une jeune demoiselle ! Ne traînons pas, il fait bien trop humide. Allez, grimpez vite ! dit-il en prenant place à l'arrière de la voiture.

Humiliée, Mared était pourtant trop fière pour trahir sa détresse devant ce rustre. Grinçant des dents, elle agrippa les poignées de fer pour se hisser sur le siège du cocher et adressa au vieil homme un sourire forcé.

— On dirait qu'il va pleuvoir.

— Pour sûr. Hue ! cria-t-il à l'attelage.

Les chevaux s'engagèrent dans l'allée au petit trot.

Remontant son *arisaidh* sur sa tête, Mared regarda droit devant elle, sans se retourner une seule fois. Un jour, lorsqu'elle en aurait les moyens, elle pousserait Hugh MacAlister dans ses derniers retranchements jusqu'à lui faire rendre l'âme.

La brume était une véritable purée de pois, si bien que, en arrivant à Eilean Ros, elle était trempée. Impeccable, bien au sec, Payton descendit de voiture et se dirigea vers la demeure d'un pas assuré. Il gravit lestement les marches du perron, sa cape battant ses chevilles, et disparut à l'intérieur.

Le valet de pied – qui dit s'appeler Charlie – aida la jeune femme à descendre du siège du cocher et lui tendit sa valise.

— C'est là ! indiqua-t-il.

Puis il bondit sur le marchepied et frappa le flanc de la voiture du plat de la main pour signifier au cocher qu'il pouvait repartir.

Tandis que le carrosse s'éloignait dans l'allée, Mared fixa la porte du manoir des Douglas. Ravalant son appréhension, elle se força à avancer, encombrée de son lourd bagage. Elle dut le traîner derrière elle pour négocier les quatorze marches menant à la porte en chêne.

Beckwith, le majordome, l'accueillit dans le vestibule, l'air pincé. Petit et sec, il avait en permanence le visage déformé par un rictus de mécontentement.

— Attendez ici, mademoiselle Lockhart, annonça-t-il, stoïque.

Il la toisa rapidement, puis fit volte-face et fila dans un couloir, vers la droite.

— Me faire attendre comme une moins que rien... marmonna-t-elle.

Elle posa sa valise avec un bruit sourd, ôta l'*arisaidh* qui lui couvrait la tête et croisa les bras dans un geste d'humeur.

Payton la considérait comme une domestique. Avait-il vraiment besoin de l'humilier ainsi ? Elle scruta le majestueux escalier aux marches de pierre. Au premier étage trônait un immense lustre. Le portrait en pied de quelque Douglas défunte depuis des années dominait l'escalier du deuxième étage. Resplendissante dans ses atours d'aristocrate et coiffée d'un bonnet en étoffe écossaise, elle semblait toiser Mared avec un petit sourire moqueur : « Quelle écervelée vous faites ! Vous auriez pu gravir ces marches en maîtresse de maison et vous voilà maintenant simple servante. »

Mared fixa le bout de ses bottines en reniflant. Combien de temps allait-elle rester plantée là, comme un vieux meuble oublié ?

Elle ne tarda pas à obtenir la réponse : le pas de Payton résonna dans le corridor. Elle aurait reconnu entre mille ces enjambées souples et résolues. La jeune femme crispa les poings.

Il se présentait à elle en tenue négligée, ce qui soulignait sa déchéance. Il portait un simple gilet, le col largement ouvert. En entrant dans le vestibule, il lui accorda à peine un regard. Puis il se dirigea vers le grand escalier dont il gravit les premières marches.

— Par ici, mademoiselle Lockhart, lança-t-il par-dessus son épaule.

Mared regarda sa valise, puis leva les yeux vers lui. Il grimpa lestement jusqu'au premier palier, puis s'arrêta un instant pour se tourner vers elle.

— Il y a un problème ?

— Oui, répondit-elle, les mains sur les hanches. Ma valise est un peu lourde.

Il jeta un regard au bagage.

— Vous me semblez être une jeune femme solide, capable de porter cette valise. Venez, vous me faites perdre mon temps.

Mared en demeura bouche bée, mais Payton avait déjà tourné les talons et continuait son chemin. Marmonnant ce qu'elle pensait de lui dans un souffle, elle se pencha pour saisir le bagage. Elle entama une lente ascension, tressaillant chaque fois que la valise heurtait ses jambes. Sur le deuxième palier, elle dut reprendre son souffle et s'éponger le front du revers de la main. Devant elle, Payton émit un son désapprobateur. Debout sur le troisième palier, il avait un pied sur les marches plus étroites qui menaient aux chambres des domestiques. Les bras croisés sur la poitrine, l'air sévère et impatient, il fronçait les sourcils.

— Je vous attends !

— N'avez-vous donc aucune pitié ? lança-t-elle sèchement, en tentant de reprendre son souffle.

— Non. Je n'ai plus aucune pitié pour vous, pas une once. Si vous voulez bien accélérer le pas…

— Allez au diable ! murmura-t-elle.

Elle s'empara de sa valise pour la hisser tant bien que mal jusqu'au dernier étage.

Payton l'attendait à un endroit où le couloir nu devenait plus étroit. Qu'il attende, peu m'importe ! songea-t-elle. Elle posa sa valise et s'essuya à nouveau le front. Avec un grognement rageur, Douglas fit soudain volte-face. Il prit le bagage et le souleva comme une plume pour le porter jusqu'à la dernière porte sur la droite. Mared le suivit avec un soupir excédé.

Elle entra dans une petite pièce carrée aux murs blanchis à la chaux, dont le seul attrait était une lucarne qui devait donner sur le lac. Contre un mur, un lit recouvert d'un édredon en coton élimé faisait face à une commode qui avait grand besoin d'un coup de peinture. Sur la commode trônaient une cruche ébréchée et une cuvette destinée à la toilette. De là où elle se tenait, Mared constata que le minuscule miroir fixé au mur renvoyait une image déformée.

Il n'y avait pas de cheminée, juste un petit poêle à tourbe sous la fenêtre. Une chaise en bois, une natte en jonc et une table de chevet près du lit venaient compléter l'ameublement sommaire. Soigneusement empilées sur la table de nuit, cinq ou six bougies côtoyaient un unique chandelier terni.

C'était une chambre spartiate, suffocante. Mared blêmissait à l'idée de passer une année entière entre ces quatre murs. Quel contraste avec sa chambre de Talla Dileas, avec sa vieille cheminée, ses tapis moelleux et son immense lit à baldaquin ! À Talla Dileas, au moins, la pauvreté était confortable. Le dénuement de cette chambre la rendait malade.

Payton posa la valise sur le côté et désigna une autre porte, plus petite.

— Vous avez un cabinet de toilette.

En découvrant un simple placard équipé d'un vulgaire vase de nuit, Mared s'abstint d'émettre un commentaire.

Il se dirigea vers la porte d'entrée, posa la main sur la vieille poignée en cuivre, puis se retourna vers elle.

— Je vous attendrai dans la bibliothèque à dix heures trente précises demain matin pour vous donner vos instructions.

Elle sentit les larmes lui gonfler les yeux. L'amertume, la frustration et le désarroi la ravageaient.

— Si vous avez besoin de quelque chose, adressez-vous à Beckwith, conclut-il. Bonne nuit.

Elle détourna les yeux – le regarder lui était insupportable. Elle avait trop envie de se jeter sur lui pour lui arracher les yeux. Elle l'entendit franchir le seuil et refermer la porte. Dans un geste de haine et de désespoir, elle saisit la cruche qu'elle fracassa contre la porte close.

— Le scélérat! persifla-t-elle d'une voix stridente.

La porte se rouvrit si violemment qu'elle vint rebondir sur le mur. Payton se rua à l'intérieur et se dirigea droit sur Mared, piétinant les débris.

Il saisit la jeune femme par le bras et la plaqua contre le mur en l'immobilisant de son corps, emprisonnant son visage d'une main.

Il respirait si fort qu'elle voyait frémir ses narines et sentait son souffle chaud contre sa peau. Ses yeux gris étincelaient d'une colère insondable. Payton était devenu un autre homme.

— Vous venez de porter votre dette à un an et un jour! lança-t-il d'une voix tremblante de rage. Et à chaque crise comme celle-là, j'ajouterai un jour supplémentaire, puis un autre, et encore un autre, jusqu'à ce que vous n'ayez plus le moindre espoir de retrouver vos maudits Lockhart!

Mared ravala les sanglots qui lui nouaient la gorge. Ses yeux s'embuèrent.

— Lâchez-moi, dit-elle à voix basse, la mâchoire crispée.

— Vous lâcher? répéta-t-il avec un rire sournois.

Il s'approcha d'elle au point qu'elle sentit ses lèvres contre ses tempes et son souffle tiède sur sa joue.

— Je pense que vous n'avez pas encore bien compris, *leanman*. Je vous prendrai quand et comme il me plaira. Vous m'appartenez, désormais. Vous ne pouvez vous en plaindre qu'à vous-même, et n'escomptez aucune sympathie de ma part. Je n'ai plus le moindre respect pour vous. La seule chose qui m'intéresse, c'est la manière dont vous allez gérer ma maison. Et si vous avez l'intention de me léser, vous le paierez de la même manière que maintenant : par votre travail.

— Jamais! siffla-t-elle. Jamais je ne serai votre servante.

— Tiens donc?

Il tourna la tête, de sorte que ses lèvres frôlèrent presque les siennes, ce qui rappela immédiatement à Mared l'instant où son baiser l'avait fait chavirer.

— Mais vous l'êtes déjà. Votre père a choisi de garder ses maudits troupeaux en échange de sa fille. Vous êtes à mon service, Mared, ajouta-t-il en essuyant d'un coup de langue les larmes salées qui coulaient sur ses lèvres. Vous ferez ce que je vous dirai de faire quand je vous le demanderai, et je vous prendrai quand il me plaira.

Il caressa ses lèvres des siennes, imperceptiblement, la laissant en proie à un grand trouble.

— Je vous mettrai dans mon lit, ajouta-t-il, à moins que…

Il s'interrompit pour s'humecter les lèvres.

— …à moins que je ne décide d'oublier jusqu'à votre existence.

Sur ce, il l'embrassa.

Sa langue s'insinua entre ses lèvres. Il prit possession de sa bouche, alors que sa main trouvait ses seins. Mared le haïssait de tout son être. Son cœur battait la chamade. En luttant pour se dégager de son étreinte, elle parvint enfin à libérer son visage.

— Il gèlera en enfer avant que je m'approche de votre maudite couche, lança-t-elle.

Il la repoussa comme si elle le dégoûtait.

— Je vous hais, Payton Douglas ! dit-elle d'une voix tremblante, le souffle court. Je vous détesterai *toujours*.

Les yeux de Payton s'assombrirent.

— Vous avez été parfaitement claire, rétorqua-t-il en s'essuyant la bouche du revers de la main. Mais vous pouvez être sûre que je m'en soucie comme d'une guigne, désormais.

Sur ces mots, il fit volte-face et sortit de la pièce en claquant la porte.

Mared resta pétrifiée quelques instants, la main plaquée sur la bouche pour réprimer un hurlement. Elle écouta son pas s'éloigner puis, lorsque le silence revint, laissa libre cours à ses sanglots. Les bras serrés autour de son corps, elle se laissa glisser contre le mur et sanglota comme une enfant.

Combien de temps pleura-t-elle ainsi? Elle ne le savait pas vraiment, mais les braises du poêle à charbon étaient froides lorsqu'elle se calma enfin. Elle s'essuya les yeux, plongea la main dans sa poche et en tira la petite fiole que Donalda lui avait remise.

9

Payton passa une mauvaise nuit.

Il s'en voulait terriblement de sa réaction de colère, d'autant plus qu'il ne parvenait pas à résister au charme de Mared. La colère se mêlait au désir, combinaison explosive.

Il se rendit compte, un peu tard, que son plan était maladroit. Mieux valait rester à distance raisonnable de la jeune femme.

Le lendemain, en entrant dans la bibliothèque à dix heures quinze, il découvrit avec étonnement la présence de Mared. Elle était en train de parcourir les rayonnages de livres accumulés pendant des siècles par les Douglas. Sa longue tresse lui arrivait presque à la taille. Elle portait une vieille robe de la couleur d'un soleil couchant écossais.

Aussitôt, il soupçonna quelque manigance de sa part.

La jeune femme aurait du mal à mettre son plan, quel qu'il soit, à exécution, car il était de très mauvaise humeur ce matin. Prêt à en découdre, il traversa la pièce.

À son grand étonnement, elle se tourna vers lui et lui adressa un sourire radieux qui creusa des fossettes sur ses joues. Il croisa ce regard vert et pétillant qu'il voyait en rêve, de temps à autre.

— *Maduinn math*, monsieur. Bonjour.

Payton la toisa d'un air soupçonneux.

— Bonjour.

Elle hocha la tête. Il la scruta un moment encore. Elle lui sourit de plus belle.

Il alla s'asseoir à son bureau.

— Vous possédez des livres très précieux, remarqua Mared d'un ton léger. C'est une bibliothèque impressionnante.

Il ne dit rien, se contentant de l'observer d'un œil sceptique tandis qu'elle soutenait son regard sans sourciller. Son comportement avait bien changé, depuis la veille. Elle fomentait certainement quelque complot.

— Ma cousine Sarah quitte Eilean Ros aujourd'hui. Elle a besoin de vos services, déclara-t-il, guettant le moindre signe de rébellion.

— À votre guise, répondit-elle aimablement.

— Très bien !

Le front de Payton se plissa.

— Mlle Douglas vous confiera les clés de la réserve. J'espère que vous saurez gérer efficacement les comptes de cette maison.

Elle arqua un sourcil, mais se contenta de hocher la tête.

— Vous porterez désormais l'uniforme noir et blanc de Mme Craig. Mlle Douglas vous montrera où il se trouve.

— Un uniforme, répéta-t-elle en opinant.

— Pour ce qui est de vos tâches, reprit Payton en se penchant en avant, je suis un maître à l'esprit pratique. Je n'ai nul besoin d'un bataillon de domestiques. Nous avons des hommes pour les troupeaux, ainsi que Beckwith que vous connaissez déjà. Il a sous ses ordres trois valets, un cocher, un garçon d'écurie et un garde forestier. Il y a également la cuisinière et son aide. À part vous, il reste deux femmes de chambre. Vous superviserez leur travail.

— Très bien.

Elle n'avait pas bronché, mais le contemplait avec sérénité, comme si elle acceptait son destin. Ce qui était étonnant. Mared Lockhart n'avait rien d'une employée timorée.

— J'attends de vous qu'Eilean Ros soit aussi propre que Talla Dileas, avec des sols cirés, des meubles époussetés. Vous vous chargerez de mon linge et de mes appartements matin et soir, c'est compris ? Sans oublier les pièces de réception. En bref, mademoiselle Lockhart, je veux que cette maison soit reluisante comme un sou neuf. Suis-je bien clair ?

— Absolument, répondit-elle.

Payton crut la voir se crisper légèrement.

— Pardonnez-moi, reprit-il en se détendant dans son fauteuil, mais vous semblez avoir fait des progrès remarquables depuis votre arrivée un peu théâtrale. Dois-je en conclure que nous sommes d'accord sur les conditions de votre service ?

Il la vit déglutir et se forcer à sourire.

— Je ne dirais pas que nous sommes totalement en accord, monsieur, car cela impliquerait de ma part une absence de toute pensée rationnelle. Disons que j'ai accepté mon destin et que je suis déterminée à ne discuter aucun point. Si tel était le cas, nous serions tous deux en colère, ce qui n'est pas dans mon intérêt.

Voilà qui était captivant. Aurait-elle, par quelque intervention céleste, accepté son sort ? Non, c'était impossible. Elle était bien trop obstinée. Il ne pouvait lui faire confiance. Il connaissait Mared, une femme indomptable... C'était d'ailleurs une qualité qu'il appréciait chez elle.

— Vous prendrez vos repas avec les autres domestiques, à l'office, poursuivit-il sèchement. Vous pouvez disposer. Mlle Douglas vous attend.

Sur ces mots, il se leva et se détourna de ce regard vert et indéchiffrable pour quitter la pièce.

En entendant la porte se refermer, Mared crispa les poings. Elle ferma les yeux en grommelant. Jamais elle ne supporterait une telle épreuve. Jamais !

Après avoir avalé la potion que lui avait donnée Donalda, elle avait passé la nuit à chercher le sommeil, espérant un miracle. Voyant que rien ne se produisait, elle avait songé aux conseils d'Anna et d'Ellie: il fallait le vaincre par la gentillesse. Ne voyant aucun autre moyen de l'abattre, elle avait fini par admettre que le conseil était avisé. Payton s'attendait à de la résistance de sa part, non à de l'obéissance. Voilà qui allait le priver du plaisir de l'humilier.

Hélas, elle ne s'attendait pas à devoir fournir de tels efforts pour se montrer docile...

Soudain, elle se mit à arpenter la pièce.

— Je veux que cette maison soit reluisante comme un sou neuf, dit-elle en singeant Payton. Vous pouvez disposer! Quel tyran, marmonna-t-elle. Un type répugnant, méchant...

La porte s'ouvrit. Mared retint son souffle et fit volte-face, le cœur battant.

C'était Beckwith, avec son air pincé.

— Sa Seigneurie souhaite que vous rejoigniez Mlle Douglas.

— Ah...

La jeune femme lissa nerveusement le bas de sa robe, se demandant comment elle allait endurer cette nouvelle épreuve.

— Sa Seigneurie vous ordonne d'y aller sur-le-champ, précisa froidement le majordome.

— Je sais, répondit Mared en fronçant les sourcils.

Elle lui emboîta le pas et longea le couloir.

Du coin de l'œil, elle observa Beckwith, qui devait avoir quelques années de plus qu'elle, à peine. C'était un homme fier, à en juger par la crispation de sa mâchoire et son foulard noué à la perfection.

— Alors, Beckwith... lança-t-elle. Il semble que nous soyons partenaires, en quelque sorte.

Le majordome s'arrêta net et se tourna vers elle, affichant un rictus mauvais.

— Je regrette, mais je ne le pense pas, mademoiselle Lockhart.

— Ah ?

— Je suis le responsable du personnel de Sa Seigneurie, ce qui signifie que les autres employés sont sous mes ordres. Y compris vous-même, mademoiselle Lockhart. Je vous prie donc de m'appeler monsieur Beckwith, conclut-il avec un sourire méchant.

Mared n'en revenait pas.

Le majordome se dirigea vers l'escalier.

— Dépêchez-vous ! ordonna-t-il. Mlle Douglas vous attend depuis trop longtemps, déjà.

Abasourdie, Mared souleva le bas de sa robe et se précipita à sa suite.

À l'étage, Beckwith s'arrêta devant une porte blanche ornée d'une poignée en porcelaine et frappa doucement. Une femme de chambre vint lui ouvrir.

— Mademoiselle Douglas, fit Beckwith en s'inclinant avec respect, puis-je vous présenter notre nouvelle gouvernante, Mlle Lockhart ?

— Elle est donc arrivée ? s'enquit Sarah.

Beckwith adressa à Mared un regard dur. La jeune femme déglutit nerveusement et ravala son orgueil avant d'entrer dans la chambre.

La pièce était peinte en bleu ciel, avec des boiseries et des moulures au plafond représentant des cordages et des cloches. Dans cette chambre très spacieuse étaient posées plusieurs malles. Mared aperçut une coiffeuse en acajou que les Lockhart auraient pu vendre pour cent livres, si elle s'était trouvée à Talla Dileas.

Mlle Douglas avait apporté de nombreux effets. Elle semblait se demander combien de tenues de voyage elle devait choisir pour son trajet jusqu'à Édimbourg. Une autre femme de chambre, une jeune fille rondelette, tenait deux robes. À en juger par son expression chagrinée, elle patientait ainsi depuis un certain temps.

— Vous voici, mademoiselle Lockhart ! fit Sarah avec un soupir, en regardant par-dessus son épaule. Vous pouvez disposer, Beckwith.

Il hocha la tête avant de quitter la pièce sans un mot.

— Franchement, je n'arrive pas à me décider, avoua Sarah. Qu'en pensez-vous, mademoiselle Lockhart ? Laquelle de ces robes me sied le mieux au teint ?

— La bleue, répondit Mared sans la moindre hésitation, espérant en finir au plus vite.

— La bleue ? Vraiment ? Je pensais plutôt à la jaune...

Mlle Douglas recula d'un pas pour scruter ses robes d'un œil critique, sans se soucier de l'inconfort de l'infortunée femme de chambre qui avait toutes les peines du monde à garder les bras levés.

— La jaune est très jolie également, reprit Mared, mais vous allez devoir vous décider rapidement, mademoiselle. Votre femme de chambre va perdre l'usage de ses bras.

— Comment ? fit Sarah en adressant enfin un regard à la jeune fille. Alors ce sera la bleue. Habillez-moi, ordonna-t-elle en se dirigeant vers sa coiffeuse. Entrez donc ! lança-t-elle à Mared en se penchant pour examiner son visage dans le miroir. Nous n'arriverons à rien si vous restez à distance. Ainsi, il vous a engagée comme gouvernante...

— En effet, acquiesça Mared d'un ton léger qui dissimulait mal sa colère.

— Très bien. C'est mieux ainsi. Vous pourrez rembourser la dette de votre famille et tout sera réglé.

Elle ne demandait pas mieux que d'en terminer au plus vite. Elle se garda toutefois de rappeler à Mlle Douglas que son cousin était le pire des goujats.

— C'est mieux ainsi, répéta Sarah. Bien mieux pour tout le monde.

— Tout le monde ? fit Mared, incapable de tenir sa langue. Que voulez-vous dire ?

Mlle Douglas se tourna vers elle, l'air innocent.

— N'est-ce pas évident ? Vous n'êtes vraiment pas femme à devenir l'épouse d'un Douglas. Payton aurait commis une grossière erreur en honorant ces fiançailles grotesques.

— Il n'y a pas eu de fiançailles, mais, même dans ce cas, c'est moi qui aurais commis une erreur, répliqua Mared. Les Lockhart et les Douglas sont ennemis jurés.

— Comment ? fit Sarah en riant. Cela n'a rien à voir avec le passé des deux familles. Je pensais simplement au fait que Payton est un seigneur, un propriétaire terrien, un homme riche. Il ne peut se permettre d'épouser une…

Elle s'interrompit pour poser les yeux sur Mared.

— …une femme aux moyens insuffisants.

Cette insulte piqua Mared au vif.

— Les moyens des Lockhart ne sont insuffisants qu'à cause des agissements de votre cousin.

Mlle Douglas émit un rire pincé et se tourna franchement vers la jeune femme.

— C'est ridicule, mademoiselle Lockhart. Vous le savez très bien. Nul n'ignore que votre père n'a cessé de perdre du terrain, avec ses méthodes archaïques. Si Payton n'avait pas introduit des moutons dans la région, M. Sorley l'aurait fait. J'ai appris qu'il avait l'intention d'en faire venir avant l'automne.

Elle prit sur sa coiffeuse un trousseau de clés.

— Vous aurez besoin de ceci, dit-elle.

Au prix d'un effort surhumain, Mared s'approcha pour prendre le trousseau, malgré son envie de le jeter par la fenêtre.

— Vous semblez en savoir beaucoup sur la région, quand on pense que vous venez d'Édimbourg, commenta-t-elle avec un sourire forcé.

Sarah fronça les sourcils.

— Je vous pardonne de ne pas savoir rester à votre place, mademoiselle Lockhart, mais si vous étiez gouvernante à Édimbourg, vous seriez congédiée pour insolence. Enfin… Veuillez vérifier les malles pour vous assurer que tout est bien rangé. Je n'ai pas eu une minute à moi pour surveiller le travail.

Elle parlait comme si les deux femmes de chambre ne se trouvaient pas dans la pièce. Celles-ci échangèrent un regard chargé de mépris qui n'échappa pas à Mared. Cette pimbêche de Sarah Douglas n'avait décidément aucune considération pour qui que ce soit.

Mared s'approcha de la première malle, qui débordait de soieries et de camisoles, de robes en popeline et en brocart, de pantoufles, de chemises de nuit. Comment pouvait-il manquer quoi que ce soit? Elle se pencha et referma le couvercle d'un coup de pied.

En se redressant, elle fit un clin d'œil aux femmes de chambre et annonça:

— Tout est en ordre!

— Formidable! lança Mlle Douglas en se levant, indiquant qu'il était temps de l'habiller. Au fait, mademoiselle Lockhart, j'ai laissé deux vieilles robes dans l'antichambre. Une dorée et une crème. Elles ont besoin de quelques retouches, car vous êtes moins fluette que moi. Si vous parvenez à les retoucher, elles sont à vous, car je n'en ai plus besoin.

Merveilleux, songea Mared, qui aurait préféré voir ses chiens coucher dessus.

— De plus, vous trouverez des uniformes dans l'armoire de la première chambre du troisième étage. Il y en a deux. On a enterré Mme Craig dans le troisième.

— Merci, marmonna Mared.

— Très bien. Il ne me reste que ces quelques affaires à empaqueter, dès que je serai habillée.

Elle ôta son peignoir et écarta les bras, pendant que la malheureuse femme de chambre s'efforçait de lui enfiler la robe bleue.

Levant les yeux au ciel, Mared entreprit de rassembler les effets de Sarah, qu'elle confia à l'autre femme de chambre avec un sourire. Soudain, on frappa à la porte.

— Allez donc ouvrir, mademoiselle Lockhart! ordonna Sarah Douglas d'un ton hautain.

Mared s'exécuta. Aussitôt, sa gorge se noua.

Elle découvrit Payton, appuyé sur le chambranle, les bras croisés. Elle le détestait, mais ne pouvait nier qu'il était particulièrement viril et séduisant. Il parvenait même à la troubler de temps à autre, comme en cet instant.

Voyant qu'elle ne disait rien, il fronça les sourcils.

— Auriez-vous oublié comment vous adresser à votre maître, mademoiselle Lockhart?

Surtout, garder à l'esprit qu'il fallait triompher par la douceur…

— Bien sûr que non. Comment allez-vous, monsieur? demanda-t-elle avec une révérence impeccable.

— C'est un peu pompeux, vous ne trouvez pas? commenta-t-il.

— Si vous le dites, monsieur.

Payton fronça les sourcils de plus belle.

— Payton! C'est toi? Un petit instant, je te prie. Je… je m'habille.

Il soupira et se tourna vers Mared, qui ne put réprimer un sourire jubilatoire, tant elle aimait le voir contrarié.

— Qu'est-ce que vous attendez? Au lieu de rester plantée là à bayer aux corneilles, vous devriez aller auprès de votre maîtresse, grommela-t-il, déstabilisé par son amabilité.

— Je le suppose, admit-elle en retournant auprès de Sarah.

— Entre, Payton! lança celle-ci. Je suis décente.

Il frôla Mared.

Sa cousine se tenait au milieu de la pièce, tandis que sa femme de chambre ajustait le bas de sa robe.

— Je commençais à me demander si tu n'avais pas oublié que je partais aujourd'hui, dit-elle.

— Je m'en souviens, Sarah, assura-t-il en l'embrassant sur la joue. Je suis désolé que tu t'en ailles. J'ai l'impression que ta place est à Eilean Ros.

— Ne dis pas de bêtises. Ma place est à Édimbourg! La société me manque.

Payton sourit et s'installa confortablement sur un divan.

— Je te suis très reconnaissant d'être venue m'aider après la mort de Mme Craig. Comment te remercier?

— Oublie cela! répondit-elle avec entrain. Tu as résolu tes problèmes toi-même. Je commençais à désespérer, car on ne trouve pas de personnel compétent dans ces contrées perdues.

Les deux femmes de chambre échangèrent un regard furtif.

— Mais puisque nous avons trouvé une remplaçante à cette chère Mme Craig, il ne me reste plus qu'à te dénicher une fiancée digne de toi, reprit Sarah. C'est mon vœu le plus cher. Ainsi, je pourrai rester à Édimbourg, l'esprit tranquille.

Satisfaite de sa tenue, elle repoussa la domestique et alla s'admirer dans la glace.

— Personnellement, j'aime bien Mlle Crowley, déclara-t-elle en prenant diverses poses. Elle ferait une excellente maîtresse d'Eilean Ros.

Ce commentaire étonna Mared à tel point qu'elle en lâcha le petit miroir qu'elle était en train de ranger.

En entendant le bruit sourd de l'objet sur le sol, tous se tournèrent vers elle.

— Je suis si maladroite! bredouilla-t-elle avec un sourire gêné.

— Faites donc attention, mademoiselle Lockhart, gronda Sarah avec dédain.

Mared fronça les sourcils. C'était de la folie. Elle voulait que Payton demande la main de Beitris... du moins jusqu'à ce qu'il l'emprisonne sous son toit et lui impose cette servitude. Car elle n'était plus certaine de ce qu'elle voulait.

Toujours sur le divan, Payton croisa les doigts derrière sa nuque et l'observa avec attention.

— Peut-être vais-je l'inviter à dîner avec sa famille, dit-il sans la quitter des yeux.

Les joues empourprées, Mared se pencha pour ramasser le maudit miroir. Beitris, à Eilean Ros ? Son amie allait la voir dans ce rôle ingrat et humiliant de gouvernante… Dire qu'elle avait cherché à imposer Beitris à cet homme méprisable !

— Merveilleuse idée, Payton ! minauda Sarah. Je suis persuadée que Mlle Crowley est la femme qu'il te faut. Elle est douce, gentille et très bien éduquée. Elle a tout d'une épouse parfaite, tu ne trouves pas ?

— Oui, répondit-il en fixant toujours Mared. Il n'y a pas mieux qu'elle dans toute la région. Mlle Crowley fera une épouse remarquable.

Mared en eut le souffle coupé. Payton arqua les sourcils comme pour la défier. Très vite, une femme de chambre donna un coup de coude discret à la jeune femme pour la rappeler à l'ordre et lui éviter un impair. Mared jeta le miroir dans la malle.

— Je suis ravie de te l'entendre dire, commenta Sarah, uniquement préoccupée par son apparence. J'ai bien cru que tu allais commettre une erreur fatale, à un moment donné. Maintenant que tu as réglé ce problème, j'attends de tes nouvelles très vite pour m'annoncer une future union.

— Oui, dit-il en se levant. Je vais te laisser te préparer. Je serai dans le vestibule pour te dire au revoir.

— Parfait, conclut Mlle Douglas.

Son cousin l'embrassa encore. En se retournant, il croisa le regard de Mared et le soutint un instant, avant de prendre congé.

10

Au terme de ce qui parut à Mared une éternité, Mlle Douglas fut enfin prête à partir. Comment une seule personne pouvait-elle avoir besoin d'autant de bagages ?

Quand les malles furent toutes descendues, Mared s'attarda dans la chambre pour la nettoyer. Face à l'adversité, la jeune femme et sa mère avaient dû apprendre à effectuer les tâches ménagères qui incombaient généralement aux domestiques. Les vieilles demeures exigeaient un entretien de tous les jours. Décidée à ne pas se fatiguer dans cette maudite maison, elle se contenta de faire disparaître deux ou trois objets dans un tiroir. Puis, épuisée, elle s'allongea sur le lit pour faire un petit somme.

Elle se réveilla une demi-heure plus tard et alla chercher les deux vieilles robes de Sarah. Les agitant comme de vulgaires serpillières, elle les emporta dans sa chambre, ne sachant encore ce qu'elle allait en faire.

Dans la première pièce du troisième étage, qui ne contenait qu'une armoire, elle trouva les uniformes de gouvernante, une robe noire à longues manches, un tablier blanc et une coiffe blanche ourlée de noir que Mared refusa de porter. Quand elle eut enfilé la robe, elle constata dans le miroir qu'elle ne lui allait pas si mal et s'accordait à merveille avec ses bottines. Hélas, quelques retouches s'imposaient car elle était trop serrée à la poitrine et trop large aux hanches. Mared n'en avait cure : elle était disposée à porter des haillons s'il le fallait.

Ainsi vêtue, elle décida de faire plus ample connaissance avec les deux femmes de chambre. Après avoir erré dans la maison, elle finit par les trouver au sous-sol, en train de plier le linge. En la voyant entrer, elles esquissèrent une révérence.

— Bonjour, je m'appelle Mared, annonça-t-elle en tendant la main.

La petite brune se prénommait Rodina. Una était une rousse pulpeuse aux joues rebondies. Toutes deux l'observèrent avec curiosité.

— Bon ! fit Mared. Je ne sais pas très bien comment les choses doivent se dérouler. Si vous avez des questions, n'hésitez pas à me les poser.

Rodina et Una se regardèrent, puis Una déclara :

— Est-il vrai, mademoiselle Lockhart, que vous deviez épouser Monsieur ?

Mared ne s'attendait pas à ce genre de question, qui la prit au dépourvu.

— Non, répondit-elle en rougissant violemment. Les Lockhart et les Douglas sont ennemis jurés. Voilà pourquoi je me retrouve prisonnière ici, en tant que gouvernante, réduite en esclavage.

— En esclavage ? répéta Una, incrédule, en se tournant vers sa camarade.

— Ennemis jurés ? renchérit Rodina, abasourdie.

— Ennemis, en effet, insista Mared. Et je suis une esclave. Bon, que faisons-nous maintenant ? poursuivit-elle, désireuse de changer de sujet.

— Vous ne le savez pas ? s'étonnèrent les deux jeunes filles.

— Je n'en ai pas la moindre idée, avoua Mared avec entrain.

Plus troublées que jamais, les deux femmes de chambre expliquèrent qu'il fallait nettoyer le bureau de la douairière après avoir fini de plier le linge. Mared exprima son étonnement, car, à sa connaissance, il n'y avait jamais eu de douairière à Eilean Ros.

— Si, si, fit Una en levant les yeux au ciel. Il se trouve dans l'aile nord et ne sert jamais. Mlle Douglas exige que cette aile soit nettoyée toutes les semaines.

À Talla Dileas, quand une aile ne servait pas, elle était fermée. Si Mlle Douglas tenait à faire perdre leur temps aux domestiques, elle n'avait qu'à faire le ménage elle-même.

Pour la première fois de la journée, son sourire fut sincère quand elle demanda :

— Mme Craig avait-elle des housses pour les meubles ? Je n'ai aucune intention de dépoussiérer une pièce où nul ne met jamais les pieds.

Rodina et Una parurent abasourdies, puis elles sourirent à leur tour.

— Oui ! répondirent-elles à l'unisson.

Elles passèrent l'après-midi à inspecter les nombreuses pièces du château. Mared ne put s'empêcher d'être impressionnée par la richesse de Payton. Chaque pièce regorgeait d'œuvres d'art et de bibelots hors de prix en porcelaine, en or, sans oublier les tapis persans et les meubles d'époque. Jamais elle n'avait vu autant de chandelles en cire d'abeille. Il n'y en avait pas une seule en paraffine.

L'opulence de la demeure lui coupa le souffle. Quand elle était jeune et se promenait dans les collines qui entouraient Talla Dileas, elle s'imaginait dans un autre monde. Un monde où les malédictions n'existaient pas, bien sûr, mais un monde de richesse, aussi. Celui de l'aristocratie. Elle se voyait en jeune femme mondaine et cultivée, qui voyageait de par le monde et portait des soieries tout droit venues de Paris. Elle s'imaginait dans une maison telle que celle-ci, entourée d'hommes prêts à mourir pour elle.

Au lieu de cela, elle regardait Rodina et Una épousseter les meubles. Lasse de leur labeur, elle s'installa au bureau et prit une feuille de papier pour écrire à son maître si guindé.

Elle en était arrivée à la conclusion qu'au moins trois quarts des pièces ne servaient presque jamais et qu'il valait mieux les fermer. Elle dressa donc une liste des pièces concernées. Una semblait tenir à l'autorisation de Payton.

Mared ne comptait pas lui poser la question, mais il était de son devoir de l'informer de ses décisions.

À sa grande surprise, Una demanda à se retirer pour le souper.

— Le souper ? fit Mared en consultant une pendule. Mais Monsieur n'a pas encore sonné pour le thé.

— Il ne prend le thé que lorsqu'il a des invités, mademoiselle, expliqua Rodina. Quand il est seul, il préfère souper de bonne heure. Il se couche tôt et se lève tôt.

— Voilà qui me semble bien austère, commenta Mared.

Una lui expliqua qu'elle devait dresser le couvert à l'office et que les domestiques dînaient ensemble à six heures.

— C'est très tôt ! s'exclama Mared. Pas étonnant que l'on ne serve pas le thé, dans cette maison.

— C'est vrai, mademoiselle, admit Una.

Mared haussa les épaules et se remit à écrire.

— Je suppose que je vous rejoindrai à six heures précises, dit-elle.

Une demi-heure plus tard, elle se présenta à l'office, après avoir posé sa lettre dans le vestibule, sur un plateau d'argent que Beckwith réservait au courrier de Sa Seigneurie.

Le cocher était déjà attablé. Il lui adressa un signe de tête poli. La cuisinière, une femme d'âge mûr aux cheveux gris, apporta un plat de côtelettes d'agneau. Elle ne prêta guère attention à Mared, si ce n'est pour lui signaler qu'il fallait acheter de la farine. Moyennant une pièce de monnaie et une tarte, le fils du garde-chasse irait en chercher à Aberfoyle dès le lendemain.

Rodina servit des poireaux. Elle était accompagnée de l'employée de cuisine, qui fit une révérence.

— Vous pouvez vous asseoir en bout de table, mademoiselle, en face de M. Beckwith, déclara Rodina en posant son plat.

Au moment où Mared prenait place, le majordome fit son entrée, suivi des trois valets. De toute évidence, ils formaient un groupe complice.

— Nous sommes tous là ? s'enquit le valet qui se prénommait Charlie.

— Oui, à part Willie. Monsieur n'est pas rentré, répondit Beckwith en adressant un signe de tête à Mared.

— Il est en galante compagnie ? demanda un jeune valet très séduisant, qui fit un clin d'œil à Mared, avant de s'esclaffer avec ses collègues sous le regard courroucé de Beckwith.

— Il a un faible pour Mlle Crowley, expliqua Rodina avec dédain. Je l'ai entendu en parler ce matin même.

— Dans son lit, Rodina ? Une fois de plus ? railla un autre valet.

Rodina lui donna une claque, pour le plus grand plaisir de ses collègues.

— Mlle Crowley, reprit le grand valet. Elle est plutôt mignonne.

Il fit un geste obscène pour décrire sa silhouette féminine qui provoqua l'hilarité chez les autres, à part Beckwith.

— Alan ! lança-t-il. Veuillez surveiller vos manières en présence des femmes. Notre nouvelle gouvernante ne doit pas être témoin d'un comportement aussi dégradant !

Alan se tourna vers Mared, la toisant ouvertement.

— La nouvelle gouvernante est bien plus jolie que l'ancienne, déclara-t-il avec un sourire charmeur.

— Alan ! gronda Una, les sourcils froncés. On vient à peine d'enterrer cette pauvre Mme Craig !

— Assez ! tonna Beckwith. Je vous présente Mlle Lockhart de Talla Dileas. Veuillez vous présenter par ordre hiérarchique.

Sur ces mots, il prit sa serviette et fit signe à Una de lui passer le plat de viande.

Ils firent un tour de table. Charlie et Alan accueillirent Mared d'un sourire radieux et d'un regard concupiscent, mais Jamie, le troisième valet, semblait un peu perplexe. Il ne dit mot pendant une partie du repas.

Le cocher, M. Haig, hocha poliment la tête et l'informa que Willie, le garçon d'écurie, ne dînait pas avec les autres, à moins qu'il n'y ait quelque visiteur.

Mme Mackerell, la cuisinière, et Moreen, son aide, se montrèrent peu bavardes.

Ce n'est qu'au moment du plat de résistance que Jamie observa Mared, un sourire narquois sur les lèvres.

— C'est vous, n'est-ce pas ? La maudite ?

Chacun se tut soudain. Mared baissa lentement sa fourchette.

— Je vous demande pardon ?

— Vous êtes la fille sur qui pèse cette malédiction ! insista le jeune homme, ignorant les exclamations choquées de la cuisinière qui dévisagea Mared avec curiosité.

— Jamie ! fit sèchement le majordome.

— Désolé, monsieur Beckwith, mais j'ai tout entendu, le soir du *ceilidh*. Il paraît que vous êtes une sorcière, ajouta-t-il en se penchant vers la jeune femme.

Mared ne put s'empêcher de rire.

— Une sorcière ! C'est vraiment ce que l'on raconte ? Dans ce cas, je suis montée en grade, monsieur.

— Alors vous avouez être une sorcière, mademoiselle Lockhart ? persista-t-il, les yeux plissés.

Elle s'esclaffa de plus belle.

— Si j'étais une sorcière, jeune homme, vous croyez que je travaillerais en tant que gouvernante ?

Chacun se mit à rire, à part Jamie, mais il avait réussi à attirer l'attention sur Mared. Mme Mackerell semblait saisie d'effroi.

Mared avait toujours détesté ces moments où les gens se rendaient compte qu'ils étaient peut-être en présence d'une créature maléfique. Elle sentait alors le vide se faire autour d'elle, dans une atmosphère pesante et glaciale. Combien de fois dans sa vie avait-elle eu cette impression d'être une pestiférée ? Mais elle savait depuis l'enfance qu'il ne servait à rien de s'apitoyer sur elle-même. Elle fit donc ce qu'elle faisait toujours en pareille circonstance : elle sourit et assura avec conviction :

— Je ne suis pas une sorcière.

— Vous avez tout de même des pouvoirs, fit Jamie.

— Dites que je suis un troll ! railla-t-elle.

Moreen se mit à glousser.

— Je vis près du vieux pont qui enjambe la rivière, à Glen Ketrich. Vous le connaissez ? Eh bien, quelques lutins viennent cultiver mon jardin. En général toutefois, nous restons entre trolls, poursuivit-elle d'un ton enjoué.

Dieu merci, Jamie parut amusé.

— Oui, je connais ce pont. Je crois que le croquemitaine y vit également, n'est-ce pas ?

— Absolument ! répondit Mared. Sa femme est gouvernante. Elle m'a tout appris !

Tous rirent de bon cœur. Même Beckwith esquissa un sourire.

— Si vous n'êtes pas une sorcière, reprit Jamie, que faites-vous ici ? Vous êtes une Lockhart, non ? Vous venez de la haute. La fille d'un Lockhart ! Or, chez les Lockhart, ajouta-t-il en prenant les autres à témoin, les filles ne peuvent se marier que lorsqu'elles ont regardé dans l'œil de la bête…

— Dans son ventre, corrigea Mared aimablement.

Puisqu'il fallait évoquer la malédiction, autant ne pas déformer la vérité.

— Quoi ? s'exclama Jamie.

— Une fille Lockhart doit regarder dans le ventre de la bête, expliqua la jeune femme.

Face à l'air troublé de Jamie, elle soupira.

— Si vous devez révéler tous mes secrets, ne vous trompez pas. On raconte en effet que les filles des Lockhart ne peuvent se marier qu'après avoir regardé dans le ventre de la bête. Pour vous, il s'agit peut-être du diable, mais ce n'est sans doute guère plus qu'une vieille vache !

Alan rit, mais il fut le seul. Les autres observaient Mared avec curiosité, voire fascination.

— C'est donc vrai, fit Jamie en baissant la voix. On dit aussi que tout homme qui demande la main d'une Lockhart perdra la vie... Ou bien que c'est elle qui mourra.

Il s'exprimait d'un ton lugubre et mystérieux.

— Vous vous rappelez la chute de Monsieur sur la terrasse, le soir du bal ? Il n'était pas seul, sur cette terrasse. Tout le monde le sait. C'est quand même étrange que cette balustrade se soit écroulée justement ce soir-là...

— Absolument, admit Mared en lui tapotant le bras. Mais vous oubliez un fait important, monsieur. Votre maître ne comptait pas demander ma main.

— Mais... c'est pourtant ce qu'a dit Mlle Douglas, murmura Una, les yeux écarquillés.

— Assez ! lança Beckwith en frappant du poing sur la table, à la surprise générale. Je ne tolérerai plus ces histoires de sorcières et de lutins. S'il doit choisir une fiancée, il optera certainement pour Mlle Crowley, et vous...

Il s'interrompit et leva la main pour obtenir le silence. Ils perçurent alors le tintement d'une cloche.

— Il vient de rentrer, dit Beckwith en se levant. Jamie, venez avec moi.

Le jeune homme lui emboîta le pas.

Les autres débarrassèrent la table. En entrant dans la cuisine, Mared vit Mme Mackerell faire un signe de croix.

11

Payton était parti dans la voiture de Sarah, avant de poursuivre à cheval pour s'éloigner d'Eilean Ros le plus possible. À quoi pensait-il donc en élaborant ce plan extravagant ? Certes, il avait soif de vengeance, mais ne prenait aucun plaisir à voir la colère de Mared, ni ses larmes. Elle le rendait fou par son attitude aimable, son entrain inexplicable, ses piètres qualités de gouvernante et, pis encore, ses yeux verts, qui semblaient présents partout dans la maison.

Désireux de s'occuper l'esprit, il parcourut ses terres, inspectant ses troupeaux, rendant visite à ses fermiers. Mais ces braves gens avaient mieux à faire que de bavarder avec lui de la date probable du premier gel. Il gagna donc Aberfoyle. Après deux généreuses rasades de whisky, il appela Finella, une serveuse qu'il connaissait intimement, et monta avec elle à l'étage.

Dans la chambre, il referma la porte à clé et se tourna vers la jeune femme en souriant. Habituée à leurs ébats, elle se caressa les seins, attendant la suite.

— Déshabille-toi, ordonna Payton sans bouger, le dos à la porte.

Il aimait regarder une femme ôter ses vêtements un à un. Cette fois, hélas, Finella ne parvint pas à embraser ses sens.

Quand il s'allongea entre les cuisses de la serveuse pour embrasser ses seins généreux, son corps ne réagit pas comme de coutume. Il ne pensait qu'à Mared. C'est elle qu'il vit en pénétrant Finella.

Et il ne songea qu'à ce baiser plein de rage, lorsqu'il avait perdu son contrôle pour s'emparer des lèvres de Mared.

Ce souvenir rendit ses ébats laborieux. Il ne trouva la délivrance qu'au bout d'un long moment. Finella avait perdu tout intérêt pour lui, mais il refusait de s'arrêter. Il ne le pouvait pas. Il avait besoin d'accomplir cet acte pour se prouver que Mared ne l'avait pas ensorcelé.

Quand il parvint enfin à l'extase, Finella se dégagea de son étreinte et se rhabilla vivement.

— Je suis désolée, monsieur, mais on va me chercher, déclara-t-elle en enfilant un bas.

Allongé sur le lit, nu, la tête sur l'oreiller, Payton la contempla.

— Si je puis me permettre, monsieur, vous n'êtes pas vous-même, aujourd'hui, reprit la serveuse en ramassant son autre bas.

Elle avait raison. Cela faisait plus de quinze jours qu'il n'était plus lui-même. Depuis le bal. En trente-deux ans d'existence, c'était même la première fois qu'il trouvait un rapport sexuel laborieux. Il se pencha, rassembla ses effets et sortit un billet de cinq livres qu'il remit à la jeune femme.

Elle écarquilla les yeux et accepta l'argent avec enthousiasme.

— Vous êtes très généreux, monsieur.

— Et toi, tu es patiente, soupira-t-il.

— J'ai déjà eu un client qui vous ressemblait beaucoup, expliqua-t-elle en ramassant sa camisole. Un seigneur très élégant. Il ne me laissait jamais plus de quelques sous. Mais un soir, c'était à Pâques, il est venu à l'auberge et est resté toute la nuit.

Elle se tut et enfila sa robe, puis fit volte-face et s'assit au bord du lit.

— Et alors ? demanda Payton en boutonnant la robe de la jeune femme.

— Le lendemain matin, il m'a donné trois livres !

— Je parie que tu lui as fait quelque chose de mémorable.

— Oh non, assura-t-elle en se levant. La même chose que d'habitude. Mais il m'a quand même donné trois livres, et je ne l'ai jamais revu.

Sur ces mots, elle glissa les billets dans son décolleté.

— Je ne vous reverrai plus, monsieur ?

— Bien sûr que si.

Elle fronça les sourcils et secoua la tête.

— Je ne le crois pas. Dommage. J'aimais bien ce qu'on faisait, tous les deux.

— Ne dis pas de bêtises, Finella. Un homme doit avoir du plaisir physique, sinon il tombe malade.

— Peut-être, admit-elle, pensive, mais vous en trouverez sûrement avec une autre…

Elle lui adressa un clin d'œil.

— Je dois retourner au travail, monsieur, dit-elle en ouvrant la porte.

Sur un dernier sourire, elle s'en alla.

Payton demeura perplexe. Finella se méprenait. Il reviendrait. Il était incapable de s'abstenir très longtemps et n'avait nulle part où aller. Il traversait peut-être une période tourmentée, mais il redeviendrait vite l'homme qu'il avait toujours été.

Il en avait la certitude.

À tel point qu'il avala un autre whisky pour oublier ses soucis et se calmer avant de regagner Eilean Ros.

Le soleil se couchait derrière le Ben Cluaran lorsque Payton et Murdoch arrivèrent. La maison était plongée dans le noir, à part les chandelles allumées dans deux pièces du rez-de-chaussée.

Le jeune Willie vint à sa rencontre dans l'allée, mais Payton lui dit d'aller souper, car il rentrerait lui-même Murdoch à l'écurie. Ensuite, il remonta l'allée menant à la maison, fixant les dizaines de fenêtres qui semblaient aussi sombres que son humeur. Ces fenêtres étaient à l'image de sa vie, noires et vides, dénuées de lumière.

Il s'en voulait de sa faiblesse, de son incapacité à chasser Mared Lockhart de son esprit. Depuis le soir où elle lui avait assené qu'elle ne l'aimerait jamais, il ne pensait qu'à elle. Il était obsédé par son échec, car il n'avait pas réussi à la séduire. Comment expliquer la profondeur de ses propres sentiments ? Il se retrouvait comme un imbécile, à se demander à quoi elle avait occupé sa première journée de gouvernante. Avait-elle dîné avec les autres ? Avait-elle boudé dans sa chambre ?

Cette obsession était particulièrement cruelle, d'autant plus qu'il n'avait rien d'un fou. Il savait pertinemment que l'on ne pouvait contrôler les désirs d'autrui. L'amour était ainsi. Parfois, deux cœurs battent à l'unisson. Parfois, un seul bat pour deux.

S'il était assez lucide pour le comprendre, il ne parvenait pas, en dépit de ses efforts, à renoncer à cette petite lueur d'espoir qu'il détestait. Il aurait tout donné pour l'éteindre à jamais.

Dans le vestibule, il posa son chapeau et ses gants et prit les trois lettres que Beckwith avait laissées sur le plateau d'argent réservé au courrier. Affamé, il glissa les lettres dans sa poche et se dirigea vers la salle à manger.

La table était dressée pour une personne. Il reconnaissait bien là Sarah, qui soutenait qu'un homme de son rang se devait de dîner dans le luxe, même seul. Aux yeux de Payton, c'était une perte de temps, mais il avait cédé aux exigences de sa cousine, que Beckwith tenait à respecter.

Un feu flambait dans la cheminée. Sur la table étaient posés une belle nappe et un chandelier. Deux verres en cristal, un pour l'eau, un pour le vin, de la vaisselle en porcelaine, des couverts en argent… Payton alla tirer le cordon. En attendant, il se servit un whisky qu'il but d'un trait. Fermant les yeux, il savoura la chaleur de l'alcool le long de sa gorge.

À peine venait-il de s'attabler que Jamie apparut, portant un plateau qu'il posa sur une tablette. Il alluma les chandelles et s'inclina.

— Puis-je vous servir, monsieur ?

— S'il vous plaît, répliqua distraitement Payton.

Jamie entreprit de garnir l'assiette. Beckwith apporta une carafe de vin et un pichet d'eau fraîche. Il emplit les verres de Payton, qui prenait connaissance de son courrier.

Une lettre attira son attention. *À l'honorable laird Douglas, maître et despote d'Eilean Ros.*

Il fixa l'enveloppe tandis que Jamie posait son assiette devant lui.

— Vous désirez autre chose, monsieur ? s'enquit le majordome.

— Euh… non, dit-il, distrait.

Beckwith opina et prit congé. Jamie recula d'un pas, mais demeura dans la pièce pour répondre aux demandes éventuelles de son maître.

Payton remarqua à peine sa présence, trop intrigué par cette lettre, dont il prit connaissance :

À l'honorable laird Douglas,
Mlle Lockhart, votre apprentie gouvernante, vous présente ses salutations respectueuses. Je tiens à vous informer que j'ai pris la liberté de fermer plusieurs pièces de l'aile nord.

Sachez que j'ai envisagé votre goût pour le faste et les apparences. Il est sans doute important pour un seigneur puissant et vaniteux tel que vous de garder toutes les pièces de cette énorme maison ouvertes aux Écossais, qui peuvent ainsi les admirer avec respect. Toutefois, je tiens à vous signaler que, à Talla Dileas, où nous sommes plus modestes et moins attachés aux apparences, nous considérons que les pièces non utilisées consomment de la tourbe inutilement, ce que nous ne

pouvons nous permettre, sans oublier que les femmes de
chambre ont mieux à faire que d'entretenir de vastes
pièces inoccupées.

J'ai néanmoins remarqué quelques pièces qui
devraient rester ouvertes car elles reflètent vos goûts et
sensibilités, notamment la salle de billard, très sobre,
et le salon nord, qui semble avoir servi de salle des tor-
tures, autrefois.

ML

Payton réprima un sourire face à l'audace de cette missive qu'il prit soin de relire. Visiblement, elle ne se laissait pas abattre par l'adversité.

Après son repas, il sonna Beckwith.

— Je prendrai mon porto dans ma chambre, annonça-t-il avant de gravir les marches quatre à quatre.

Il entra dans sa suite par le dressing et scruta longuement les lieux. Tout était parfaitement rangé, chaque vêtement à sa place, ses affaires de toilette impeccablement disposées autour de sa cuvette. Même l'armoire avait été cirée.

Apparemment, la gouvernante ne se contentait pas de fermer la moitié de la maison.

Payton gagna ensuite la chambre à coucher, ôtant sa veste qu'il jeta à terre.

La pièce était d'une netteté irréprochable. Il soupira en dénouant son foulard et ouvrit le col de sa chemise. Un feu brûlait dans la cheminée et l'épais tapis avait été nettoyé. Les rideaux étaient tirés et ses livres empilés avec soin. Quant au lit, il était fait… Mais ce n'est pas le lit qui fit naître un sourire sur ses lèvres.

Quand Beckwith se présenta avec son porto, Payton était installé dans l'un des fauteuils de cuir, près de la cheminée. Beckwith posa le petit plateau sur une table et attendit les ordres de son maître.

— Envoyez-moi Mlle Lockhart.

— La gouvernante, monsieur? fit le majordome, hésitant. Quelque chose ne va pas?

— Vous devez être aveugle, Beckwith. Regardez autour de vous.

Le majordome obéit et secoua la tête.

— Je suis désolé, monsieur, mais tout me semble parfaitement en ordre.

— Vous n'avez donc pas remarqué le lit, fit Payton en le désignant d'un geste ample.

Le majordome scruta les colonnes en acajou et le baldaquin, et non le couvre-lit rouge que la grand-mère de Payton avait brodé d'or.

— Qu'est-ce qui vous arrive, Beckwith ? Le couvre-lit n'est pas rabattu !

— Bien sûr ! Je m'en charge…

— Non, laissez ! Je préfère qu'elle le fasse. Après tout, n'est-elle pas la gouvernante de cette maison ? C'est à elle de préparer cette chambre pour la nuit.

— Je vous l'envoie de suite, monsieur.

Dès qu'il eut quitté la pièce, Payton sourit et se servit un verre de porto.

Un quart d'heure plus tard, il entendit quelqu'un frapper à la porte. Mared apparut, affichant une expression impénétrable.

— Mademoiselle Lockhart, dit-il en avalant une gorgée de porto.

Il se tourna vers la cheminée, faisant attendre la jeune femme. Quelques instants plus tard, elle s'éclaircit la gorge.

— Vous m'avez demandée, monsieur ?

Il la regarda enfin. Elle se tenait au milieu de la chambre, les bras croisés, remuant les doigts avec impatience. Payton la toisa longuement. Jamais il n'avait vu de gouvernante plus séduisante. Dommage que sa robe ne moule pas suffisamment ses formes. Mais le noir rehaussait la couleur de ses cheveux, coiffés en tresse, et de ses yeux verts.

Il posa son verre et se leva.

— Venez ici.

— Où cela ? demanda-t-elle en arquant les sourcils.

— Venez ici, répéta-t-il tranquillement.

Mared obéit, mais ne fit qu'un pas en avant.

— Plus près, ordonna Payton.

L'air méfiant, elle vint se placer devant lui. Payton examina sa robe, puis plongea dans son regard. Ses prunelles vertes scintillaient de mille feux, mais il n'y lut aucun sentiment particulier, à part une certaine appréhension, voire de la curiosité.

— Cette robe n'est pas à votre taille.

Elle haussa les épaules.

Payton s'attarda un moment sur la robe, puis il saisit le tissu, au niveau de la hanche de la jeune femme, et le tira sur son ventre.

— Il faudrait faire une retouche ici, déclara-t-il.

Mared ne baissa pas les yeux. Payton relâcha le tissu pour glisser la main sur ses côtes et s'arrêter près de ses seins.

— Il faudrait également donner un peu d'ampleur ici, ajouta-t-il en effleurant son sein. Et là…

Les joues légèrement empourprées, Mared redressa fièrement la tête.

— Autre chose? s'enquit-elle.

— Oui.

Il garda les mains sur le haut de la robe, les yeux rivés aux siens.

— Elle est si serrée que vous avez peine à respirer.

Il entreprit de déboutonner le premier bouton du col.

— Je tiens à ce que ma gouvernante puisse respirer.

Mared plissa le front, mais ne réagit pas davantage.

Un sourire naquit au coin des lèvres de Payton tandis qu'il passait aux boutons suivants. Au quatrième, il effleura la peau nue de la jeune femme, sous l'épais tissu. Elle battit des paupières et retint son souffle.

Payton s'approcha encore pour mieux humer son parfum, alors qu'il s'attaquait au cinquième bouton, exposant le haut de sa camisole blanche. Du dos de la main, il caressa la peau tiède du décolleté. Ce contact troublant embrasa ses sens au point qu'il faillit en oublier ses bonnes résolutions de renoncer à elle. Il ne sentait plus que le bouillonnement de son sang dans ses veines. Il se pencha pour frôler sa tempe d'un baiser et murmura :

— Vous pouvez respirer ?

Mared pivota.

— Je vous demande pardon, mais… désiriez-vous quelque chose ? Ou bien m'avez-vous convoquée pour vous plaindre de la coupe de mon uniforme ?

Sur ces mots, elle se détourna de lui et s'écarta d'un pas, l'obligeant à ôter la main de son décolleté.

Payton réprima un rire en la regardant reboutonner sa robe.

— Si je vous ai fait venir, mademoiselle Payton, c'est parce que, après notre brève discussion de ce matin, je pensais que vous aviez compris vos devoirs de gouvernante. Je n'ai donc pas été suffisamment clair ?

— J'ai bien compris, monsieur, assura-t-elle, les bras croisés. Vous avez été on ne peut plus clair.

— Je n'en ai pas l'impression. Regardez autour de vous, mademoiselle Lockhart, et dites-moi ce que vous avez oublié.

Elle scruta la pièce, puis sourit.

— Una n'a rien oublié, il me semble, déclara-t-elle avec assurance.

— Una ?

— Oui. J'ai demandé à Una de s'occuper de votre chambre, dit-elle d'un ton enjoué.

Il plissa les yeux.

— Donc, Una a oublié quelque chose.

— Quoi ?

— Regardez sur le lit, maugréa Payton.

Elle obéit.

— Le lit, mademoiselle Lockhart. Vous deviez rabattre le couvre-lit.

Son sourire s'estompa.

— Le lit ? C'est donc cela ? Vous m'avez fait venir pour que je rabatte votre couvre-lit ? demanda-t-elle, incrédule.

— Vous espériez que je laisserais passer une telle négligence ? Quel genre de gouvernante deviendrez-vous donc, si j'ignore chacun de vos échecs ?

— Un échec ? s'exclama-t-elle, avant de se ressaisir aussitôt.

Elle afficha un sourire de circonstance, les poings crispés. Visiblement exaspérée, elle se dirigea vers le lit et rabattit violemment le couvre-lit. Puis elle prit les oreillers et les secoua avec vigueur, avant de les remettre en place.

— Voilà, monsieur, annonça-t-elle. Votre lit est prêt.

— En effet, dit-il d'une voix traînante. Vous vous chargerez vous-même de mes appartements pour éviter tout nouvel échec.

— Hum, fit-elle en hochant la tête.

— Hum.

Il jubilait. Retournant à son fauteuil, il avala une gorgée de porto et désigna le lit.

— À présent, remontez l'édredon et rabattez-le à nouveau.

— Comment ?

— Refaites le lit. Recommencez !

— Encore ! Mais pourquoi...

— Mademoiselle Lockhart, ne posez pas de questions ! coupa-t-il. Je suis le maître de cette maison, il me semble. Vous allez recommencer parce que je vous en ai donné l'ordre !

Elle en demeura bouche bée. Son regard lançait des éclairs. Allait-elle lui résister ? Se plier à sa volonté ? Ou le frapper, comme lorsqu'ils étaient enfants ? Il avait peine à dissimuler son amusement.

— Recommencez !

Elle fit mine de lui obéir, puis s'arrêta, et enfin s'exécuta vivement. Quand elle eut terminé, elle fit volte-face et esquissa une révérence digne d'un roi.

— J'espère que mon travail vous donne satisfaction, mon seigneur, dit-elle d'un ton obséquieux, tête baissée.

Payton demeura indifférent.

— Cela ira, je suppose, dit-il en vidant son verre.

— Très bien. À présent, si Monsieur veut bien m'excuser, j'ai du travail, déclara-t-elle en s'efforçant de garder un air aimable, en vain.

— Je crois qu'il y a un léger problème. Vous attendrez que je vous dise de disposer – ce que je n'ai pas fait, il me semble. Vous n'avez pas terminé vos tâches. J'ai laissé des vêtements dans l'antichambre. Vous pouvez les nettoyer.

— Je *peux* ? railla-t-elle avec un enthousiasme forcé. Et puis-je le faire maintenant ou dois-je attendre demain ?

— Demain, répondit-il, magnanime. Inutile de vous épuiser.

Elle tourna les talons et se pencha pour ramasser sa veste d'un air dégoûté, puis elle disparut dans l'antichambre. Elle en ressortit quelques instants plus tard, les vêtements de Payton roulés en boule tel un tas de chiffons.

— Ce sera tout, monsieur ?

— Non. Il manque quelque chose. Un foulard.

— Je n'ai pas vu de foulard. Monsieur ne voit plus très clair. C'est normal, à partir d'un certain âge.

— Je vous assure, mademoiselle Lockhart, que je ne suis pas si âgé. Si vous ne l'avez pas trouvé dans la pièce voisine, c'est parce qu'il est ici.

Sur ces mots, il saisit une extrémité du foulard qui pendait sur sa chemise.

— *Mi diah*, marmonna la jeune femme en s'avançant vers lui. Comptez-vous l'ôter seul ou dois-je le nettoyer à même votre cou ?

— Tendez la main.

Elle obéit.

Payton observa les taches de rousseur qui parsemaient son nez. Agacée, Mared agita les doigts, lui indiquant de lui remettre son maudit foulard.

— Patience, fit-il doucement. Vous allez devoir apprendre à être patiente.

Il se leva. Elle baissa les yeux et sourit d'un air impertinent.

— Je suis impatiente, en effet. Impatiente d'aller dormir, de passer une nuit réparatrice après tout ce que je dois endurer et malgré l'état déplorable de mon matelas. Au terme de cette nuit, il ne me restera que trois cent soixante-cinq jours à passer à votre service.

Payton posa sa paume sur la sienne et croisa ses doigts avec les siens.

— Je vous assure que vous n'êtes pas la seule à espérer que cette année passe vite.

Étonnée, elle retint son souffle, puis sourit.

— C'est un miracle ! Enfin, nous sommes d'accord sur un point !

Payton ne répondit pas, captivé par ses yeux verts, par cette lueur qui l'avait hanté tandis qu'il était dans les bras de Finella.

— C'est étrange, monsieur, cette façon que vous avez de me confier votre linge sale.

Son audace eut le don de faire naître le désir dans les entrailles de Payton. Une fois de plus, il eut l'impression de se comporter comme un idiot. Il voulait la punir, lui infliger la douleur qu'elle lui avait infligée en le repoussant, mais il était visiblement le seul à souffrir, le seul à penser encore au baiser qu'ils avaient partagé dans les collines.

Il poussa la folie jusqu'à lui caresser l'oreille et le cou de sa main libre. Elle rougit, mais se dégagea aussitôt.

— Mared, murmura-t-il avec sincérité. Vous me tourmentez depuis notre enfance.

— Je crois que c'est vous qui me tourmentez, monsieur ! railla-t-elle.

— Oui, d'une certaine façon, car vous avez clairement exprimé votre refus de m'épouser, même si j'étais le dernier homme vivant en Écosse.

— Je n'ai jamais rien dit de tel! protesta-t-elle en redressant la tête. S'il ne restait que vous en Écosse, je serais obligée de réfléchir... bien que vous soyez un Douglas.

Il rit doucement et fixa ces lèvres pulpeuses qu'il avait désespérément envie d'embrasser. Son désir était plus puissant que jamais.

— Réfléchissez, *leanman*, murmura-t-il. Songez aux plaisirs que nous pourrions partager, ensemble, dans cette maison.

Elle entrouvrit les lèvres. Il vit une veine pulser sur son cou.

— Oubliez le passé, reprit-il en lui baisant la main. Ne vous imposez pas une telle épreuve.

Soudain, les yeux de la jeune femme se mirent à étinceler de colère.

— Je ne suis pas responsable de ma situation! lui rappela-t-elle en dégageant sa main. C'est vous qui m'avez amenée ici, comme si j'étais une bête de votre troupeau!

Agacé par sa résistance, il se détourna vivement et se passa les mains dans les cheveux.

— Vous avez vraiment le don de m'exaspérer! lança-t-il en levant les yeux au ciel.

— Je vous assure que ce sentiment est réciproque. Puisque vous n'êtes pas le dernier homme vivant en Écosse, je vous suggère de me laisser m'occuper de votre maudit linge!

— Allez-y! Sortez! fit-il avec un geste de mépris. Jamais je n'aurais dû poser les yeux sur vous!

— Je pars, répliqua-t-elle en saisissant l'extrémité du foulard pour tirer dessus sans ménagement.

— Attendez un peu! hurla Payton. Vous allez disposer comme il faut. Je vous préviens, je ne tolérerai pas votre insolence sous mon toit!

Elle ouvrit vivement la porte.

— Je fais de mon mieux pour honorer la dette de ma famille, monsieur, mais si mon travail ne vous satisfait pas, vous n'avez qu'à me congédier sur-le-champ !

Sur ces mots, elle sortit en trombe sans se soucier de refermer la porte, de sorte qu'il entendit ses pas résonner dans le couloir.

— Nom de Dieu, marmonna-t-il, furieux.

Elle descendit les marches en courant, désireuse de s'éloigner de lui au plus vite. Payton prit son verre de porto et le projeta violemment sur la cheminée. Il éclata en mille morceaux.

Étrangement, il se sentait un peu comme ce verre brisé. D'un mot, cette maudite femme pouvait l'anéantir.

12

Mared ignorait pourquoi elle n'avait pas envoyé Una dans les appartements de Payton, le lendemain matin. Elle s'y rendit elle-même. Avec étonnement – et un soupçon de déception, elle devait l'admettre –, elle constata qu'il était déjà parti.

Toutefois, il avait pris soin de laisser derrière lui un grand désordre : le lit était défait comme s'il s'était agité toute la nuit durant, et ses affaires de toilette étaient éparpillées dans la pièce comme s'il cherchait à l'agacer. Si telle était son intention, il avait réussi.

Mared prit un oreiller qu'elle renifla. Elle n'y décela aucun parfum féminin, ce qu'elle avait redouté un instant… Rien que l'odeur de l'eau de cologne de Payton, qui la fit frémir de tout son être.

Il avait aussi mal dormi qu'elle. La jeune femme avait eu toutes les peines du monde à chasser de son esprit l'image de ce beau visage, lorsqu'il lui avait tenu la main, la veille. Ses yeux gris avaient exprimé à la fois de la lassitude et un désir brûlant, mais elle y avait décelé autre chose, un sentiment qui l'avait troublée.

Cet homme avait le don de l'épuiser ! Parfois, elle était certaine de ce qu'elle ressentait pour lui. Elle voyait en lui un employeur qui dirigeait sa vie d'une main de fer, un Douglas digne de mépris. Parfois, aussi, elle devinait un homme vulnérable, très viril en apparence mais doté d'un cœur tendre. Cette fragilité ne manquait pas de charme et il lui arrivait même d'y succomber, mais jamais longtemps… Enfin, assez souvent tout de même.

La simple perspective qu'elle puisse ressentir quelque chose pour lui la mettait en rage. Elle jeta l'oreiller et fit le lit avec désinvolture, puis porta son attention sur le reste de la pièce, décidée à en finir au plus vite. Ses vêtements étaient abandonnés çà et là, parmi des éclats de verre près de la cheminée.

C'était bien un Douglas ! Il n'avait aucun respect pour la vaisselle de qualité. La jeune femme jeta négligemment les débris au feu, puis fourra pêle-mêle les produits de toilette dans un coffret en acajou avant de glisser sa chemise de nuit sous le lit. Quand elle eut terminé, elle descendit à l'office confier le linge sale à une personne plus compétente.

Elle ne trouva pas de blanchisseuse, mais Beckwith, qui lui expliqua qu'Eilean Ros se passait des services d'une lavandière. L'ancienne gouvernante s'occupait du linge tous les jeudis, sans se plaindre.

— Vous plaisantez, monsieur Beckwith ! s'offusqua-t-elle. Je n'ai jamais rien lavé de ma vie.

— Mademoiselle Lockhart, pourquoi plaisanterais-je ? Suivez-moi, je vais vous montrer le lavoir.

— Mais… je ne puis porter tout cela ! protesta-t-elle en désignant la montagne de linge sale accumulé par terre.

— Je dirai à Charlie de vous l'apporter. Quand vous aurez terminé la lessive, Rodina viendra vous aider à repasser, dit-il en s'éloignant. Veuillez vous hâter, je vous prie !

Elle eut sérieusement envie de lui assener un coup de pied bien senti, mais le suivit sans protester. En traversant la cuisine, il salua d'un signe de tête la cuisinière et son aide.

— Je ne veux pas qu'elle utilise mes belles marmites, monsieur Beckwith ! lança Mme Mackerell.

Le majordome l'ignora et poursuivit son chemin d'un pas décidé. Pas une fois il ne s'assura que Mared le suivait. Il traversa la pelouse, la roseraie, puis franchit une grille et s'engagea dans un chemin menant à un lavoir, entre la maison et les troupeaux de moutons. C'était un petit édifice en pierre, de forme carrée, dont la porte était battue par les vents. Beckwith disparut à l'intérieur.

Mared le suivit. Elle découvrit une cheminée et une grosse lessiveuse. Trois baquets en bois étaient alignés contre le mur, avec ce qui ressemblait à une rame. En face, un étrange système de rouages. Seules deux petites fenêtres éclairaient les lieux. La jeune femme eut l'impression de se retrouver dans un cachot.

— Voilà, déclara M. Beckwith. Tout est en place. Vous pouvez puiser de l'eau dans la barrique située à l'extérieur du lavoir.

Sans un mot de plus, il tourna les talons.

— Monsieur Beckwith ! lança Mared en lui barrant le passage. Je ne sais pas faire la lessive ! Je sais simplement qu'il faut du savon et de l'eau bouillante…

— Vous avez tout ce qu'il faut, dit-il en tentant de la contourner.

— Mais… j'ignore comment procéder, quelles pièces il faut passer au bleu. Je n'ai jamais rien fait de tel !

— Mademoiselle Lockhart, je suis certain que vous y arriverez, répondit-il, irrité. Ce n'est pas sorcier, tout de même ! Veuillez me laisser passer ! Charlie va vous apporter le linge.

Il l'évita et se pencha pour franchir la petite porte.

En le voyant s'éloigner, elle retint son souffle. À Talla Dileas, c'était Fiona, la femme de Dudley, qui effectuait cette tâche. Beckwith n'avait pas tort, mais il fallait bien qu'elle apprenne les rudiments de la lessive. Au diable ce Douglas ! Ne pouvait-il pas s'offrir les services d'une blanchisseuse, comme tous les seigneurs d'Écosse ? Pas étonnant qu'il soit si riche, avec ses économies de bouts de chandelle !

Lorsque Charlie se présenta, elle avait réussi à emplir la marmite d'eau. Elle implora le jeune homme de l'aider, mais il se mit à rire.

— Je n'ai jamais rien lavé de ma vie! lança-t-il avec entrain. Et je n'ai pas l'intention de commencer aujourd'hui. De plus, Monsieur reçoit des invités. On me demande dans l'allée.

— Merci pour votre aide! railla-t-elle tandis qu'il s'en allait en courant.

Pour toute réponse, elle n'entendit qu'un rire narquois.

Dès que l'eau fut à ébullition, Mared en versa une partie dans le premier baquet. Mieux valait commencer par de petites pièces pour juger de la quantité de savon nécessaire, ainsi que de bleu. Elle sélectionna dans la pile de linge quelques foulards qu'elle plaça dans le baquet. Puis elle saisit le savon, dont la consistance un peu grasse la dégoûtait, et le jeta dans l'eau chaude pour le faire fondre. Munie du bâton, elle entreprit de mélanger le tout.

Au bout d'un quart d'heure, elle avait les paumes couvertes d'ampoules. Elle versa de l'eau dans le deuxième baquet et y déposa les foulards pour les rincer. Elle éprouva des difficultés, car le savon, à base de graisse de mouton, adhérait au tissu.

Une fois rincés, les foulards passèrent dans le troisième baquet. Mared prit le bleu sur une étagère. Elle était penchée sur le baquet, se demandant si elle devait remuer, quand Jamie surgit, les mains dans le dos.

— Vous semblez très affairée, mademoiselle Lockhart, déclara-t-il en l'observant. Posez donc cet instrument et venez faire un tour dans le jardin avec moi. Il fait beau.

— Beau? répéta-t-elle en riant. Le ciel est gris et il fait frais. Vous ne l'avez donc pas remarqué?

— Certes, mais en présence d'une belle femme, les nuages se dissipent et le soleil se met à briller.

— C'est poétique, mais je doute que les nuages se dissipent aujourd'hui.

— Vraiment? Vous n'avez qu'à leur jeter un sort!

Aussitôt, elle se figea. Jamie ne plaisantait plus. Il la fixait avec attention et lui faisait un peu peur. D'instinct, elle prit le bâton.

— Si seulement je le pouvais, dit-elle avec un sourire mal assuré.

Jamie lui tendit un message.

— De quoi s'agit-il ?

— Monsieur vous adresse ceci. Une lettre d'amour, on dirait.

Mared sentit son cœur s'emballer.

— Ah ! triompha-t-il. Vous l'espérez ! Je le lis dans vos yeux !

— C'est ridicule ! assura-t-elle en rougissant. Je crains au contraire qu'il ne m'impose du travail supplémentaire.

Elle voulut prendre le billet, mais Jamie se mit à le brandir au-dessus de sa tête.

— Que vais-je bien pouvoir vous demander en échange de cette lettre d'amour ? Je vous la cède contre un baiser.

— Jamie ! s'écria-t-elle en essayant de rire. Prenez garde ! Si Beckwith vous surprend ici, vous serez congédié sur-le-champ !

— Beckwith ne viendra pas au lavoir. Il y a des invités au salon. Allons, chérie. Un petit baiser…

— Donnez-moi ce billet ! ordonna la jeune femme.

Jamie éclata d'un rire cruel et s'approcha d'elle, brandissant toujours le message.

— Embrassez-moi et je vous l'aurai !

Elle le foudroya du regard et voulut attraper la lettre, mais il s'écarta.

— Alors ? fit-il.

Elle se sentit soudain très vulnérable. Que faire ? Son regard passa de la porte à Jamie. Soudain, elle sourit.

— Très bien, jeune homme. Approchez, et je vous donnerai un baiser, dit-elle d'un ton mielleux.

Jamie afficha une mine concupiscente. Dès qu'il s'approcha, Mared lui assena un coup de bâton dans les côtes.

— Aïe! hurla-t-il en lâchant la lettre. Sale mégère! Je voulais juste m'amuser un peu!

— Amusez-vous avec une autre! répliqua-t-elle en agitant le bâton.

— Sale garce! maugréa-t-il en se tenant les côtes.

Il tourna les talons pour quitter le lavoir. Mared attendit qu'il se fût éloigné pour ramasser le message.

Mademoiselle Lockhart.

C'était tout ce qui figurait sur l'extérieur de la feuille. Elle glissa le bâton dans un baquet et rompit le sceau des Douglas.

J'accuse réception de votre requête. Je ne puis m'empêcher de conclure que, si vous avez le temps de rédiger de longues missives m'expliquant ce que vous comptez faire et ne pas faire dans le cadre de votre emploi, alors vous en avez à perdre. Mieux vaut occuper votre esprit à des tâches plus productives. À cet égard, ma cousine Sarah a attiré mon attention sur le fait que certaines broderies du salon vert et du grand salon ont grand besoin d'être restaurées. Je vous suggère donc de vous en charger, au lieu de gaspiller mon encre et mon papier.

Vous avez la permission de fermer certaines pièces de l'aile nord, avec l'approbation de M. Beckwith.

Douglas

Ce n'était que cela! Profondément déçue, Mared froissa la feuille de papier, et la jeta au feu, sous la lessiveuse. Les bras croisés, elle regarda le papier se consumer pour ne laisser que des cendres.

— Voilà ce que j'en pense, de votre maudit message, grommela-t-elle.

Soudain, elle pivota vers le baquet plein de bleu.

— Seigneur!

Elle avait oublié les foulards. À l'aide du bâton, elle en retira un. En découvrant son apparence, elle écarquilla les yeux et se couvrit la bouche de ses mains.

Au lieu d'être d'un blanc immaculé, il avait viré au violet. Il n'avait même pas légèrement bleui !

Incapable de se retenir, elle éclata de rire. Quand elle parvint enfin à se calmer, elle s'essuya les yeux et entreprit de sortir tous les foulards de leur bain de bleu.

Payton était en pleine réunion avec M. Bowles, de Stirling, qui cherchait à investir des fonds dans la distillerie et exportait déjà un excellent whisky en Angleterre et en France, commerce qui lui rapportait des profits substantiels.

Au terme de leur entretien, Payton lui proposa une promenade au bord du loch. Cailean, la chienne, vint les rejoindre sur le chemin. Payton remarqua qu'elle portait une sorte de collier autour du cou. Il se dit qu'il se faisait des idées, mais il aurait juré qu'il s'agissait d'un foulard violet.

En atteignant le bord du lac, M. Bowles s'accroupit et mit la main dans l'eau, mais Cailean plaça sa tête juste devant son visage.

— Bonjour ! fit M. Bowles en lui grattant l'oreille un instant avant de se relever. Une eau de qualité est la clé de tout bon whisky, déclara-t-il.

— En effet, admit Payton.

— Si je puis me permettre, monsieur, n'est-ce pas un foulard que votre chienne porte autour du cou ?

— Vous croyez ?

Payton se pencha pour observer la pièce de tissu nouée avec soin.

— Il me semble, effectivement… admit-il, mystifié.

Les deux hommes flânèrent un moment au bord du lac, dans lequel se jetait une rivière. Au retour, ils passèrent devant un champ mal clôturé où paissaient des vaches.

— Vous avez un domaine charmant, commenta M. Bowles.

— Merci.

Soudain, M. Bowles s'immobilisa et se pencha vers les vaches.

Payton suivit son regard et plissa les yeux. Que diable... ?

— C'est une étrange habitude que vous avez, d'utiliser des foulards en guise de colliers.

— Franchement, j'ignorais tout de cette pratique, répondit Payton sèchement.

Son invité se mit à rire.

— J'ai l'impression que quelqu'un s'amuse à vos dépens, monsieur.

— Vous avez sans doute raison, dit Payton en esquissant un sourire.

Lorsqu'ils se remirent en route, il orienta la conversation sur la distillerie, sans quitter des yeux ses vaches aux foulards violets, auxquels pendaient des cloches...

Ce soir-là, après son souper solitaire, Payton regagna son bureau et prit de quoi écrire.

Mademoiselle Lockhart,
Je me vois obligé de vous réprimander à la suite de votre piètre prestation de blanchisseuse. Je suis particulièrement contrarié par les foulards violets dont sont désormais parés ma chienne et mes bêtes. Je ne vous demanderai pas à qui appartenaient ces foulards, car je redoute votre réponse. De plus, j'ai découvert par hasard une chemise de nuit glissée négligemment sous mon lit. Vous devez absolument prendre grand soin du linge qui vous est confié à Eilean Ros, mademoiselle Lockhart. Sinon, je serai contraint d'allonger la durée de votre engagement. Vous trouverez ci-joint une liste des tâches à accomplir.

Douglas

Payton reçut une réponse le lendemain.

Au très susceptible et éternellement courroucé laird Douglas :

C'est fort aimable à vous de prendre un peu de votre temps précieux pour examiner avec tant d'attention mon travail. Je déplore que les nouveaux colliers vous aient déplu, mais je vous assure que les animaux en sont ravis. Néanmoins, je vais les leur enlever sans tarder. Je regrette que vous ayez trouvé votre chemise de nuit sous votre lit. Si j'avais pu prévoir que vous vous mettriez à quatre pattes, je l'aurais cachée sous le tapis.

Votre apprentie esclave,

ML

Mademoiselle Lockhart,
Veuillez nettoyer les tapis. Vous trouverez une nouvelle liste de tâches.

Douglas

Mared froissa cette réponse et la jeta au feu, comme chaque fois. Cela faisait plusieurs jours qu'elle n'avait pas vu ce tyran, mais il ne manquait jamais de lui adresser des listes de corvées.

Elle obéit à ses ordres. Elle tenta même d'effacer les traces de brûlure des paravents du salon en les brodant. Elle avait presque fini d'astiquer les lambris de la salle à manger, mais se dit qu'elle préférait s'offrir une petite promenade…

Le jour où Rodina et Una entreprirent de dépoussiérer les rideaux du salon, Mared était plongée dans l'un des livres de voyage de Payton au point d'en perdre toute notion du temps. L'après-midi que les deux femmes de chambre passèrent à épousseter les milliers de bibelots du grand salon, Mared, souffrante, demeura allongée sur le divan à raconter à ses camarades les histoires terrifiantes des Douglas dont les portraits tapissaient les murs. Elle ne manqua pas de leur parler du Douglas fou dont le fantôme rôdait encore dans la maison.

Chaque fois qu'elle recevait une lettre de Payton, elle se demandait pourquoi il ne lui imposait pas de vive voix ces sermons sur le devoir et la responsabilité. Quand elle le revit enfin, ce ne fut qu'un instant furtif.

Ce soir-là, elle était en retard pour le souper, car elle avait passé l'après-midi à dormir dans un petit salon de l'aile nord. Elle se hâtait dans le couloir quand elle passa devant la porte ouverte de la salle à manger. Payton y prenait son repas, seul.

Assis au bout d'une table susceptible d'accueillir une vingtaine de convives, couverte d'une nappe damassée, il mangeait en silence.

Posté près de la desserte, Jamie la foudroya du regard. Il n'avait pas oublié le coup de bâton qu'elle lui avait infligé. Toutefois, il ne fit rien pour interrompre le repas de son maître.

Lentement, Mared poursuivit son chemin, mais garda en mémoire l'image de sa solitude. C'était une scène d'une grande tristesse. Jamais il ne lui était venu à l'esprit que Payton n'avait personne. Elle entrevit ce que devait être une vie solitaire à Eilean Ros, jour après jour, à errer dans cette maison immense.

À Talla Dileas, les plafonds s'écroulaient, mais il y avait une famille unie autour d'elle.

Ce devait être bien triste d'être aussi seul, songea-t-elle, mais il l'avait cherché. Qui accepterait de vivre auprès d'un homme aussi exigeant et désagréable ?

Ce soir-là, en fermant les yeux, elle ne put s'empêcher de le revoir, seul à table. Cette fois, elle ne jubila pas, ne se moqua pas de lui...

Elle le chercha encore, mais en vain. Chaque matin, elle se rendait dans la chambre de Payton un peu plus tôt, mais il n'était jamais là. Son lit semblait toujours avoir abrité une quarantaine de personnes déchaînées. Les draps étaient arrachés du matelas et le couvre-lit en soie gisait à terre. Quant aux oreillers, ils semblaient avoir été martelés de coups de poing.

Chaque matin, Mared enfouissait le visage dans ces oreillers pour humer son parfum. C'était chez elle une sorte d'obsession étrange, qu'elle ne pouvait s'expliquer. Toutefois, le réconfort qu'elle trouvait dans ce parfum la troublait.

Pendant la journée, elle vaquait à ses occupations de gouvernante. Se refusant à balayer le vestibule, elle dit à Beckwith de se plaindre auprès de son maître s'il n'approuvait pas sa conduite, ce que le majordome promit de faire d'un air pincé. Elle rangea l'argenterie dans le placard à vaisselle et sortit un service en porcelaine. Chaque fois qu'elle avait une requête à exprimer, elle déposait une lettre à l'intention de Payton sur le plateau réservé au courrier. *J'aimerais poser de nouveaux rideaux dans le salon. Les rouges sont laids et démodés.*

Inévitablement, elle recevait une réponse : *Non. Et je vous prie de cesser d'effrayer les femmes de chambre avec vos histoires de fantômes inventées de toutes pièces.* Mais les choses n'allaient pas plus loin.

Le soir, elle se rendait dans les appartements du maître pour les préparer selon les critères précis qu'il exigeait d'elle. Elle avait beau rabattre le couvre-lit, attiser le feu dans la cheminée, nettoyer ses affaires de toilette ou tirer les rideaux, il ne venait jamais.

Elle finit par en conclure qu'il l'évitait délibérément, ce qui la mettait en rage. Non parce qu'elle avait envie de le voir, mais parce qu'elle ne supportait pas l'idée qu'un homme puisse arracher une femme à son foyer pour en faire son esclave puis se comporter comme si elle n'existait pas.

Ainsi, plus Payton fuyait sa présence, plus elle s'efforçait d'attirer son attention.

Elle obtint satisfaction par hasard, une fin d'après-midi, alors qu'elle avait réussi à convaincre Rodina et Una de l'accompagner à l'autre extrémité du lac pour se baigner. Il faisait très chaud depuis quelques jours, et Mared avait grand besoin de respirer. Elle connaissait un coin isolé au bord de l'eau, où le lac formait un bassin peu profond. Par cette journée torride, l'eau était tiède et l'ombre bienfaisante. Elle le savait car elle avait déjà trempé ses pieds dans l'eau chaque fois qu'elle parvenait à s'échapper de la maison pour une promenade en solitaire.

Payton étant parti à Callander et ne rentrant que le lendemain, les trois femmes avaient attendu que Beckwith gagne l'aile nord, en compagnie des valets, pour sortir par la porte de service, munies d'un panier de pique-nique, suivies de Cailean.

Si Rodina et Una portaient une coiffe, Mared avait opté pour le chapeau de paille de son père. Elles s'engagèrent sur un chemin peu fréquenté qui contournait la partie nord du lac, riant des frasques des valets, tout en lançant un bâton pour le plus grand plaisir de Cailean.

Au bord du bassin, Rodina souhaita grignoter un morceau, mais Mared, qui avait trop chaud, avait envie de se baigner sans tarder. Elle ôta vite sa robe noire de gouvernante, sous le regard de ses deux camarades, puis ses bottines et ses bas. Enfin, elle libéra ses cheveux bruns.

— Mangez, si vous avez faim ! leur dit-elle. Moi, je préfère nager.

Elle contourna un rocher, Cailean sur ses talons, avant d'entrer dans le lac. La sensation de l'eau fraîche sur ses pieds et ses chevilles l'enchanta. Elle se tourna vers ses compagnes. Una regardait sans cesse par-dessus son épaule, comme si elle redoutait l'arrivée de quelqu'un.

— Détendez-vous, Una ! lui lança-t-elle en riant. Nul ne nous trouvera, ici ! Personne n'emprunte jamais ce chemin, à part Douglas !

Pour souligner ses propos, Mared enleva sa camisole.

— Mademoiselle Lockhart ! souffla Una.

Même Rodina cessa de manger, les yeux écarquillés, comme si elle n'avait jamais vu une femme dévêtue.

Amusée, Mared s'immergea jusqu'à la taille, puis jeta sa camisole sur la rive.

— Cessez donc de me regarder comme deux vieilles filles effarouchées ! L'eau est délicieuse !

Elle plongea tête la première.

Quand elle réapparut, les deux femmes de chambre l'observaient toujours bouche bée. Cailean, toutefois, avait perdu tout intérêt et s'était éloignée sur le chemin, en aboyant après quelque animal. Mared fit signe à Rodina et à Una de la rejoindre, mais elles semblaient en pleine discussion.

Avec un soupir, Mared haussa les épaules. Elle ne pouvait les forcer à se baigner. De plus, elle n'avait pas de temps à perdre à tenter de convaincre ces deux oies blanches. Elle s'éloigna donc de la rive pour nager à loisir, plongeant de temps à autre. Arrivée à l'autre extrémité du bassin, elle fit la planche.

C'est alors qu'elle se rendit compte que les deux femmes de chambre n'étaient toujours pas dans l'eau. Elle n'entendait rien. Elle regagna le milieu du bassin pour s'assurer de leur présence.

Elles avaient disparu.

Tant pis pour elles, songea Mared. Si elles étaient incapables d'apprécier une belle journée ensoleillée…

Elle plongea à nouveau. En remontant à la surface, elle aperçut Cailean, sur la rive, qui agitait furieusement la queue.

Mared se mit à rire et écarta ses cheveux mouillés de son visage, avant de se tourner à nouveau vers la chienne.

Son cœur se figea dans sa poitrine. L'espace d'un instant, elle ne put respirer. Près de Cailean se tenait Payton, accompagné de son cheval Murdoch, qui dévorait les feuilles d'un arbre.

Il semblait avoir chevauché toute la journée, avec ses cheveux en désordre et ses bottes crottées. Sa chemise était ouverte sur sa poitrine dont la peau luisait de sueur. Il avait roulé ses manches. Les mains sur les hanches, il affichait une mine grave qui ne présageait rien de bon.

Il était rentré plus tôt que prévu, songea-t-elle.

Pis encore, elle était nue. Face à l'hésitation de Rodina et d'Una, elle avait commis une grossière erreur. Et elle se retrouvait dans l'eau, dans le plus simple appareil, sous le regard courroucé de Payton.

Malgré la distance, et bien qu'elle fût immergée jusqu'au cou, elle tenta de dissimuler sa nudité de ses mains tout en avançant dans l'eau.

— Mademoiselle Lockhart, dit-il d'un ton glacial. J'ose espérer que vous avez effectué les tâches qui vous incombaient avant de venir vous baigner. Si tel est le cas je ne vous ai pas donné de quoi vous occuper à plein temps.

Cela se présentait très mal... Elle chercha une réponse, mais il venait de la prendre la main dans le sac, pour ainsi dire.

— Je vous demande pardon, monsieur, mais je n'ai encore terminé aucune tâche. Il fait trop chaud pour travailler.

— Trop chaud? répéta-t-il en inclinant la tête.

— Oui, trop chaud.

— Trouvez-vous juste, mademoiselle Lockhart, que les deux femmes de chambre dont vous êtes responsable doivent travailler par une chaleur torride pendant que vous prenez du bon temps?

Elle ne pouvait lui avouer qu'elles étaient également venues et qu'elle les avait presque obligées à la suivre.

— Non, admit-elle enfin.

— Dans ce cas, vous voudrez bien vous charger de leurs tâches de la journée pour leur permettre de se reposer un peu de la chaleur.

Elle détestait la logique de son argument.

— Oui, marmonna-t-elle.

— Très bien. Je le leur avais annoncé en les renvoyant à la maison, précisa-t-il, un sourire au coin des lèvres. Sortez de l'eau immédiatement.

— Euh… Oui, je vais sortir. Je vous le jure. Allez-y, je vous rejoins très vite.

— Vraiment ? fit-il en arquant les sourcils. Que se passe-t-il, mademoiselle Lockhart ? Vous manquerait-il quelque chose ? Ceci, par exemple ?

Il brandit sa camisole violette, qui avait été blanche avant qu'elle ne la lave.

Mared s'empourpra.

— Vous vous êtes bien amusé, je suppose, lança-t-elle. Maintenant, posez mes vêtements et éloignez-vous.

Payton se mit à rire.

— Non, décréta-t-il en lui lançant la camisole. Habillez-vous !

— Je ne puis l'enfiler dans l'eau !

— Dans ce cas, vous allez devoir venir jusqu'ici pour vous rhabiller. Essayez donc, dit-il, jambes écartées, bras croisés, le regard implacable.

Mared attrapa la camisole avant qu'elle ne sombre et tourna le dos à Payton pour l'enfiler. Quand elle se retourna, il ne fit rien pour dissimuler sa jubilation face à sa gêne.

Elle avança dans l'eau, le regard noir. Elle commençait à se sentir fatiguée et avait envie de sortir au plus vite.

— Allez-vous partir, à la fin ? gronda-t-elle, haletante. Je ne peux plus nager !

— Sortez donc !

— Pas question tant que vous serez là !

— Il fallait y penser avant.

— D'accord, vous avez gagné, monsieur, maugréa-t-elle. Je me suis mal comportée et, à présent, je me sens humiliée. Retournez-vous, je vous prie. Je ne suis pas en tenue décente.

— Je ne vous le fais pas dire, dit-il d'une voix traînante.

Il s'exécuta toutefois.

Méfiante, Mared nagea jusqu'à la rive. Dès qu'elle eut pied, elle tenta de se dissimuler à l'aide de ses bras, en vain. Le fin tissu mouillé lui collait à la peau, moulant ses formes.

Elle aurait pu sauver la face s'il n'avait pas choisi cet instant précis pour se retourner. Il souriait, jubilant face à son embarras. Dès qu'il posa les yeux sur elle, son sourire s'envola. Son regard pénétrant fit frissonner la jeune femme de tout son corps.

Il la toisa sans vergogne, examinant chaque courbe, s'attardant sur son intimité, puis sur ses jambes.

Mared ne put qu'endurer cette épreuve sans broncher, car Payton se trouvait entre elle et le reste de ses vêtements. Plus il l'observait, plus elle était troublée.

Enfin, il croisa son regard, exprimant l'intensité de son désir pour elle. Le corps de Mared réagit de même. Une douce chaleur envahit ses membres. Au bord de la panique, elle ne savait comment réagir à ce trouble.

— Mes... mes vêtements, balbutia-t-elle.

— Fermez votre camisole, fit-il d'un ton brusque.

Baissant les yeux, elle se rendit compte que ses seins étaient presque dénudés. Elle releva la tête. Les yeux de Payton étaient rivés sur ses mamelons dressés sous l'étoffe trempée. Elle saisit le cordon de son vêtement, mais elle avait les doigts si glacés qu'elle ne parvint pas à le nouer.

Voyant ses difficultés, Payton posa les mains sur les siennes.

— Non ! lança-t-elle, affolée, sachant d'instinct que, s'il la touchait, quelque chose allait se passer. J'y arriverai seule.

Ignorant ses protestations, Payton écarta les mains de la jeune femme et prit le cordon. Puis il s'approcha d'elle et fit un nœud assez lâche.

Quand il eut terminé, elle osa enfin croiser son regard. Ses yeux perçants la fascinèrent. Soudain, elle fut intimidée. Payton posa les mains sur ses épaules pour en écarter ses cheveux mouillés. Puis il les glissa le long de ses bras, caresse légère qui embrasa les sens de la jeune femme.

Ce qu'elle ressentait au plus profond de son être était unique. Elle se mordit les lèvres. Il effleura ses seins, puis tourna les mains pour frôler ses clavicules, avant de revenir à ses seins, son dos, ses hanches, pour arriver entre ses cuisses.

Là, ses mains s'immobilisèrent. Il leva les yeux et croisa son regard. D'une main, il souleva le fin tissu et insinua un doigt entre ses cuisses. À ce contact inattendu, Mared crut défaillir.

D'abord, elle retint son souffle, puis se mit à haleter. C'était une sensation si délicieuse qu'elle ferma les yeux pour ne songer qu'à ce doigt qui envoyait en elle des ondes de plaisir. Payton posa l'autre main sur ses reins afin de l'attirer contre lui. Il embrassa son front, sa tempe, tout en poursuivant l'exploration de son intimité. Ses lèvres frôlèrent sa joue, sa bouche, si doucement qu'elle se mit à frémir. Ses lèvres charnues étaient aussi délicates que son doigt.

Le cœur de Mared battait à tout rompre. Elle gémit contre la bouche de Payton. Il la prit par le menton pour l'embrasser avec une tendresse infinie, au point qu'elle se sentit dériver vers un océan de chaleur.

— Laisse-moi te donner du plaisir, souffla-t-il à son oreille en intensifiant les mouvements de son doigt.

Mared ouvrit les yeux et vit le soleil, entre les arbres. Elle sentait venir l'extase. Pourtant, il ne fallait pas. Elle n'avait pas le droit de le désirer, pas plus qu'il n'en avait le droit. Rien n'aurait pu la combler davantage que cet acte. En dépit de son désir pour lui, elle refusait de l'épouser. Mais son doigt intensifiait ses mouvements et elle se sentait céder…

— Laisse-moi te donner du plaisir, répéta-t-il d'une voix rauque.

Mared brûlait de ressentir cette explosion imminente, mais elle avait aussi envie de s'enfuir. En ouvrant à nouveau les yeux, au bord du précipice, elle vit sa robe noire de gouvernante.

Cela suffit à la faire redescendre sur terre. Elle repoussa Payton en criant:

— Non!

Ce fut le moment précis où le plaisir explosa en elle, séparant son corps de son esprit. Elle réprima un sanglot et enfouit le visage dans les mains, mortifiée par ce qui venait de se produire et abasourdie du plaisir intense qu'elle avait découvert.

Elle sentit Payton se crisper. Il s'éloigna d'elle. Soudain, elle se sentit très seule et frigorifiée.

En ouvrant les yeux, elle vit Payton se masser le front, la mâchoire crispée. S'apercevant qu'elle l'observait, il ramassa la robe et la lui tendit.

— Vous avez du travail à faire, grommela-t-il.

Elle ne supportait pas ce regard, ce mélange de déception et de résignation, voire de dégoût. Toute lumière en avait disparu, cette lueur de désir qui la faisait défaillir.

Il tourna les talons et se dirigea vers son cheval.

— Payton! lança-t-elle, en proie à la panique.

Il fit volte-face. Mais elle ne trouva pas les mots pour expliquer les sentiments contradictoires qui la tiraillaient. Elle était, si mortifiée, si effrayée qu'elle fut incapable d'exprimer ce qu'elle ressentait.

Il attendit, mais elle ne put, ou ne voulut rien dire. Il prit donc les rênes de Murdoch et partit au galop vers Eilean Ros.

Sans un regard en arrière.

13

Après cet après-midi torride, plusieurs jours s'écoulèrent sans que Mared aperçoive Payton, ne serait-ce que furtivement. Elle ne pouvait s'en prendre qu'à elle-même. Elle avait envie de le voir, mais n'avait aucune raison valable de le côtoyer. Cependant, si ses sentiments pour lui avaient évolué, elle tenait toujours à mener sa vie comme bon lui semblait.

Le dimanche venu, Mared enfila sa robe verte et ses bottes pour rejoindre sa famille à l'église. Après l'office, les Lockhart regagnèrent Talla Dileas. Chacun voulut entendre le récit détaillé du travail qu'effectuait Mared chez Douglas. Elle assura aux siens qu'elle était bien traitée, se gardant de préciser qu'elle refusait d'assumer l'intégralité des responsabilités d'une gouvernante. En réalité, elle parvenait à contourner les tâches les plus ingrates d'une employée digne de ce nom. De toute façon, les Lockhart semblaient plus curieux du mode de vie de Douglas que du travail quotidien de la jeune femme.

En fin de journée, Ellie, Anna et Mared se réunirent sous la tonnelle. Ellie demanda à sa belle-sœur si tout se déroulait vraiment bien, chez Douglas.

— Très bien, répondit-elle avec un geste désinvolte. Il me laisse tranquille.

Elle ne pouvait affirmer le contraire. Elle avait même l'impression qu'il était parti s'installer à Glasgow.

— Vraiment ? insista Ellie en échangeant un regard complice avec Anna.

— Oui, je crois qu'il se moque éperdument de moi. Je pourrais aussi bien être morte, expliqua-t-elle, indignée.

— C'est étrange, commenta Anna, pensive. Lui qui s'est toujours montré si prévenant…

Mared se mit à marteler nerveusement la balustrade de ses doigts.

— Et la réception ? s'enquit Ellie.

— Quelle réception ?

— La grande réception prévue dans quelques jours ! L'nquiétude gagna Mared.

— De quoi parlez-vous donc ? demanda-t-elle d'une voix mal assurée.

— Ah ! s'exclama Ellie, les yeux écarquillés. Nous pensions que tu étais au courant. Nous… nous avons décliné l'invitation, bien sûr ! Nous ne jugions pas convenable de… enfin… compte tenu de la situation…

Embarrassée, elle porta la main à sa poitrine.

— De quel genre de fête s'agit-il donc ? s'enquit Mared, soupçonneuse.

— Eh bien, un dîner mondain ! Il y aura une quinzaine d'invités, je crois.

— Qui donc ?

— Qui ?

— Qui a-t-il invité ? répéta Mared avec impatience.

Ses deux belles-sœurs semblaient gênées.

— Eh bien… Mlle Crowley, avoua Ellie. Et sa famille, je crois.

Cette fois, le cœur de Mared se glaça.

Le lundi suivant, Rodina et Una ne parlaient que du fameux souper auquel participerait Mlle Crowley. Elles semblaient persuadées que Beitris serait bientôt leur nouvelle maîtresse. Au grand désarroi des deux jeunes filles, Mared feignit l'indifférence.

À mesure que la semaine s'écoulait, Mared sentit croître en elle une sourde appréhension. Le jour du souper, Beckwith la trouva en train de lire le journal d'Édimbourg pendant qu'Una époussetait le salon vert. Il la fusilla du regard.

— Oui ? fit Mared.

— Les réserves, mademoiselle Lockhart. Depuis le décès de Mme Craig, vous n'avez effectué aucun inventaire de nos réserves. Certains produits commencent à manquer.

— Ah bon ? dit-elle en reprenant sa lecture. Est-ce vraiment nécessaire ? Je n'ai guère envie de me rendre dans le cellier. Il y fait froid et cela sent mauvais.

— Il le faut, mademoiselle Lockhart !

— Très bien ! répliqua-t-elle sèchement avant de se lever. Continuez, Una ! lança-t-elle avec entrain.

Elle se dirigea vers le cellier, une pièce aussi sombre et humide qu'un cachot. Ce n'était pas le pénible inventaire des réserves qui la tourmentait. Elle ne pensait plus qu'à Beitris et Payton, et à cet effroyable souper.

En travaillant, elle entendait Beckwith et les valets de pied préparer l'arrivée des invités. Ils lui demandèrent d'ouvrir le placard à vaisselle pour en sortir le plus beau service, ainsi que l'argenterie. La vente de ces seules pièces aurait permis à la famille de Mared de vivre pendant une année entière à Talla Dileas...

Charlie prit également deux plateaux en cristal. Beckwith alla chercher plusieurs grands crus à la cave. Douglas était décidé à mettre les petits plats dans les grands. Voilà qui n'étonnait guère Mared. Les Douglas n'étaient qu'une bande de m'as-tu-vu. Il suffisait de voir la cousine Sarah pour comprendre qu'elle était obsédée par son apparence.

Elle s'efforçait de poursuivre son inventaire en pensant à autre chose qu'à Payton, lorsque Beckwith réapparut.

— Monsieur vous demande dans ses appartements, mademoiselle Lockhart, annonça-t-il, stoïque. Il s'agit d'un vêtement à raccommoder, je crois.

Le cœur de la jeune femme s'emballa. Elle ne pouvait le voir maintenant, après ces journées de silence, alors qu'il était sur le point de demander la main de Beitris !

— Un vêtement ? Il n'y a donc personne qui puisse s'en charger, monsieur Beckwith ?

Il fronça les sourcils et consulta sa montre de gousset.

— Vous avez certainement remarqué qu'il n'y a pas de valet de chambre, à Eilean Ros. Veuillez vous hâter, mademoiselle Lockhart. Il est tard. Les invités sont attendus dans une heure.

— Dans ce cas, suggérez-lui donc d'engager un valet de chambre, répliqua Mared non sans impertinence. Monsieur semble tenir énormément à ses vêtements. Outre un valet de chambre, il lui faudrait peut-être une autre gouvernante !

Beckwith se contenta de disparaître dans l'escalier. Mared referma vivement son registre.

— Pas question de lui raccommoder ses vêtements ! Je ne suis pas couturière, que je sache !

Elle interrompit néanmoins son inventaire et souffla la chandelle pour se rendre auprès de Sa Seigneurie. En montant, elle passa devant la salle à manger. Sur la table étaient dis posés de gros bouquets d'hortensias.

Face à cette opulence, la jeune femme leva les yeux au ciel et s'arrêta un instant pour vérifier son apparence dans le miroir. Elle était un peu pâle et une mèche s'était détachée de son chignon. Elle la remit en place en se pinçant les joues.

La porte des appartements de Payton était entrouverte. Après avoir frappé, Mared perçut une réponse étouffée venant de l'intérieur. Elle hésita un instant, car elle n'avait pas clairement entendu ses paroles, mais ne l'avait-il pas convoquée ? Il était capable de lui faire des reproches si elle n'arrivait pas promptement. Elle poussa donc la porte et passa la tête à l'intérieur. Aussitôt, elle faillit pousser un hurlement.

Il l'observait avec curiosité. Son élégant pantalon noir était déboutonné et pendait sur ses hanches. Et il ne portait rien d'autre.

Son torse était bel et bien nu, offert à son regard avide.

Mared se sentit envahie d'une chaleur troublante face à la toison qui surgissait au-dessus de sa ceinture, son ventre plat, son torse musclé. Ses cheveux dorés encore mouillés étaient coiffés en arrière, effleurant de larges épaules qui semblaient capables de porter le poids du monde. Il s'était rasé avec soin, ce qui soulignait sa mâchoire carrée. Ses bras croisés faisaient saillir ses muscles.

La gorge nouée par l'émotion, elle s'efforça de ne pas imaginer à quoi il ressemblait, entièrement nu. Hélas, elle ne parvenait pas à réfléchir, tant elle était troublée par ce spectacle.

À en juger par son expression glaciale, il était conscient de l'effet qu'il produisait sur elle. Elle devait lui sembler bien impolie, dans sa façon de le fixer, mais elle n'y pouvait rien. Il était si… beau et désirable.

Payton s'éclaircit la gorge. Aussitôt, le regard de Mared passa de sa ceinture à son visage.

— Vous avez terminé votre inspection ?

Elle rougit de plus belle et détourna les yeux.

— Je… euh…

Elle observa le plafond, le lit, le sol.

— Je suis désolée, monsieur, mais vous m'avez prise au dépourvu.

— C'est pourquoi je vous demandais de patienter un instant, mademoiselle Lockhart.

Elle le regarda du coin de l'œil. Il semblait s'attendre qu'elle dise quelque chose. Comment pouvait-elle aligner deux phrases cohérentes en présence d'un homme aussi séduisant ?

— Je ne vous ai pas bien entendu, expliqua-t-elle.

— Manifestement.

Était-ce le fruit de son imagination ou décelait-elle une lueur amusée dans ses yeux gris ?

Il saisit la ceinture de son pantalon.

— Que se passe-t-il, mademoiselle Lockhart ? Vous rougissez comme une jeune fille. Ce n'est certainement pas la première fois que vous voyez un homme...

— Bien sûr que non, répliqua-t-elle vivement. Enfin... j'ai deux frères, comme vous le savez.

— Comment pourrais-je oublier leur existence ?

La jeune femme baissa les yeux.

— Euh... M. Beckwith m'a parlé d'un vêtement à raccommoder.

— C'est le moins que l'on puisse dire, railla-t-il. Il s'agirait plutôt de le remplacer. Je vous ai pourtant mise en garde de prendre grand soin de la lessive.

— Je ne vois pas ce que vous voulez dire, mentit-elle.

— Ce que je veux dire, déclara-t-il en prenant une chemise posée sur le lit, c'est qu'en voyant les foulards violets je vous ai accordé le bénéfice du doute. Je sais, c'était stupide de ma part. Je suis conscient que vous n'êtes pas ici de votre plein gré, mais je ne tolérerai pas que vous négligiez mes vêtements.

— Je ne suis pas négligente, protesta-t-elle.

— Alors expliquez-moi ceci, reprit-il en brandissant sa chemise, tout en retenant son pantalon de l'autre main. Une chemise bleue ! Une chemise qui était *blanche*. C'est abominable !

C'était plutôt lui qui avait commis un acte abominable en faisant d'elle son esclave. Ensuite, il l'avait obligée à sortir de l'eau alors qu'elle se baignait dans le plus simple appareil, l'humiliant comme jamais auparavant. Elle fronça les sourcils.

— Je n'ai fait qu'obéir à vos ordres, monsieur. J'ai expliqué à M. Beckwith que je ne savais pas faire la lessive. Il a refusé de m'aider !

— Qu'est-ce qui vous fait croire que mon majordome a la moindre idée de la façon de faire la lessive ?

— Dans ce cas, vous êtes fautif, monsieur.

— Si vous le dites... À présent, approchez. Venez voir ce que vous avez fait.

— C'est inutile. J'ai constaté le résultat le jour où je l'ai lavée, répondit-elle en croisant les bras.

— Je veux que nous regardions ensemble. Approchez ! ordonna-t-il.

Mared obéit à contrecœur. Payton brandissait la chemise. Elle afficha un air exaspéré, s'efforçant d'ignorer le parfum de son eau de toilette, celui de sa peau nue. Effectivement, la chemise était bleue – un peu moins, toutefois, que le jour où elle l'avait récupérée sur la corde à linge. Et Payton avait eu la bonté de ne pas évoquer son aspect froissé.

— Je suppose que c'est votre conception de la vengeance ? Vous abîmez mes vêtements le soir où je reçois quatorze personnes à souper !

— Quatorze ? s'exclama-t-elle.

— Oui, quatorze. Que vais-je porter, mademoiselle Lockhart ?

— Mais vous possédez de nombreuses autres chemises, répondit-elle avec impertinence. Vous le sauriez si vous regardiez dans vos armoires, au lieu de charger quelqu'un de le faire à votre place.

— Je vous remercie de vos précieux conseils, grondat-il en jetant la chemise sur le lit. Allez donc me chercher une chemise blanche !

Mared s'éloigna d'un pas décidé.

— Sachez que j'ai remarqué le trou béant dans mes draps ! lança-t-il dans son dos. Comment l'expliquez-vous ?

J'ai fait de mon mieux, songea-t-elle en ravalant un rire de triomphe.

— Si vous n'aimez pas ma façon de faire la lessive et si vous êtes incapable de vous habiller seul, vous devriez engager un valet de chambre, monsieur !

— Je suis parfaitement capable de m'habiller seul quand mon linge est propre et repassé.

— Je n'en doute pas, marmonna-t-elle en fouillant parmi les innombrables tenues de Payton.

Elle finit par dénicher une chemise immaculée qu'elle emporta dans la chambre. Esquissant une révérence, elle la lui tendit.

Il l'enfila vivement.

— Vous avez de la chance d'avoir trouvé cette chemise, dit-il.

— Je sais, lança-t-elle en levant les yeux au ciel. Et qu'auriez-vous fait, dans le cas contraire ?

— Je vous aurais donné une fessée, car vous vous conduisez comme une enfant.

Elle ne put s'empêcher d'imaginer la scène.

— Franchement ! Vous m'avez peut-être enlevée, mais vous ne…

— Enlevée ? coupa-t-il. Ne dites pas de bêtises !

— Mais si ! insista Mared en fixant ses mains puissantes. Vous me retenez en otage. C'est un enlèvement !

— Vous êtes ici pour rembourser une dette contractée par votre famille. Je me montre charitable envers les vôtres !

— Si cela vous donne bonne conscience…

— Je dors très bien, rassurez-vous.

— Vraiment ? Et qui fait votre lit, chaque matin ? Vous ne dormez pas, vous vous débattez comme un beau diable.

Il fronça les sourcils tout en boutonnant son pantalon, sans se soucier du regard de la jeune femme rivé sur ses mains.

— Si je ne dors pas la nuit, c'est parce qu'une folle a fermé des pièces de ma maison, qu'elle abîme mes vêtements et cache l'argenterie pour ne pas avoir à la nettoyer. De plus, elle paresse ostensiblement pendant que ses camarades effectuent tout le travail à sa place ! Allez me chercher un foulard. Un foulard *blanc* !

— Allez me chercher ci, allez me chercher ça… railla Mared.

Elle se dirigea vers la commode et ouvrit un tiroir contenant une rangée de foulards pliés avec soin. Seuls trois étaient violets.

— Je n'ai jamais prétendu être gouvernante ou blanchisseuse, lui rappela-t-elle. Quand on confie son linge à une femme comme moi, il ne faut pas espérer des miracles.

— Je m'attendais que vous appreniez votre métier !

— C'est bien un défaut masculin, que d'avoir des attentes aussi ambitieuses ! Vous êtes un vrai Douglas ! Vous tenez à avoir une Lockhart à votre botte !

— Les Lockhart devraient être ravis d'être à ma botte, car ils me doivent trois mille livres sans compter les intérêts !

Il s'approcha d'elle, écarta sa main du tiroir et prit les trois foulards violets qu'il lui tendit :

— Qu'ai-je donc fait pour mériter ce calvaire ?

— Comment ? Et moi, qu'ai-je fait ? s'insurgea Mared en lui proposant un foulard immaculé.

Payton lui lança les trois foulards au visage.

— Vous venez d'ajouter une journée de labeur à votre contrat, voilà ce que vous avez fait ! Je vais devoir acheter de nouveaux foulards. Vous êtes satisfaite ?

Indignée, la jeune femme saisit les foulards et les jeta dans le tiroir avec mépris.

Payton soutint son regard, puis il détourna vivement les yeux et s'éloigna. Il posa son foulard blanc près de son gilet et de sa veste, sur le lit.

Il était si viril que la jeune femme en eut les le souffle coupé. Elle songea à cet après-midi torride, au bord du lac, et s'imagina qu'il lui procurait les mêmes caresses… tandis qu'elle le caressait à son tour.

Payton leva les yeux pour désigner une boîte rouge sur la commode.

— J'espère que vous n'avez pas trouvé le moyen de détruire mon blason doré.

Mared secoua la tête.

— Non, pas encore, dit-elle en se détournant pour masquer son trouble.

Elle souleva le couvercle de la boîte qui recelait plusieurs bijoux et choisit le blason des Douglas.

— Voilà, commenta-t-elle. Il est en parfait état et dénué de toute fantaisie.

— Cela ne m'étonne pas que vous critiquiez le blason de ma famille, quand vous passez votre temps à critiquer ma personne.

Elle sentit une note d'amertume dans son ton, mais peut-être se faisait-elle des idées.

— Je ne critique pas tout, marmonna-t-elle en posant le blason sur le foulard.

Cette fois, elle vit une étincelle d'amusement dans ses prunelles grises.

— Je tiens à ce que vous cessiez d'abîmer mes affaires, déclara-t-il. De plus, je vous interdis de nouer mes foulards autour du cou des animaux. Adoptez un comportement digne d'une gouvernante, que diable! Faites la lessive correctement, et ne paressez pas en regardant les autres travailler. Si vous jouez le jeu, cette année passera vite.

Elle soupira.

— Mared? fit-il en l'observant du coin de l'œil tout en nouant son foulard.

— Oui. Ce que je comprends, c'est que vous voulez me voir effectuer le travail d'une femme. Il faudrait que je m'occupe de tout enfant qui apparaîtrait dans cette maison, que je désherbe le jardin, que je nourrisse les malades, que je prépare à manger, que je fasse les lits...

— Ah, dit-il en esquissant un sourire. J'ai l'impression que vous avez compris.

Il alla se regarder dans le miroir. Fronçant les sourcils, il défit le nœud du foulard et recommença.

— Et pendant que moi, votre esclave, je me charge des tâches essentielles, que vous reste-t-il à faire, mon seigneur?

Il se mit à rire.

— Assurer le gîte, le couvert, la protection des membres du foyer est une noble tâche, déclara-t-il en inspectant son reflet, car son nœud ne lui apportait toujours pas satisfaction.

— Bien sûr, dit Mared. Un homme doit avoir la possibilité de passer des heures dans son bureau, à boire du whisky et à ne songer qu'à la protection de son foyer !

— Bravo ! Vous avez saisi les subtilités de la place d'un homme.

— Franchement, je suis un peu étonnée que vous ayez réussi à définir celle du sexe faible. Après tout, vous vivez seul.

— Oh, je connais le sexe faible, assura-t-il. Il existe au moins une chose pour laquelle une femme est très utile... Pourriez-vous m'aider, je vous prie ?

Mared poussa un soupir impatient.

— Cela fait partie de vos fonctions, insista-t-il en s'avançant vers elle.

— Un homme de votre rang devrait être capable de nouer un foulard convenablement.

Il s'arrêta face à elle et lui sourit.

— Allons... aidez-moi.

À contrecœur, elle prit le foulard et se hissa sur la pointe des pieds pour le passer autour du cou de Payton. Elle tenta d'ignorer son sourire ténébreux et sa façon de la dévisager. Entre eux, elle sentit renaître le feu du désir.

— Au fait, au cas où vous en douteriez, reprit-il posément, je puis vous assurer que je sais me rendre utile à bien des égards.

Elle en était persuadée. Un souvenir sensuel la fit rougir.

— Il faut bien que quelqu'un donne les ordres, lança-t-elle, les yeux rivés sur le foulard.

— Non. Ce n'est pas à cela que je pensais. Quel dommage... Vous ne saurez jamais ce dont je suis capable...

Elle mourait d'envie de fuir.

— Vous devez me trouver naïve, dit-elle, ravie de constater qu'elle était encore capable de parler malgré les battements frénétiques de son cœur.

— Naïve? Absolument, répondit-il avec un rictus plein d'ironie. Mais surtout très intelligente.

Elle ne put réprimer un sourire.

— Je le suis, en effet, admit-elle, car je sais au moins nouer un foulard.

Sur ces mots, elle tira un peu nerveusement sur le tissu.

— Aïe! fit-il avec une grimace, en la saisissant par le poignet. Inutile de serrer si fort!

— Vraiment?

— Vraiment!

Elle assouplit le nœud.

— Voilà, dit-elle avec entrain.

Face à tant d'insolence, il parut amusé, ce qui fit battre plus fort encore le cœur de la jeune femme. Lâchant son poignet, il fit glisser ses doigts sur sa peau.

— Si seulement vous étiez aussi douce avec mon linge que vous l'êtes en nouant mon foulard, murmura-t-il.

— Si seulement… railla-t-elle avec malice. Puis-je épingler votre blason, monsieur? À moins que vous ne souhaitiez me tenir le poignet toute la soirée?

— Vous êtes une rabat-joie, répliqua-t-il sans cesser de lui caresser l'avant-bras.

— Et vous, un scélérat, chuchota-t-elle.

— Insolente! souffla-t-il en se penchant vers elle, si près que la jeune femme aurait pu l'embrasser.

Quelques centimètres de plus, et… Il la défiait en l'incitant à prendre l'initiative si elle avait envie de ce baiser.

Et elle en avait envie. Elle brûlait même de l'embrasser, mais elle avait appris une leçon précieuse, au bord du lac. Si elle vivait sous son toit, c'était contre sa volonté. Elle aurait préféré résider à Talla Dileas, ou à Édimbourg, comme elle en rêvait.

— Esclave, chuchota-t-elle en dégageant enfin son bras de son emprise.

Elle prit le blason et l'épingla avec soin sur le foulard de Payton.

— Très bien, commenta-t-il en inspectant son reflet dans le miroir.

Il posa sur elle un sourire qui la fit chavirer et enfila son gilet puis sa veste.

Il était superbe. Beitris allait certainement succomber à son charme, songea-t-elle, soudain maussade. Soudain, elle fut envahie d'une colère qu'elle ne s'expliquait pas.

— Vous désirez autre chose ? s'impatienta-t-elle.

Payton parut étonné. Mared sentit une sorte de présence planer entre eux, une pensée, un espoir… Une sensation si brûlante qu'elle en fut intimidée et qu'elle recula malgré elle.

— Non, dit-il doucement en détournant les yeux. Vous pouvez disposer.

Elle quitta la chambre avant que cette impression étrange ne l'enveloppe totalement pour la priver de toute raison.

14

Mme Mackerell s'était surpassée : bisque de homard, terrine, cassolette de poisson fumé et asperges. Parmi les invités, Payton avait convié son voisin M. Sorley et plusieurs de ses proches, ainsi que Mlle Crowley et ses parents. Payton avait besoin de l'autorisation de Sorley pour puiser de l'eau en un point précis de la rivière pour sa distillerie.

À la vérité, il avait surtout invité Mlle Crowley et ses parents pour contrarier Mared, car il n'avait aucune envie de courtiser Beitris, qui ne voulait pas de lui non plus. Elle lui avait avoué, lors d'une promenade à Aberfoyle, qu'elle était amoureuse du fils du forgeron. Son père s'opposait à cette union. Il préférait voir sa fille épouser un homme fortuné et non un simple artisan.

Étaient présents la sœur de Sorley et son mari, ainsi que leur fille, et la nièce de Sorley, accompagnée de quatre amies fidèles. Sans doute parce que les deux neveux de Sorley étaient là également.

Si les jeunes filles semblaient émerveillées de se trouver à Eilean Ros, les neveux s'ennuyaient à mourir. Ils étaient encore jeunes. Un dîner mondain à la campagne n'avait sans doute rien d'exaltant à leurs yeux. Hélas, les distractions manquaient, dans la région.

Les jeunes gens étaient quelque peu agités. Ces conversations animées devaient être à la mode, en ville. Dans sa jeunesse, Payton avait longtemps séjourné à Édimbourg. À la mort de son père, il avait dû s'occuper du domaine. Il ne se rendait dans la capitale qu'une ou deux fois par an, pour faire des provisions et rendre visite à ses banquiers.

Ces jeunes lui rappelèrent ce qu'il nommait la jeunesse dorée d'Édimbourg. Ils étaient superficiels et exubérants, arrogants et dénués de tout respect pour les plus défavorisés.

Ils se mirent à discuter de l'industrialisation de Glasgow. Selon eux, c'était un mal nécessaire au progrès. Les femmes protestèrent, affirmant que la ville était aux mains des ouvriers, dont les logements leur semblaient inesthétiques.

— Vous voulez dire que vous n'aimez pas les pauvres, mademoiselle Alyshire ? railla l'un des neveux de Sorley. Que faites-vous de la charité chrétienne ? L'auriez-vous jetée aux orties ?

— Pas du tout ! protesta-t-elle avec vigueur. Mais avec cet afflux de pauvres, Glasgow sera bientôt aussi mal famé que Londres !

— Que suggérez-vous donc aux personnes qui ne peuvent plus vivre de leur lopin de terre ? s'enquit Payton.

— Comment le saurais-je ? répondit la jeune fille, les yeux écarquillés. Il y a d'autres villes en Écosse, je suppose.

Payton sourit poliment et reporta son attention sur son assiette. Le poisson qu'il était en train de déguster était plus sensé que la conversation de Mlle Alyshire.

Après le repas, il invita les dames à savourer un verre de vin au salon vert, tandis que les messieurs fumeraient un cigare. Il en avait commandé à Glasgow qui étaient importés d'Amérique. Les deux jeunes gens se vantèrent auprès de leur oncle et de leur hôte d'en avoir fumé de meilleurs en France, très récemment.

En rejoignant les dames, ils continuèrent de se vanter. À les entendre, ils avaient également dégusté les meilleurs crus à Paris.

Payton trouva leur impolitesse affligeante, d'autant plus qu'ils ne semblaient pas en avoir conscience.

D'un regard, il comprit que Mlle Crowley n'appréciait guère cette compagnie. Les jeunes filles de Glasgow n'avaient fait aucun effort pour l'inclure dans leurs conversations. Elles l'avaient même ignorée chaque fois qu'elle tentait de s'intégrer au groupe. Visiblement, elles préféraient se chamailler avec les jeunes gens.

Tandis que l'un d'eux racontait comment il avait gagné une fortune aux cartes, Payton se leva pour aller s'asseoir près de Beitris.

— Comment allez-vous, mademoiselle Crowley ?

— Très bien, monsieur. Tous mes compliments pour ce délicieux repas. C'était excellent.

— Je suis ravi qu'il vous ait plu, dit-il avec un sourire pincé. Je regrette toutefois de vous imposer ces convives. Ce sont des rustres.

— Mais non ! Pas du tout, protesta-t-elle avec tact.

Cependant, son expression affirmait le contraire.

Ils échangèrent un sourire. Payton se dit que le fils du forgeron avait bien de la chance.

— Avez-vous de bonnes nouvelles concernant M. Abernathy ? lui demanda-t-il dans un murmure.

Aussitôt, elle rougit et glissa un regard en direction de ses parents.

— Je suppose qu'il n'a pas encore parlé à votre père ? ajouta-t-il.

— Non, répondit-elle, la mine grave. Et je crois qu'il ne le fera jamais.

— Vraiment ? Il doit être fou !

Mlle Crowley s'agita soudain.

— Il pense qu'il est d'un rang inférieur au mien, qu'il n'a pas de fortune ! Il jure qu'il a des sentiments pour moi, mais qu'il ne demandera pas ma main tant qu'il n'aura pas une propriété bien à lui. Il devra pour cela attendre plusieurs années, je le crains, le temps que son père cesse toute activité.

— Ah… fit Payton, navré.

La jeune femme crispa les mains sur ses genoux.

— Je vous demande pardon, monsieur. Je ne devrais pas vous importuner avec de stupides affaires de cœur !

— Les affaires de cœur ne sont jamais stupides, mademoiselle Crowley. Le bonheur est essentiel à la vie et ne doit pas être pris à la légère.

— Vous le pensez vraiment ?

Plus qu'il ne pouvait l'exprimer. Il se contenta de hocher la tête.

— Je partage votre opinion, avoua-t-elle tristement. Du moins, je m'efforce d'y croire. Jamais je ne comprendrai pourquoi mon cœur se trouve irrésistiblement attiré par un homme qui ne peut m'aimer !

Payton fut si affecté par ces propos qu'il regarda en direction de la fenêtre, le temps de se ressaisir. Beitris avait la tête baissée. Une larme coula sur sa joue.

Il sortit vivement un mouchoir de sa poche.

— Prenez ceci, mademoiselle Crowley. Ne vous mettez pas dans cet état. Je vais vous servir un peu de whisky, cela vous fera du bien.

Elle opina en s'essuyant délicatement les yeux.

Payton chercha Beckwith du regard, mais le majordome s'occupait des jeunes femmes de Glasgow, qui se montraient fort exigeantes. Tant pis, il irait chercher lui-même du whisky. De toute façon, il avait grand besoin de respirer.

Il quitta la pièce, gagna le bureau et se servit un grand verre de whisky. Quand il l'eut vidé d'un trait, il prit la carafe et deux verres avant de retourner au salon. En passant devant la salle à manger, il remarqua que la porte était ouverte. Il entendit une conversation entre un homme et une femme. La voix féminine lui était familière.

Il ralentit le pas. Mared avait le souffle court, ce qui lui parut étrange. Puis il comprit qu'elle se trouvait juste derrière la porte.

— Ah…

En reconnaissant la voix de Jamie McGrudy, Payton se figea.

— Je ne veux qu'un baiser, rien qu'un baiser de vos lèvres maudites !

— Vous n'avez donc pas peur de mourir ? répliqua Mared. Vous n'êtes pas au courant des histoires qui circulent ? Vous serez maudit, vous aussi.

— Que comptez-vous faire, ma belle ? Me transformer en crapaud, peut-être ?

— Ce serait trop gentil de ma part ! Allez-vous-en, Jamie.

— Mared… Sachez que je n'ai pas peur de cette malédiction, ni de vous. Pourquoi me résister ? Laissez-moi vous embrasser ! Rien qu'un baiser !

Payton entra en trombe. Jamie avait plaqué la jeune femme contre le mur. Elle s'efforçait en vain de le repousser.

Saisissant son employé par le col, Payton le projeta contre le mur. Jamie trébucha, puis se redressa, l'air coupable.

— Je suis désolé, monsieur. Mlle Lockhart et moi plaisantions, rien de plus…

Payton se tourna vers Mared, qui avait la tête baissée et respirait péniblement. La marque rouge qu'elle avait au cou le fit bondir.

— Rassemblez vos affaires, dit-il froidement à Jamie. Vous avez un quart d'heure pour quitter Eilean Ros.

Jamie pâlit.

— Excusez-moi, monsieur, mais vous me chassez ?

Il émit un rire nerveux.

— Monsieur, je plaisantais. Dites-lui, mademoiselle Lockhart ! Dites-lui que je ne vous voulais pas de mal !

— Taisez-vous, vaurien ! ordonna Payton. Allez-vous-en d'ici, et vite !

— Monsieur, je vous en supplie… implora Jamie. Cela fait huit ans que je suis à votre service ! Je n'ai nulle part où aller !

— En ce qui me concerne, vous pouvez aller au diable ! Vous allez quitter cette maison et ne plus jamais y remettre les pieds !

Abasourdi, Jamie observa son maître, puis Mared. Il assimila peu à peu la situation et afficha un rictus mauvais.

— Je vois, dit-il en ricanant. Pour protéger votre catin, vous n'hésitez pas à renvoyer votre meilleur valet.

Mared en eut le souffle coupé. Jamie se précipita, renversant une chaise au passage. Il s'arrêta face à Payton.

— Huit ans de ma vie, et voilà comment vous me remerciez !

Il cracha à ses pieds.

Stoïque, Payton attendit qu'il se soit éloigné dans le couloir avant de se tourner vers la jeune femme.

Appuyée contre le mur, les yeux écarquillés d'effroi, elle semblait consternée. Face à son regard, elle se mordilla les lèvres, le visage empourpré.

Payton vint poser la main sur sa joue. Tendrement, il effleura de son pouce une lèvre frémissante.

— Il vous a fait mal ?

— Non, je vais très bien, affirma-t-elle avec un sourire hésitant. Mais vous auriez pu le laisser se faire prendre par la malédiction...

Il se tut pour examiner la marque rouge laissée sur son cou, une ecchymose sans gravité qui disparaîtrait rapidement, mais là n'était pas le problème. Cette brutalité le mettait hors de lui. Il aurait pu étrangler Jamie de ses propres mains s'il s'était attardé dans la pièce.

Mared s'empressa de couvrir d'une main l'ecchymose. Il voulut écarter sa main, mais elle se dégagea.

— Ce n'est rien, assura-t-elle en se dirigeant vers la table.

— Mared... je regrette, dit-il avec sincérité.

Cette malédiction était décidément un lourd fardeau à porter.

— Il y a tant d'ignorance, en ce bas monde, reprit-il.

— Vous n'avez pas à vous excuser, dit-elle en le regardant par-dessus son épaule. J'ai l'habitude, vous savez. Je suis accoutumée à ce mépris. Mais les gens n'ont en général pas autant d'audace. Je vais bien, n'ayez crainte.

Payton imaginait la vie qu'elle avait endurée. Cette malédiction empoisonnait les moindres aspects de son existence. Des rires fusèrent dans la pièce voisine, le rappelant à ses obligations d'hôte.

— Veuillez m'excuser, déclara-t-il.

Il aurait aimé en dire davantage, lui expliquer que, si elle était sienne, elle n'aurait plus à redouter la prétendue malédiction. Mais il avait déjà tout dit. Les poings crispés de rage, il sortit.

Ce soir-là, il ne revit pas la jeune femme, car une nouvelle querelle avait éclaté parmi ses invités venus de Glasgow, de sorte que Payton et ses domestiques durent traîner tout ce beau monde vers leurs voitures.

En se retirant dans ses appartements, épuisé par cette soirée pénible, il sentit le parfum de lilas de Mared. Elle était venue... Elle avait touché ses affaires, son lit. Il avait appris à déceler son parfum, dont il ne pouvait plus se passer, la nuit.

Son sommeil fut jalonné de cauchemars familiers, peuplés de Mared, de barriques de whisky, de son père. Ces images de la jeune femme étaient frustrantes.

Le lendemain matin, il décida de se mettre en quête d'un nouveau valet. En dépit de sa conduite, Jamie était en effet un excellent serviteur.

Payton chargea Beckwith de cette tâche et se rendit à Aberfoyle, où il avait rendez-vous avec deux hommes intéressés par un investissement dans sa distillerie. Il en profita pour passer voir le fils du forgeron. Leur entretien se révéla fort instructif.

De retour à Eilean Ros, il réalisa qu'il avait oublié de rendre visite au mari de Mme Craig.

— Bon sang, maugréa-t-il.

Depuis la mort de sa gouvernante, il ne s'était pas passé une semaine sans qu'il prenne des nouvelles de M. Craig, un homme âgé, et son petit-fils Graham, enfant joufflu qui avait eu le malheur de perdre sa mère à la naissance, puis, peu de temps après, sa grand-mère. Quant à son père, il avait disparu dans quelque port lointain. Payton avait promis à sa gouvernante de veiller sur son mari et son petit-fils après sa mort.

Il entendait remettre au vieil homme une bourse de pièces d'or pour lui permettre de faire quelques réserves pour l'automne, mais ce jour-là il avait eu la tête ailleurs. Il avait promis à Mlle Crowley d'assister à la messe avec ses parents, le lendemain. Hélas, l'église se trouvait dans la direction opposée à celle de la maison des Craig.

Il devrait dire à Beckwith de porter l'argent au vieil homme.

Le dimanche matin, son majordome était absent, invité chez son frère aîné, d'après Charlie. Payton vérifia qu'il était déjà parti. Il ne vit que Mared.

Elle portait sa robe violette. Son *arisaidh* sur les épaules, elle discutait avec les femmes de chambre, qui arboraient une robe ayant appartenu à sa cousine Sarah. Rodina se pavanait avec fierté tandis qu'Una examinait l'ourlet d'une manche.

Ce fut elle qui remarqua la présence de Payton. Sa réaction incita les deux autres femmes à se tourner vers lui.

Rodina fit une révérence, mais Mared se contenta d'un signe de la main et d'un sourire.

— Bonjour, mesdemoiselles.

— Bonjour, monsieur, bredouillèrent Rodina et Una.

— Bonjour, Douglas! lança Mared.

Ses compagnes la dévisagèrent comme si elle avait perdu la raison.

— Qu'est-ce qui vous prend? Vous me trouvez insolente? dit-elle en riant. Excusez-moi, mais nous sommes dimanche, et je ne suis pas au service de Monsieur.

Rodina écarquilla les yeux, visiblement inquiète de la réaction de Payton. Quant à Una, elle n'osait même plus le regarder.

— Le dimanche, vous êtes libres, en effet, corrigea-t-il poliment, mais vous demeurez à mon service, mademoiselle Lockhart.

— Vraiment ? répondit-elle avec un large sourire. Dans ce cas, je suis désolée, monsieur. J'avais mal compris.

— Voilà qui ne m'étonne guère. Vous avez une fâcheuse tendance à vous méprendre.

— Je préfère dire que j'ai une interprétation personnelle de chaque situation, reprit-elle avec une révérence, une lueur diabolique dans le regard.

Rodina et Una n'en revenaient pas.

— Vos robes sont magnifiques, commenta Payton.

— Merci, monsieur, dit Una. C'est Mlle Lockhart qui nous les a données.

— Eh bien… pas tout à fait, intervint Mared. Il s'agit au départ d'un cadeau de Mlle Douglas.

Payton en doutait fortement. Sarah n'accordait pas la moindre considération aux domestiques. Jamais il ne lui viendrait à l'idée de donner des robes à des femmes de chambre.

— Elle était satisfaite des services de Rodina et d'Una, précisa Mared avec un regard appuyé. Elle me l'a dit plus d'une fois.

Payton mit un moment à se rappeler qu'il était d'usage, chez une dame, de céder ses robes à une gouvernante. Sarah avait dû les offrir à Mared qui les avait, à son tour, cédées à ses camarades, exprimant ainsi une reconnaissance que Sarah ne leur témoignerait jamais.

Il dévisagea la jeune femme qui baissa les yeux.

Il ne pouvait la contredire. Rodina et Una étaient compétentes et avaient fourni de gros efforts, après la mort de Mme Craig. Il appréciait cet acte généreux.

— Elle me l'a dit également, acquiesça-t-il avec un sourire. En fait, c'est la dernière chose qu'elle m'ait dite avant de partir.

— Ah bon ? fit Rodina, abasourdie, en se tournant vers Una.

— Vraiment ? renchérit cette dernière.

— Absolument.

Les deux jeunes femmes semblaient ravies.

— À présent, j'aimerais parler à Mlle Lockhart, conclut Payton.

— Bien sûr, monsieur !

Una prit le bras de son amie et elles s'éloignèrent en gloussant.

Dès qu'elles eurent disparu, Mared esquissa un sourire malicieux.

— Merci, murmura-t-elle.

— C'est à moi de vous remercier. C'est très généreux de votre part, car vous aviez manifestement besoin de ces robes vous-même.

— Franchement, monsieur, je préfère mourir que d'accepter la charité d'un Douglas, avoua-t-elle en riant.

— Je n'en doute pas une seconde.

— Irez-vous à l'église, aujourd'hui ?

— Oui. À Aberfoyle.

— Je vois, fit-elle avec un regard entendu.

— Vous ne voyez rien du tout, assura-t-il. J'ai un service à vous demander.

— Un service ? Je suppose que vous souhaitez que j'intercède en votre faveur auprès de Mlle Crowley, que je la persuade que vous n'êtes pas si obstiné, si têtu qu'elle ne le craint !

Il se mit à rire.

— Non ! Je voudrais que vous rendiez visite à M. Craig, expliqua-t-il en lui tendant la bourse de pièces d'or. Pourriez-vous lui remettre ceci sur le chemin de Talla Dileas ?

— Bien sûr, répondit-elle en observant la bourse d'un air curieux.

Il prit la main de la jeune femme pour y déposer son bien.

— De l'argent, dit-elle, hésitante. Quelque dette de jeu, je suppose. J'ai toujours entendu dire qu'un Douglas était incapable de gagner un sou à une table de jeu.

— Voilà qui est intéressant. On raconte la même chose sur les Lockhart.

— Ce ne sont que mensonges conjectures, décréta-t-elle en glissant la bourse dans sa poche.

— Je vous remercie. À présent, hâtez-vous de rejoindre Rodina et Una. Il ne faudrait pas que vous fassiez peur au pasteur en entrant dans l'église toute seule. La congrégation redouterait de voir le ciel lui tomber sur la tête.

Mared éclata d'un rire sincère.

— Et il ne faut pas faire attendre Mlle Crowley. Mais avant de partir, je tiens à vous remercier de m'être venu en aide, hier soir.

Pour Payton, c'était un progrès, car Mared ne l'avait jamais remercié pour quoi que ce soit. D'instinct, il posa la main sur la sienne.

— Ce n'était rien, dit-il. À présent, filez.

— J'y vais.

Elle s'éloigna d'un pas léger, faisant voleter sa longue natte brune. Le cœur serré, Payton la regarda et lui sourit lorsqu'elle se retourna une dernière fois.

15

Comme tous les dimanches, Liam l'attendait au carrefour de la route et du chemin menant à l'église. En le voyant, Mared sentit son cœur se gonfler de joie. Elle lui sauta au cou et l'embrassa.

— Qu'est-ce qui t'a retardée ? Cela fait une demi-heure que nous t'attendons !

— Je suis passée voir M. Craig. Il est seul avec son petit-fils, désormais.

Liam observa sa sœur avec méfiance.

— Douglas t'a fait du mal ? A-t-il levé la main sur toi ?

Il posait la même question chaque semaine.

— Non !

Face au regard sceptique de son frère, elle crut bon d'ajouter :

— Je ne le vois presque jamais, Liam.

Ce n'était pas tout à fait vrai...

— Et cette marque, sur ton cou ? insista son frère.

— Un regrettable incident survenu au lavoir, affirma-t-elle avec désinvolture.

Plus tard dans l'après-midi, à Talla Dileas, Griffin lui annonça qu'il avait échafaudé un plan pour la libérer d'Eilean Ros.

— C'est assez habile, selon nous, dit-il avec l'approbation de tous.

— Habile ? De quoi s'agit-il donc ?

— Vendons un terrain à Sorley, expliqua Griffin. Je me demande pourquoi nous n'y avons pas songé plus tôt ! Douglas a peut-être refusé de t'échanger contre des terres, mais Sorley ? Il acceptera. Il nous suffit d'en vendre suffisamment pour te racheter !

— Combien ? demanda Mared.

— Combien ? fit Griffin, déconcerté.

— Combien de terrain vendrons-nous ?

— Eh bien… assez peu, marmonna-t-il.

— Combien ? insista Mared.

— Quinze hectares, répondit Griffin.

— Quinze hectares ! s'exclama la jeune femme. Il faudrait vendre quinze hectares de nos terres ? Il n'en est pas question ! Je préfère sacrifier une année de ma vie que d'en vendre une parcelle !

Griffin croisa le regard de son père, qui demanda :

— Mais tu étais d'accord pour céder la même surface à Douglas en échange de ta liberté, non ? Cela revient au même, ma fille. Vendre à Sorley ou à Douglas, quelle différence ?

Mared se tourna vers le portrait de quelque ancêtre.

— J'étais peut-être d'accord avant, mais, à la réflexion, je pourrai supporter cette année avec courage.

Cette déclaration fit naître quelques regards perplexes.

— Parle-lui de Hugh ! fit Anna avec enthousiasme.

— Ce sont des bêtises, Anna. Je te l'ai déjà dit, répliqua Liam d'un ton bourru.

— Peut-être, mais ce pourrait être vrai également. Si tu refuses de le lui dire, je le ferai moi-même.

Sur ces mots, elle se leva péniblement. Mared eut l'impression que son ventre avait doublé de volume.

— Selon la rumeur, Hugh se trouve actuellement en Écosse, annonça-t-elle, les yeux pétillants d'enthousiasme.

— En Écosse ? répéta Mared, sceptique. Que savez-vous de plus ?

— Qu'il revient d'un très long voyage.

— Vraiment ? Et d'où revient-il donc ?

— Nous n'en avons pas la moindre idée, avoua Anna.

— De qui tenez-vous cette information ?

— De Ben MacCracken.

Liam et Griffin levèrent les yeux au ciel.

— Ce n'est pas parce que nous tenons l'information de Ben MacCracken qu'elle est erronée ! insista Anna.

Mared sourit à sa belle-sœur. Elle partageait les doutes de ses frères. MacCracken avait tendance à être l'objet d'hallucinations quand il abusait du whisky. N'avait-il pas prétendu avoir soupé en compagnie du prince Charles, pourtant décédé depuis trente ans ? Si le vieux Ben savait quoi que ce soit sur Hugh, il le devait sans doute à son cher whisky.

— Dans ce cas, je garde espoir, dit-elle cependant pour ne pas froisser Anna.

Elle prit Duncan des bras d'Ellie.

— Mais je refuse de m'emballer, de peur d'une cruelle désillusion, ajouta-t-elle.

Avec un soupir, Anna hocha la tête.

— Je sais que Ben MacCracken n'est pas vraiment… fiable. Mais il est possible qu'il ait entendu parler de Hugh dans quelque lieu public.

— Bien sûr, renchérit Ellie. Le fait qu'il ait accepté de divulguer ce qu'il savait en échange d'une pièce de monnaie ne doit pas nous influencer outre mesure.

— Je t'en prie, fit Mared en embrassant Duncan. Je n'ai pas envie de passer la journée à parler de Hugh MacAlister… Intéressons-nous plutôt à Duncan. Que vas-tu nous raconter, chéri ?

L'enfant babilla en agitant les mains. Les Lockhart l'entourèrent pour l'inciter à prononcer ses premiers mots.

Plus tard, après un maigre souper à base de poisson, ils évoquèrent la possibilité de transformer en nursery la chambre adjacente aux appartements d'Anna et de Griffin.

Mared eut beau opiner, son esprit était ailleurs. Elle songea à la fureur de Payton lorsqu'il avait vu Jamie s'attaquer à elle, son regard meurtrier. Puis elle songea à M. Craig, qui lui avait raconté combien Payton était

attentif à son petit-fils, évoquant ses visites hebdoma-
daires et sa générosité.

Mared n'était pas vraiment étonnée, mais elle le
voyait sous un nouveau jour : comme un homme, et
non plus simplement comme un Douglas...

Après le repas, Mared consulta la pendule.

— Je vais devoir rentrer, dit-elle.

— Il est trop tard. Je te reconduirai demain, répondit Liam.

— Non, je préfère rentrer ce soir.

Les autres échangèrent des regards interloqués.

— Euh... balbutia la jeune femme en rougissant. Il
risque d'ajouter une journée à mon contrat si je suis
en retard, s'empressa-t-elle d'expliquer. Il m'en a déjà
infligé trois.

— Cela ne fait pas partie de notre accord ! s'insurgea
Carson. De quel droit agit-il de la sorte ?

— Eh bien... c'est à cause de la vaisselle cassée, des
foulards déteints et, je crois, de l'argenterie... dit-elle,
l'air penaud.

Sa mère plissa les yeux.

— Je vais essayer de faire attention, promit Mared.
Mais je dois rentrer tout de suite, pour ne pas le
contrarier.

Les autres semblèrent perplexes. Ellie dissimula son
sourire derrière un toussotement.

— Je vais chercher la charrette, annonça Liam en se
levant.

Mared sentait le regard perçant de sa mère rivé sur
elle. Du coin de l'œil, elle la vit sourire. La jeune femme
se sentit soudain démasquée, sans savoir exactement
ce qu'elle venait de révéler. Elle vida son verre de porto
et salua les membres de sa famille.

Ils la raccompagnèrent à la porte. Sa mère fut la
dernière à l'embrasser.

— Prends garde à toi, ma fille, lui recommanda-
t-elle. Et sois gentille avec lui. Il te le rendra au cen-
tuple.

174

Face à l'étonnement de sa fille, elle esquissa un sourire entendu.

— Voici ton frère, conclut-elle.

Dieu merci… songea Mared en se précipitant vers la charrette.

C'était une belle nuit de pleine lune, en cette fin d'été. Seul le grincement des roues rompait le silence.

En franchissant le Ben Cluaran, ils virent Eilean Ros se profiler au clair de lune. Liam fit arrêter l'attelage pour admirer ce spectacle.

— Il a réussi, commenta-t-il. On ne peut nier qu'il en a fait un véritable joyau.

Mared contempla l'impressionnant domaine, puis s'éclaircit la gorge.

— Tu crois que j'ai choisi la bonne voie ? demanda-t-elle soudain.

Cette question prit son frère au dépourvu.

— Enfin, en refusant son offre, je veux dire…

Liam fronça les sourcils.

— Je ne sais pas, Mared. À une époque, nous t'aurions volontiers envoyée à Édimbourg pour t'aider à échapper à ton destin, mais nous n'en avons même pas les moyens…

— Échapper à mon destin ?

— Oui, je parle de la malédiction. C'est absurde, mais de nombreuses personnes y croient encore dur comme fer, dans la région. Jamais un homme ne te demandera en mariage. À Édimbourg, tu aurais peut-être eu une chance de rencontrer un homme plus ouvert. En tout cas, l'offre de Douglas semblait généreuse.

— Mais c'est un Douglas, lui rappela-t-elle.

— C'est exact, un Douglas…

Il soupira.

— Il s'est passé tant de choses entre nos deux familles, reprit-il. Et ce, depuis quatre cents ans. Nous aurions de quoi les détester jusqu'à la fin des temps. Toutefois, si l'on doit juger un homme d'après ses actes, alors je dirais que cet homme est honorable, en dépit du nom qu'il porte.

Cette réponse étonna Mared.

— Tu crois donc que j'aurais dû accepter de l'épouser ?

Liam haussa les épaules, visiblement mal à l'aise.

— Je ne sais pas, avoua-t-il. Il est difficile d'ignorer le passé. Mais quand je te regarde, si belle, si courageuse, j'aimerais savoir qu'il y a un homme qui te protège... même un maudit Douglas.

Et qui la tienne dans ses bras, songea Mared en contemplant Eilean Ros.

— Bon, assez bavardé, reprit Liam en faisant claquer les rênes pour poursuivre sa route.

16

Une heure avant que Liam ne dépose Mared à l'entrée d'Eilean Ros, Payton était arrivé dans l'allée et avait confié Murdoch au garçon d'écurie.

En entrant dans la maison, il se rappela que Sarah l'avait accusé de ressembler à sa défunte mère à cause de ses humeurs moroses. La mère de Payton était en effet très sombre. Un soir, après avoir trop bu, il s'était laissé aller à la mélancolie en présence de sa cousine. Il en avait assez des mesquineries de Sarah et lui avait rappelé, en termes choisis, qu'il était bel et bien le maître d'Eilean Ros. S'il avait envie de s'enivrer, il le ferait, quoi qu'elle en dise.

Pour l'heure, il regrettait d'avoir vidé tant de verres de whisky dans l'après-midi, car ses jambes semblaient refuser de le porter. De plus, son estomac gargouillait furieusement, ne présageant rien de bon. Après tout, ses employés avaient tout fait pour accélérer la production de whisky et l'alcool était un peu jeune.

Payton avait tenu à goûter le produit, même en sachant que la distillation n'était pas totalement achevée.

Il se sentait si mal qu'il gagna directement ses appartements. Le regard trouble, il se dirigea vers son lit, songeant qu'il devait se déshabiller avant de se coucher. Il s'écroula sur le couvre-lit et contempla le baldaquin brodé. Il devrait dire deux mots au maître brasseur, à l'occasion.

Lorsqu'il ferma les yeux, l'image des barriques en chêne se mit à danser dans son esprit.

Très vite, il perçut la voix de Mared.

— Ce n'est pas ainsi que vous le réveillerez, crut-il entendre, ce qui était étrange car il n'avait pas besoin qu'on le réveille.

Quelqu'un saisit une de ses bottes et lui tordit la cheville. Payton se redressa d'un bond. La chambre se mit à tourner. Quand son trouble se dissipa enfin, il découvrit Beckwith, visiblement inquiet, en chemise de nuit, et Mared, toujours vêtue de sa robe violette.

Intrigué, il voulut demander l'heure qu'il était, mais une douleur fulgurante lui transperça le crâne.

— Vous voyez, fit Mared tandis que Payton se massait les tempes. Il a eu un malaise dû à l'abus d'alcool.

— Mademoiselle Lockhart! protesta le majordome.

Rassemblant ses dernières forces, Payton leva la tête et fronça les sourcils. De toute évidence, la jeune femme s'amusait.

— Je ne me suis assoupi que quelques instants, déclara-t-il à Beckwith.

Le majordome et la gouvernante se regardèrent.

— Excusez-nous, monsieur, mais cela fait plus d'une heure que vous êtes ainsi allongé.

Payton cligna les yeux et fit une grimace de douleur.

— Mais non... je viens à peine de... Quelque chose ne va pas, avec ce whisky.

Mared semblait perplexe.

— Dois-je vous déshabiller, monsieur? s'enquit Beckwith.

— Non! lança-t-il, exaspéré, les mains sur les yeux. Non, merci, Beckwith. Rabattez le couvre-lit, cela ira.

— Naturellement, railla Mared. Monsieur ne peut dormir si le couvre-lit n'est pas rabattu. Je m'en charge, monsieur Beckwith. Désolée de vous avoir tiré du lit.

— Vous êtes sûre?

Payton ne les écoutait guère, car son malaise venait d'atteindre son estomac.

Il entendit des murmures et le bruit d'une porte qui se refermait. Enfin, il se sentit mieux et rouvrit les yeux.

Mared était penchée vers lui et l'observait avec attention. Puis elle se redressa, croisa les bras et fronça les sourcils.

— Vous avez vraiment cet air-là.

— Quel air ?

— Celui d'un homme qui ne supporte pas le whisky.

— Non, bougonna-t-il en fermant les yeux. Je supporte très bien le whisky, mais pas le whisky trop vert.

Il l'entendit s'affairer autour du lit et ouvrir les draps. Puis elle revint de son côté.

— Vous comptez dormir dans cette position ?

— Quelle différence cela fait-il ? demanda-t-il en roulant sur le ventre pour se glisser tant bien que mal entre les draps.

Dès qu'il posa la tête sur l'oreiller, il sentit monter une nouvelle nausée.

— C'était du whisky bien trop vert, répéta-t-il.

— *Mo chreach*, dit-elle en posant les mains sur son pied.

— Qu'est-ce que vous faites ? protesta-t-il faiblement.

— Je finis d'ôter vos bottes. À quoi pensiez-vous donc ? À dormir dans cette tenue ?

La jeune femme tira fortement sur la botte récalcitrante. Payton sentit ensuite Mared se pencher vers lui et poser la main sur son épaule. Son parfum de lilas envahit ses narines.

Il voulut bouger, mais en fut incapable, tant sa tête le faisait souffrir.

Elle tenta de le faire bouger, mais, n'obtenant aucune réaction de sa part, dut se pencher davantage pour murmurer à son oreille :

— Payton… tournez-vous…

Ses cheveux lui frôlaient la joue. La douceur de sa voix le fit sourire intérieurement. Il parvint à rouler sur le dos. Aussitôt, il sentit les doigts de la jeune femme sur son cou tandis qu'elle dénouait le foulard.

— Mared, fit-il en lui saisissant la main. Je crois que je suis en train de mourir.

Elle se mit à rire.

— C'est impossible. Qui viendrait me tourmenter si vous n'étiez plus là ? Vous avez trop bu, monsieur, voilà.

— Vous êtes sûre ? insista-t-il, une note désespérée dans la voix.

— Absolument. Quand je pense que je vous croyais invulnérable ! Si j'avais su qu'il suffisait de quelques rasades de votre propre whisky pour vous abattre, j'en aurais fait venir un tonneau !

Elle le croyait invulnérable... Un sourire rêveur sur les lèvres, il referma les yeux.

Il ignorait combien de temps il avait dormi, quelques minutes ou quelques heures, mais son estomac gargouillait furieusement quand il fut tiré de son sommeil par le contact d'une main sur son visage et par un doux parfum de lilas.

— Payton, qu'avez-vous donc ? s'enquit Mared, affolée. Vous êtes brûlant de fièvre !

— Je suis un peu souffrant, dit-il avant de se rendre compte que la jeune femme avait déjà disparu. Attendez ! cria-t-il. Où allez-vous ?

— Chercher Beckwith ! Je vais lui dire d'aller demander le médecin sur-le-champ !

Mared longea le couloir, ouvrant toutes les portes en quête du majordome. En venant ranger les appartements de Douglas, ce matin-là, elle avait trouvé Payton couché sur son lit, toujours habillé. La compresse qu'elle avait appliquée sur son front était tombée à terre. En voyant qu'il ne bougeait pas, elle avait tenté de le réveiller.

Assise au bord du lit, elle avait senti sa peau brûlante. Il semblait au plus mal...

Mared trouva Beckwith dans le bureau.

— Il est très malade ! lui dit-elle. Il a beaucoup de fièvre !

Le majordome écarquilla les yeux.

— De la fièvre ?

— Oui ! lança-t-elle, impatiente. Il faut aller chercher le médecin immédiatement, monsieur Beckwith !

— D'accord.

— Aidez-moi à le dévêtir et à le coucher dans son lit. Il porte encore ses vêtements d'hier.

— Je vous envoie Charlie…

— Non, monsieur Beckwith ! Nous ignorons de quel mal il souffre. Et s'il était contagieux ? Il ne faut pas mettre la santé de tous en péril !

— Contagieux ? répéta le majordome en pâlissant.

Mared savait qu'il pensait à la même chose qu'elle : Killiebattan, un village situé au nord du loch Chon. Plus de soixante-dix habitants y avaient succombé à une fièvre mystérieuse qui s'était répandue de maison en maison. On disait qu'un chien sauvage avait mordu un pêcheur. Quelle qu'en fût l'origine, cette fièvre était mortelle.

Beckwith se racla la gorge et ajusta son gilet.

— Je vais envoyer le fils du garde-chasse chercher le médecin, dit-il dignement. Retrouvez-moi auprès de Monsieur.

Mared recommanda à Rodina et à Una de demeurer à distance des appartements de leur maître.

— Est-il très souffrant ? s'inquiéta Rodina en se tordant les mains.

— Nous ne le saurons que lorsque le médecin l'aura examiné, répondit Mared en prenant des draps propres dans l'armoire.

— C'est une mauvaise fièvre qui a emporté les habitants de Killiebattan… murmura Una.

— Non ! lança Mared, faisant sursauter les deux jeunes filles. Je ne vous permettrai pas de semer la panique. Ce n'est qu'une fièvre, alors remettez-vous au travail !

Elles firent la révérence, la mine grave, et s'éloignè-rent. Mared regretta son accès de colère, mais la simple mention de Killiebattan lui donnait des frissons.

En entrant dans la chambre de Payton, elle fut saisie par l'odeur. La mine sombre, Beckwith apparut, une chemise de nuit sur le bras. Il fit signe à la jeune femme de s'approcher du lit et tenta de faire bouger Payton.

— Quoi ? marmonna ce dernier.

— Nous devons changer vos vêtements, monsieur, répondit le majordome.

— Pourquoi ? Le jour se lève à peine ! gémit-il.

Il s'assit péniblement, le teint verdâtre.

— Il est onze heures du matin, monsieur.

Payton cligna les yeux.

— Vraiment ?

Beckwith opina.

— Nom de Dieu, grommela Payton.

Il se leva, mais chancela aussitôt, si bien qu'il dut agripper une colonne du lit.

— Je vais encore être malade... annonça-t-il avant de se précipiter vers le cabinet de toilette.

Mared en profita pour faire son lit. Payton réappa-rut en s'essuyant la bouche du dos de la main, le teint aussi vert que les collines du Ben Cluaran.

— Comment vous sentez-vous, monsieur ? s'enquit Beckwith.

Pour toute réponse, Payton le foudroya du regard. Il alla s'asperger le visage d'eau froide dans la cuvette.

Mared et Beckwith l'observaient avec méfiance.

— Il est là ? demanda Payton.

— Qui cela, monsieur ? s'étonna le majordome.

— Mais Padraig, voyons !

Beckwith et Mared échangèrent un regard. Padraig était le frère de Payton, parti chercher fortune en Amé-rique.

N'obtenant pas de réponse, Payton regarda Mared de ses yeux injectés de sang.

— Il est là ?

— Padraig est en Amérique, monsieur.

Il cligna les yeux. Cette réponse semblait le troubler.

— Puis-je prendre votre gilet ? demanda-t-elle en faisant un pas vers lui.

Il baissa la tête, un peu chancelant, et entreprit de déboutonner son gilet, mais il perdit l'équilibre. La jeune femme l'attrapa par le bras et l'aida à se redresser, puis elle termina de déboutonner le gilet pour l'en débarrasser.

— Mared, dit-il en s'accrochant à sa main. Ne le lavez pas, surtout !

— Non, monsieur.

Elle fit signe à Beckwith de l'aider. Ils parvinrent ainsi à lui ôter sa chemise. Mared remarqua non sans inquiétude que Payton n'avait plus la force de protester. Il semblait se moquer de son sort. Il ne parla qu'une fois, pour demander s'il était exact que Padraig se trouvait en Amérique.

Ils le couchèrent sur le dos, toujours en pantalon. Beckwith ordonna à la jeune femme de quitter la pièce.

— Il n'est pas question que vous regardiez monsieur, murmura-t-il. Allez accueillir le médecin.

Mared descendit dans le vestibule. Il commençait à pleuvoir et le médecin se faisait attendre. Il ne se présenta qu'à trois heures de l'après-midi.

— Nous pensions ne jamais vous voir, docteur Thomson, fit Mared avec impatience en lui prenant son chapeau et ses gants.

— Je suis désolé, mais l'enfant de Mme Walker a choisi de venir au monde par cette matinée humide.

Il ôta son manteau qu'il tendit à Charlie.

— Où est Beckwith ? s'enquit-il.

— Avec Monsieur, dans sa chambre.

Le médecin observa Mared d'un air curieux.

— Qu'est-ce que vous faites ici, mademoiselle Lockhart ? Vous n'avez certainement pas franchi le Ben Cluaran par un temps pareil ?

— Il m'a fait venir, répondit-elle simplement, à la grande surprise de Charlie. Par ici, je vous prie...

Le médecin prit sa trousse et lui emboîta le pas. En entrant dans la chambre, Mared constata que Payton était en tenue de nuit, dans son lit, le visage grisâtre.

— Puis-je rester seul un moment avec lui ? fit le médecin en fronçant les sourcils.

Beckwith s'empressa de fermer la porte pour empêcher la jeune femme d'entrer.

Elle patienta sur le seuil, cherchant à entendre ce qui se disait, en vain. Frustrée, elle soupira et descendit, décidée à s'occuper.

Elle songea à terminer l'inventaire des réserves, mais elle finit par renoncer, incapable de se concentrer sur son travail. Et si Payton mourait ? songea-t-elle avec angoisse.

Elle ne pouvait imaginer la vie ici sans Payton Douglas, qui faisait partie du paysage au même titre que les collines, les arbres, les oiseaux et les bêtes. Étrangement, il faisait aussi partie de sa propre existence. Depuis sa plus tendre enfance, Payton n'était jamais très loin.

Comment un homme aussi robuste et viril pouvait-il être abattu par une simple fièvre ?

— Mademoiselle Lockhart !

La voix de Rodina la fit sursauter.

— Beckwith vous demande sur-le-champ !

Hélas, les nouvelles étaient mauvaises. Le Dr Thomson n'en était pas certain, mais il pensait que, en dégustant son whisky, Payton avait contracté le genre de fièvre qui avait frappé Killiebattan.

Cette annonce frappa la jeune femme comme un coup de massue. Le médecin fut assez clair. Nul ne pouvait quitter la maison sans son autorisation. Et seuls Beckwith et Mared avaient le droit d'approcher Payton. C'était une affection très contagieuse, prévint-il, et seul l'isolement permettrait d'éviter une épidémie.

Beckwith assimila ces informations, les bras croisés, près de la cheminée.

— Mais… et Monsieur ? demanda Mared, le cœur battant.

— Vous vous occuperez de lui, lança Beckwith. Moi, je dois me charger de la maison et du reste.

Il pensait surtout à sa santé, mais Mared comprenait ses craintes. Elle-même n'était pas très rassurée.

— Très bien, monsieur Beckwith. Je m'occuperai de lui.

— Je reviendrai demain, dit le médecin. S'il n'y a pas d'amélioration, nous lui ferons une saignée.

Il prit sa trousse et gagna la porte.

— Il ne doit rien absorber. Cela nourrirait la fièvre. Il faut que son corps la rejette naturellement.

Il sortit de la pièce, Beckwith sur ses talons. Mared baissa la tête, cherchant à mettre de l'ordre dans ses idées. Puis elle se tourna vers les autres. Ils étaient près de la fenêtre. Seul Alan se tenait un peu à l'écart.

— Jamie avait peut-être raison, dit-il à voix basse. C'est le fruit de votre malédiction…

— C… comment ?

— C'est à cause de votre malédiction, mademoiselle Lockhart.

— Alan ! gronda-t-elle. Ce ne sont que des histoires de bonne femme !

— C'est la vérité, fit Alan. Je la tiens de MacFarland, à Aberfoyle.

Rodina et Una écarquillèrent les yeux. Iain MacFarland était un vieil homme très respecté en tant qu'historien.

— Il a dû vous préciser que cette malédiction ne menace que les hommes à qui je suis fiancée. Or je ne suis, Dieu merci, fiancée à aucun.

— Oui, mais chacun sait que Monsieur souhaitait vous épouser.

Mme Mackerell retint son souffle.

Avec un soupir las, Mared se massa les tempes pour chasser le mal de tête qui venait de s'emparer d'elle.

— Vos craintes et vos superstitions sont ridicules et infondées. Je préfère ne pas répondre à ces sornettes, dit-elle posément. Je ne suis pas fiancée à Monsieur. Je lui suis indifférente. Ces ragots ne sont que pure fiction.

Elle foudroya Alan du regard.

— Des mensonges! répéta-t-elle d'une voix forte. Et le moment est mal choisi pour ces bêtises!

Elle quitta la pièce et se précipita dans la chambre de Payton. Il était couché sur le côté. Elle voulut s'éclipser pour le laisser se reposer, mais il se mit à gémir.

Elle alla s'asseoir au bord du lit.

Payton roula sur le dos. Lorsqu'elle posa la main sur son front moite, il battit des paupières.

— Quelle est cette odeur? demanda-t-il. Une odeur très douce.

— C'est mon savon au lilas, répondit-elle.

— Ah… fit-il en refermant les yeux. J'ai cru qu'il s'agissait de fleurs pour ma tombe.

— Bien sûr que non, chuchota la jeune femme, alarmée par ses propos.

Il avait le front brûlant.

— Si cela se produit, Mared, je veux du lilas sur ma tombe. Il me fera penser à vous.

Elle sentit sa gorge se nouer.

— Il faut partir d'ici, reprit-il, l'air peiné. Sauvez-vous.

— Partir? Pas question. Il en faut davantage pour me faire du mal, Douglas.

Il parvint à esquisser un sourire.

— Jamais je ne vous ferai du mal, Mared. Jamais je ne ferai de mal à celle que j'aime.

Sur ces mots, il sombra dans l'inconscience.

17

Payton ne sut jamais qu'il avait subi une saignée. La maladie qui lui rongeait le corps le plongeait dans une torpeur dont il ne surgissait que de temps à autre, pour de rares moments de lucidité.

Après le départ du médecin, Mared porta des huiles parfumées dans la chambre, ainsi que du savon qu'elle fabriquait à Talla Dileas avec Natalie. Le parfum du lilas couvrait l'odeur de la maladie. Payton appréciait ce parfum. La jeune femme s'en servit avant d'éponger le front du malade. Chaque fois qu'il se mettait à trembler, elle ajoutait une couverture sur son lit. Quand la fièvre tombait un peu, elle lui bassinait le visage avec de l'eau très froide qu'elle avait puisée dans le lac.

En descendant, elle se rendit compte que la plupart des domestiques étaient partis, sauf Moreen, l'aide cuisinière, qui n'avait nulle part où aller, et Beckwith, d'une loyauté sans pareille. Mared le persuada d'aller chercher du bois ou de la tourbe pour qu'elle puisse faire du feu dans la chambre de Payton.

Elle remit deux pence à Moreen en la chargeant de quérir Donalda, dont les pouvoirs avaient, disait-on, le don de réussir là où la médecine demeurait impuissante.

La chemise de nuit de Payton était trempée de sueur. Il avait grand besoin d'une toilette. Elle eut des difficultés à le déshabiller, car il ne cessait de perdre connaissance, mais elle y parvint tout de même.

Il se retrouva entièrement nu. Il avait un corps superbe, mince et musclé.

Elle le frictionna d'eau de lilas, incapable de s'empêcher de l'examiner. Des images troublantes apparurent dans l'esprit de la jeune femme, au point qu'elle rougit. Elle redoutait de le voir mourir, mais il avait encore le don de provoquer en elle un désir brûlant.

Elle s'occupa de lui avec dévotion, priant pour ne pas tomber malade à son tour et pour qu'il guérisse. La pluie qui ne cessait de tomber était désespérante.

Enfin, le troisième jour, Donalda se présenta, trempée jusqu'aux os. La vieille femme ne perdit pas de temps en amabilités. Elle se rendit directement au chevet du malade et posa sa main noueuse sur son front, puis sur sa gorge.

— L'air est vicié, déclara-t-elle. Je vais le purifier.

Elle sortit un objet de sa poche et alla s'accroupir près du feu. Puis elle jeta l'objet dans les flammes. Il s'embrasa et crépita. Une fumée âcre envahit la pièce.

Mared se mit à tousser. Elle agita la main pour dissiper la fumée.

— De quoi s'agit-il? demanda-t-elle, les yeux embués de larmes.

— Ouvre les fenêtres. La fumée va chasser l'air vicié, expliqua Donalda.

Mared obéit. Ensuite, elles observèrent Payton.

— Votre potion n'a pas fonctionné, Donalda, fit enfin Mared.

— Comment? s'enquit la vieille femme.

— La potion que vous m'avez remise pour m'éloigner de lui.

Donalda esquissa un sourire édenté.

— Vraiment?

Mared secoua la tête.

— Je suis là, il me semble.

La vieille femme se mit à ricaner.

— Bien sûr qu'elle n'a pas fonctionné, nigaude ! Tu crois donc avoir besoin d'une potion pour y voir clair dans ton cœur ?

Elle s'esclaffa de plus belle.

— Comment ? fit la jeune femme, vexée. Je suis venue vous voir pour obtenir votre aide.

— Et je t'ai donné un peu de vin sucré !

— Ce n'était pas un philtre magique ?

Donalda était hilare.

— Non, petite. Je ne suis pas une sorcière !

— Alors pourquoi… ?

— Allons, coupa Donalda avec un geste désinvolte. Je t'ai dit ce que tu avais envie d'entendre, pas plus. Je suis une vieille femme. Je connais la vie. Je vois les choses. Et je sais que tu libéreras un jour cette vérité que tu as dans le cœur.

Mared fronça les sourcils.

— Je ne comprends plus rien…

Donalda poussa un soupir.

— Elles ne comprennent jamais… Très bien, la fumée s'est dissipée. Donne-lui de l'eau.

Mared observa le visage émacié du malade.

— Le médecin a dit de ne rien lui faire absorber. Cela pourrait le tuer.

— Balivernes ! lança Donalda de sa voix éraillée. Un homme ne peut vivre sans eau. Il doit remplacer celle qu'il a perdue. Donne-lui de l'eau chaque fois qu'il en demandera.

Elle resserra son châle sur ses épaules et se dirigea vers la porte.

— Attendez !

— J'en ai terminé. Je ne peux plus rien faire pour lui.

Mared extirpa deux pièces d'or de sa poche et les lui remit. La vieille femme les empocha avec un sourire.

— Libère-toi, ma fille, lui dit-elle, les yeux pétillants de malice, avant d'éclater de rire.

— Vieille sorcière, maugréa la jeune femme en refermant la porte derrière elle.

Payton ne semblait pas aller mieux. Ses gémissements inquiétaient Mared, qui n'osa le laisser seul. Elle dormit donc sur le divan, recroquevillée sur elle-même.

Pendant la nuit, il se mit à réclamer de l'eau.

— Je ne peux pas vous en donner, Payton, dit-elle doucement. Cela risque de vous tuer.

— De l'eau! répéta-t-il en se cramponnant à elle avec une force étonnante. De l'eau…

— Non, répliqua-t-elle d'un ton ferme. Vous ne comprenez donc pas? C'est dangereux!

Mais il continua à la supplier. À l'aube du quatrième jour, il l'implora comme un dément, de plus en plus violent. Il avait les mains et les pieds bleus. Mared pria Beckwith de faire venir le Dr Thomson.

— La fin est proche, répondit-il tristement.

Elle le foudroya du regard.

— Il réclame de l'eau tel un assoiffé en plein désert. Je ne sais que faire! Il faut faire venir le médecin!

— J'y vais, dit Beckwith en posant la main sur l'épaule de la jeune femme, dans un geste d'une gentillesse inattendue. Mais la fin est proche…

Elle repoussa sa main et recula.

— Il ne mourra pas! lança-t-elle vivement avant de se détourner.

Elle retrouva le malade à moitié hors du lit.

— Payton! s'écria-t-elle en se précipitant vers lui.

— De l'eau! gronda-t-il, les yeux rougis et cernés, les lèvres gercées, les joues creuses.

Il était à l'agonie. Les yeux embués de larmes, elle parvint à le remettre au lit.

Il était mourant et sa dernière volonté était de boire.

— De l'eau! cria-t-il en agrippant sa robe.

Espérant que Donalda ne s'était pas trompée, elle alla chercher un verre d'eau. Il s'en empara d'un geste brusque et but comme un chien assoiffé.

— Encore !

Elle obéit.

Quand il fut désaltéré, il se recoucha et ferma les yeux, épuisé. Il n'avait plus ce regard fou.

Fatiguée, Mared se rendit à la cuisine pour manger un morceau de pain. Elle en profita pour monter de l'eau et du bois. Elle avait l'impression de ne pas avoir dormi depuis des siècles. Elle regarda le divan, puis le lit. Il était immense. Trop épuisée pour réfléchir davantage, elle se coucha près de Payton, tout habillée, et s'assoupit.

Durant la nuit, elle fut réveillée par une main sur son épaule. En ouvrant les yeux, elle vit Payton penché sur elle, les cheveux en bataille, les yeux plissés. Étouffant un cri, elle se redressa vivement.

Il ôta sa main et cligna les yeux.

— Je... Nous sommes mariés ? demanda-t-il.

Mared se mordit les lèvres, ne sachant que dire.

— Oui, murmura-t-elle, se reprochant déjà son mensonge.

— Ah, fit-il en se recouchant.

Mared le fixa. Avait-il perdu la raison ? Allait-il mieux ? Elle se rallongea sur le côté, lui tournant le dos. Payton s'approcha d'elle. Elle sentit son haleine dans son cou. Glissant un bras autour de sa taille, il se blottit contre elle.

La jeune femme retint son souffle, n'osant esquisser le moindre geste. En entendant sa respiration régulière, elle soupira et ferma les yeux. Pourvu qu'il aille mieux et que, si tel était le cas, il ne se souvienne pas qu'elle avait dormi dans son lit...

Cela ne lui déplaisait pas, d'ailleurs. Elle se sentait en sécurité. Au chaud.

Payton entendit la voix du médecin, au-dessus de lui. Il sentit sa main sur la sienne.

— J'ai lu des témoignages disant que, en Inde, un patient ayant bu de l'eau et du bouillon avait guéri, déclara-t-il. Cela ne se fait pas dans nos contrées, mais il ne semble pas en avoir souffert.

Le médecin lâcha sa main.

— La saignée s'est révélée salutaire. La fièvre l'avait quitté quand vous lui avez donné à boire. L'eau n'a eu aucun effet néfaste.

Quelqu'un secoua Payton, qui ouvrit les paupières.

— Donnez-lui autant d'eau qu'il le voudra.

Le médecin le regardait, tenant un verre d'eau qu'il porta aux lèvres du malade. Payton referma les yeux, soudain très faible.

— D'accord.

Mared. Il reconnaissait sa voix mélodieuse, il sentait son parfum de lilas qui l'enveloppait, le parfum qui peuplait ses rêves.

— Et un peu de bouillon. Il se remettra, je pense, mais il sera fatigué. Je lui conseille de rester alité pendant trois jours. Je reviendrai l'examiner.

Il entendit ensuite un tintement, un bruit de tissu que l'on froisse. Ils s'éloignèrent de lui, laissant une brise dans leur sillage. Il roula sur le côté et repartit dans son rêve de lilas...

À son réveil, la pièce était plongée dans le noir. Une lueur provenait de la cheminée, attirant son regard. Il cligna les yeux. Tout semblait flou. Il avait mal à la tête et la gorge sèche.

C'est alors qu'il la vit, assise dans un fauteuil, les jambes repliées sous elle, en train de lire. Sa longue natte pendait sur son épaule et elle avait relevé les manches de sa robe noire de gouvernante.

— Mared, dit-il d'une voix rauque.

Elle sursauta et releva vivement la tête, lâchant son livre.

— Payton ! s'exclama-t-elle en se précipitant à son chevet. Vous êtes réveillé. Dieu soit loué, vous êtes réveillé !

— Oui, dit-il en se redressant péniblement.

Elle plaça un oreiller derrière lui.

— J'ai l'impression que j'ai été très malade, déclara-t-il, hésitant.

— En effet, acquiesça-t-elle en s'asseyant au bord du lit. Une fièvre terrible... Comme celle de Killiebattan.

Étonné, il ferma les yeux.

— Mais vous avez survécu, ajouta-t-elle en posant la main sur la sienne. Vous êtes hors de danger, grâce à Dieu.

— Il y a d'autres malades ?

Elle se mordit les lèvres.

— Le maître brasseur, murmura-t-elle. Ils l'ont retrouvé mort. Le Dr Thomson pense que l'eau qui a servi à la production du whisky a été contaminée.

— Mon Dieu, murmura-t-il. Il y en avait un tonneau entier...

— Je crois savoir qu'ils l'ont jeté.

— J'ai bien cru mourir, avoua-t-il en la regardant dans les yeux.

— Vous... avez frôlé la mort, admit-elle en hochant la tête.

— Je me rappelle que vous m'avez donné à boire.

— C'est vrai, répondit-elle en souriant. Cela vous surprend ? Je ne pouvais vous refuser cette dernière volonté.

Malgré son malaise, Payton esquissa à son tour un sourire. Mared se leva. Il l'entendit s'affairer près de la commode. Elle lui apporta un verre d'eau qu'il but avidement.

— À présent, reposez-vous, dit-elle en récupérant le verre vide. Il faut reprendre des forces.

Payton ne protesta pas. Très vite, il sombra dans un profond sommeil.

En se réveillant, il vit le soleil entrer par les fenêtres. Pris d'un besoin pressant, il eut toutes les peines du monde à repousser les couvertures. Posant les pieds sur le sol, il voulut se lever, mais la tête lui tournait. Ses jambes refusaient de le porter. Il dut s'agripper à une colonne du lit.

Une tête apparut soudain au pied du lit, le surprenant dans son effort. Il retomba sur le côté.

— Monsieur !

Il ne la reconnut pas tout de suite lorsqu'elle s'agenouilla. Ses cheveux défaits cascadaient sur ses épaules, sa robe de gouvernante était un peu trop grande et bâillait au décolleté.

— Que faites-vous ici ?

Ignorant sa question, elle le prit par la taille.

— Vous ne devez pas vous lever. Le médecin tient à ce que vous restiez couché.

— J'ai un besoin pressant. Inutile de m'accompagner au cabinet de toilette.

— Bien sûr que si ! Vous êtes resté couché pendant cinq jours. Vous croyez que vous allez pouvoir vous promener tranquillement, comme s'il ne s'était rien passé ? Appuyez-vous sur moi…

— Mared… vous vous occupez très bien de moi et je vous en suis reconnaissant, mais il est hors de question que vous m'accompagniez au cabinet de toilette.

— Très bien, dit-elle en s'écartant de lui.

Aussitôt, les jambes de Payton se dérobèrent. Il saisit la colonne. Les bras croisés, elle l'observa.

— Continuez. Allez-y.

Il regarda en direction de la porte du cabinet de toilette. Il ne parvenait même pas à tenir debout, alors marcher jusque-là… Avec un soupir, il fit signe à la jeune femme de l'aider. Affichant un sourire, elle le reprit par la taille et le conduisit jusqu'à la porte. Là, il parvint à la convaincre qu'il se débrouillerait.

Ensuite, il marcha tout seul jusqu'au lit, sous l'œil attentif de Mared, les bras ouverts, prête à le rattraper au moindre faux pas. Une fois recouché, il but un grand verre d'eau et demanda à manger.

— Vous pouvez boire un bol de bouillon.

— Du bouillon? protesta-t-il. Vous plaisantez! Je veux à manger! Dites à la cuisinière de me préparer un repas.

— Vous aurez du bouillon, répliqua-t-elle. Je vais aller vous le préparer.

— Sonnez les domestiques. Inutile de vous déplacer.

Mared boutonna tranquillement le haut de sa robe puis se tourna vers Payton, les mains sur les hanches.

— Vous n'aurez que du bouillon jusqu'à ce que le médecin vous autorise à manger autre chose, monsieur. Et ne vous levez pas, d'accord? Je vais aller vous préparer du bouillon. Les autres se sont enfuis.

— Vous n'êtes pas drôle, Mared.

— Je ne plaisante pas. Ils sont tous partis, de peur de mourir, comme à Killiebattan.

— Partis? répéta-t-il, abasourdi.

— Tous sauf Beckwith et Moreen.

— Depuis combien de temps?

— Nous en sommes au sixième jour.

— Que... Qui s'est occupé de moi? demanda-t-il, redoutant la réponse. Beckwith?

— Il n'a pas remis les pieds dans cette chambre, dit-elle avec un large sourire.

— Alors qui?

— D'après vous?

Soudain, un souvenir lui revint, le parfum de lilas, des mains douces sur son front, la silhouette d'une femme regardant par la fenêtre. De toutes les personnes susceptibles de le soigner, Mared ne pouvait...

Il cligna les yeux. Un autre souvenir surgit. Mared au bord du lit, penchée sur lui, lui épongeant le front, les bras... le torse.

Il ressentit à la fois de la gratitude et du désarroi. En songeant qu'il avait été à ce point vulnérable, il était mortifié, mais avait le cœur gonflé de gratitude pour l'attention qu'elle lui avait portée.

— Vous avez pris des risques, dit-il. Vous auriez pu être contaminée.

— C'est vrai, mais je vais bien, apparemment, répondit-elle en tressant ses cheveux.

— Vous avez eu du courage.

Elle l'observa du coin de l'œil.

— Je ne me suis pas posé de questions. Je vais vous chercher du bouillon.

Sur ces mots, elle sortit. Payton s'efforça d'imaginer ce qui avait pu se passer, mais il était trop las.

Il s'assoupit un instant, pour être réveillé par quelques coups frappés à la porte. Beckwith entra avec précaution.

— Je suis ravi de constater que vous allez mieux, monsieur. Nous avons eu peur.

— Merci, Beckwith, répliqua-t-il en se demandant pourquoi son loyal majordome n'était pas resté à son chevet. Et le personnel?

— Ils sont partis, monsieur. Toutefois, je pourrai les rassembler.

Ils avaient tous déserté, même Beckwith. Seule Mared était restée près de lui. Il médita la question jusqu'à ce qu'elle revienne avec du bouillon, mais il était trop fatigué pour en discuter.

Mared le regarda manger avec appétit, comme si elle redoutait encore qu'il ne meure. Ensuite, elle reprit le bol et examina son visage.

— Vous avez repris des couleurs, déclara-t-elle. Je crois que vous allez survivre… Aussi, si vous le permettez, monsieur, je vais vous quitter un moment.

Cette phrase fit naître en lui une sourde inquiétude.

— Me quitter? Pour aller où?

— Dans ma chambre. J'aimerais prendre un bain et dormir.

— Mais je viens à peine de me réveiller, protesta-t-il.

— Votre courrier vous distraira, dit-elle en prenant un plateau d'argent sur la commode. Trois lettres sont arrivées pendant que vous étiez malade.

Elle se dirigea vers la porte.

— Mared!

Elle se retourna.

— Merci, murmura-t-il avec sincérité. Du fond du cœur, merci de m'avoir sauvé la vie.

Elle rejeta sa tresse par-dessus son épaule en riant.

— Ne me remerciez pas. Je n'ai agi que par égoïsme. De qui aurais-je été l'esclave si vous aviez succombé ? De Beckwith ?

Elle lui adressa un clin d'œil et sortit en ondulant les hanches.

18

Quelques heures plus tard, la jeune femme revint dans la chambre, après un bain froid, car elle n'avait pas eu le courage de faire chauffer de l'eau. Épuisée, elle s'était contentée de pain rassis et d'un reste de bouillon.

Lorsqu'elle frappa doucement à la porte, Payton l'invita à entrer. Il était assis dans son lit, les cheveux hirsutes. Sa barbe de six jours l'irritait et il ne cessait de se gratter les joues. Sa chemise de nuit ouverte révélait son torse nu.

— Combien de temps vais-je devoir rester alité ? demanda-t-il à la jeune femme qui lui apportait des draps et une chemise de nuit propres.

— Jusqu'à après-demain.

— C'est bien trop long ! protesta-t-il. Le médecin doit avoir quelque remède qui me remette rapidement sur pied !

— Quoi ? Une potion magique ? railla-t-elle. Vous avez été très malade. Il faut reprendre des forces.

— Mais je n'ai aucune envie de rester couché, gémit-il en appuyant la tête sur son oreiller.

Mared soupira et lui tendit sa chemise de nuit.

— Si vous vous sentez si bien, vous arriverez à changer de chemise tout seul !

Soudain, il parut de meilleure humeur.

— Je suis malade, rétorqua-t-il avec un sourire rusé. Vous l'avez dit vous-même. C'est à vous de m'habiller.

— Je pense que vous y arriverez, persista-t-elle.

— Mais j'ai besoin d'une toilette.

La simple idée de son corps nu fit frémir la jeune femme. Même aux portes de la mort, il parvenait à l'embraser de désir. Jamais elle n'aurait imaginé qu'un homme puisse avoir un corps aussi harmonieux, un torse aussi musclé.

Sans oublier cette autre partie qui la fascinait au-delà des mots... Elle avait fait de son mieux pour ne pas l'examiner, pour ne pas l'imaginer en elle, en vain. Chaque fois qu'elle fermait les yeux, elle le voyait penché vers elle, la faisant sienne...

— Qui va me laver? insista-t-il, sans soupçonner le désir de Mared. Vous me trouvez encore trop faible. Je ne puis le faire moi-même.

— Donc, vous avez vraiment perdu la raison...

— Moi? Pas le moins du monde! Je suis un pauvre bougre qui a besoin de votre aide.

— Vous venez à peine d'échapper à la mort et vous voilà déjà envahi de pensées lubriques!

— Lubriques? À vous entendre, c'est un sentiment si vil. Je recherche simplement un peu de plaisir, après avoir frôlé la mort... Un plaisir mutuel, bien sûr.

Elle sourit.

— Recouvrez d'abord la santé, décréta-t-elle en lui tapotant le bras.

Il plissa le front.

— À quoi vais-je donc penser, enfermé dans cette chambre? geignit-il.

— Au bonheur d'être encore en vie, suggéra-t-elle d'un ton léger, en emportant le linge sale dans la pièce voisine.

— Attendez! Où allez-vous? Revenez, Mared! Je vous promets de ne plus jamais vous faire de propositions indécentes! Mais je ne supporte pas la solitude!

Elle regarda par-dessus son épaule, puis s'éloigna, un sourire aux lèvres. En revenant dans la chambre, elle posa sur lui un regard courroucé.

200

— J'ai cru que vous alliez partir, expliqua-t-il, un peu penaud.

— Non, monsieur. Je ne peux pas partir. Il n'y a personne qui puisse veiller sur vous jusqu'à ce que le Dr Thomson revienne, demain. Nous sommes donc contraints de rester ensemble. Allez-vous changer de chemise de nuit, maintenant?

Il soupira.

— Puisque nous sommes tous les deux, vous accepterez peut-être de m'aider à répondre à mon courrier. J'ai quelques lettres urgentes à rédiger et je n'ai pas envie d'écrire.

— Avec plaisir. Je vais chercher du papier et une plume.

À son retour, Payton s'était changé. Il avait même remis de l'ordre dans ses cheveux. Mared lui tendit son courrier. Avec un soupir, il prit connaissance de la première lettre.

— Vous écrirez ceci à M. Farquart, je vous prie, dit-il en relevant les yeux. Et veillez à ce que votre écriture soit aussi parfaite que celle des lettres que vous m'écrivez.

Mared sourit.

— «Cher monsieur Farquart», dit-il en commençant à dicter.

La jeune femme fut impressionnée par son éloquence et la vivacité de son esprit, d'autant plus qu'il était convalescent.

Mared découvrit qu'il avait de nombreuses relations. Des relations qui auraient pu être celles des Lockhart, s'ils ne s'entêtaient pas à élever uniquement des bovins. Quand ils eurent terminé, elle avait la main engourdie et Payton commençait à se fatiguer.

— Celle-ci vient de mon cousin Neacel, annonça-t-il. Il se marie dans la tradition des Highlands le mois prochain.

— Toutes mes félicitations, commenta-t-elle.

— La fête durera trois jours.

— Ce sera l'occasion de réjouissances, dit-elle en prenant une feuille de papier. Puis-je suggérer de commencer par : « Cher cousin, je t'adresse mes vœux de bonheur à l'occasion de ton mariage, de la part d'un seigneur Douglas qui s'impressionne lui-même » ?

Payton rit doucement.

— C'est très poétique. Mais je préfère : « Cher cousin, félicitations et meilleurs vœux. Je suis impatient de rencontrer ta fiancée, car je garde de notre enfance le souvenir d'une demoiselle Braxton ravissante, qui fera à n'en pas douter une épouse merveilleuse… »

Il s'interrompit et lança à la jeune femme un regard de biais.

— Vous êtes en train de noter ce que je dis mot pour mot ?

— En douteriez-vous ?

— Bien sûr ! Vous écrivez vraiment ce que je vous dicte ?

— Évidemment.

Visiblement sceptique, il poursuivit :

— « J'ai le plaisir de t'informer que je serai de la fête à l'occasion de ton mariage. J'aurai besoin d'être logé avec quatre domestiques. Jusqu'à ce que je puisse te féliciter de vive voix, je t'adresse mon meilleur souvenir. »

Il réfléchit un instant et reprit :

— Signez de mon nom.

— Où dois-je l'envoyer ?

— À Kinlochmore, près de Fort William.

— Ah bon ? fit-elle distraitement. C'est assez loin.

— Deux jours de trajet, un peu plus en cas de pluie. Vous feriez mieux de prévoir des vêtements chauds.

— Comment ? demanda-t-elle, étonnée.

— Prenez cette robe violette que vous aimez tant. Dans un mois, il fera frais.

L'espace d'un instant, elle crut qu'il avait rechuté.

— Vous sentez-vous bien, monsieur ? s'enquit-elle en posant la lettre.

— Absolument, répondit-il avec un sourire démoniaque.

— Puisque je ne me rendrai pas à Kinlochmore, je n'aurai pas besoin d'une autre robe que celle-ci, déclara-t-elle.

— Vous voyagerez avec moi, dit-il posément.

— Comment pouvez-vous affirmer une chose pareille ? demanda-t-elle en réprimant son envie de lui faire avaler sa maudite lettre. Vous irez là-bas avec vos valets. Moi, je resterai ici pour faire mon travail d'esclave.

— Je n'ai pas de valet de chambre. J'aurai besoin de vous pour veiller sur mes tenues.

— Vos tenues ? s'exclama-t-elle en se levant d'un bond. Vous ne pouvez donc pas apprendre à l'un de vos valets de pied à nettoyer et à entretenir vos vêtements ? Je me demande vraiment comment un homme si imbu de sa personne peut se dispenser d'un valet de chambre !

— C'est pourtant le cas, et j'ai besoin que vous m'accompagniez.

— Comment pouvez-vous exiger de moi un tel sacrifice ? D'autant que les ragots iront bon train. Je vais être persécutée, au milieu de tous ces maudits Douglas !

— Hum, fit-il, pensif. Voilà une perspective bien alléchante. Une Lockhart encerclée par des Douglas… Ne vous inquiétez pas, Mared. Lorsque Mme Craig m'accompagnait, nul ne se livrait au moindre commentaire désobligeant. Les gens ne voyaient qu'un lord avec sa gouvernante. Les domestiques de mon cousin seront débordés. Je ne peux compter que sur vous pour mes besoins personnels.

— Vos besoins personnels ! répéta-t-elle, atterrée. Jamais je ne serai votre laquais. Vous pouvez m'humilier comme bon vous semble sous votre toit, mais jamais je ne voyagerai hors de ce domaine pour être présentée à tous les Douglas comme étant votre domestique !

— Mais si, dit Payton en s'enfonçant dans ses oreillers, le front plissé. Car vous êtes ma domestique. Donnez-moi donc du bouillon, je me sens un peu faible.

Elle s'éloigna vivement du lit et alla ouvrir la porte d'un geste rageur. Mais elle la claqua aussitôt pour défendre à nouveau son point de vue. Hélas, Payton était couché sur le côté, déjà endormi.

Mared dut lutter pour ne pas s'emporter. Elle prit le courrier et quitta la chambre.

Si elle s'était penchée au-dessus de Payton en cet instant, elle aurait remarqué l'esquisse d'un sourire...

Les jours passant, Payton reprit des forces plus vite que prévu. Les domestiques qui avaient fui la maison réapparurent, rassurés par cette guérison miraculeuse dont la nouvelle s'était répandue dans toute la région.

Le domaine retrouva son activité normale, et Payton vit Mared de moins en moins souvent.

Il avait décidé de se promener dans les couloirs durant sa convalescence. De temps à autre, il apercevait la jeune femme dans une pièce, en compagnie de Rodina et d'Una, affairée à quelque tâche ou bien totalement oisive pendant que ses collègues peinaient. Chaque fois, il s'arrêtait pour l'observer. Mared sentait sa présence et croisait son regard.

Le soir, assis devant la cheminée, il se disait que sa maladie avait laissé des séquelles, car il croyait lire dans les prunelles vertes de Mared une certaine tendresse.

Un sentiment s'était installé au plus profond de son être.

Il brûlait de savoir si ce sentiment était réciproque... mais n'osait lui poser la question, en premier lieu parce que l'occasion ne s'en présentait jamais. De toute façon, Payton ne voulait pas savoir s'il se méprenait sur les regards de la jeune femme. Il préférait se dire qu'elle partageait un peu son sentiment, laisser briller cette mince lueur d'espoir qui existait en lui.

19

Tandis que l'été laissait place à l'automne, les jours devinrent plus frais et plus courts. Mared était désormais accoutumée à la vie qu'elle menait à Eilean Ros. Elle avait trouvé son équilibre avec Rodina et Una, qu'elle aidait chaque fois qu'elle le pouvait. Elle avait même réussi à sympathiser avec Beckwith qui, depuis la maladie de son maître, semblait éprouver un certain respect pour la jeune femme.

Elle faisait de longues promenades sur les terres du domaine, en général accompagnée de Cailean. Parfois, elle voyait Payton chevaucher Murdoch au grand galop, comme s'il cherchait à s'échapper. Parfois encore, elle apercevait sa somptueuse voiture partant pour quelque destination inconnue. Elle nota qu'il était toujours seul.

Quand Cailean mit au monde des petits, Mared se laissa attendrir. Elle leur confectionna des colliers à l'aide des foulards déteints récupérés sur les vaches.

Un jour, alors qu'elle jouait avec les chiots, Payton entra dans l'étable, suivi de son cocher. En découvrant la présence de la jeune femme près du chenil, il s'approcha pour examiner la portée. Mared sourit en voyant un chiot grimper sur le bout de sa botte.

Payton sourit également, mais se renfrogna bien vite en baissant les yeux.

— Ce sont mes foulards ? s'enquit-il, incrédule.

Mared saisit l'un des plus dodus et se mit à le cajoler.

— En effet. Vous ne vouliez pas les voir au cou des vaches, mais vous n'avez pas parlé des chiots.

En voyant Payton reprendre des forces, Mared se disait qu'elle se contentait d'attendre que cette année soit écoulée. Elle se refusait à admettre qu'elle avait envie de le voir chaque jour, tout comme elle niait que, en fin de journée, elle le cherchait partout, dans son bureau, au salon, aux écuries, dans la salle de billard, voire dans le parc...

Elle préféra se convaincre qu'elle effectuait en fait une tournée d'inspection dans les couloirs, comme l'exigeait son rôle de gouvernante.

Quand elle le croisait, elle devinait l'intensité de son regard gris qui la transperçait. Une douce chaleur l'envahissait, faisant battre son cœur à tout rompre. Elle ne pouvait jamais soutenir ce regard très longtemps, car cette passion lui faisait peur. Jamais elle ne s'était sentie aussi vulnérable.

Pourtant, elle continuait à chercher Payton à la moindre occasion.

Elle le trouvait souvent dans la salle à manger. Soir après soir, elle passait en silence devant la porte ouverte pour le regarder, seul à table, dans cette pièce immense, avec Alan pour toute compagnie. Il dégustait un repas raffiné dans une vaisselle en porcelaine, buvait du vin dans un verre en cristal, à la lueur des chandelles.

Mared avait l'impression de connaître l'homme le plus solitaire d'Écosse.

Presque un mois s'était écoulé depuis la guérison de Payton. Dieu merci, la fièvre ne s'était pas propagée ailleurs dans la région. La vie avait repris son cours normal.

Un soir, Mared était assise sur son lit, en train de raccommoder un bas, se demandant combien de temps encore elle pourrait les porter, quand elle entendit frapper à sa porte.

Sans doute Rodina ou Una, songea-t-elle, car les deux jeunes filles lui demandaient constamment conseil.

— Entrez, dit-elle avec entrain, sans lever les yeux de son ouvrage.

Sentant que la porte ne s'ouvrait pas complètement, elle demanda :

— Que se passe-t-il ? C'est M. Beckwith qui vous fait des misères ? Ou un garçon qui vous fait tourner la tête ?

— Ni l'un ni l'autre.

Mared sursauta et se piqua avec son aiguille. Elle se leva vivement, oubliant ses bas, et lissa sa vieille robe verte.

— Je suis désolé. Je ne voulais pas vous déranger…

— Non, non, pas du tout, bredouilla-t-elle. Je… je reprisais…

Elle reprisait ses vieux bas ? Mieux valait garder ce détail pour elle-même. Elle se força à lever les yeux vers Payton.

Il était totalement guéri, à présent, et plus séduisant que jamais. Il était élégamment vêtu, comme pour sortir. Ses cheveux étaient coiffés en arrière. Son costume était taillé dans un tissu visiblement coûteux. Son gilet gris était brodé de bleu foncé. Quant à son foulard, il était impeccable, grâce à Rodina.

Le cœur de la jeune femme se mit à battre la chamade.

Elle se racla la gorge et essuya ses paumes moites sur sa robe. Payton, lui, se contentait de poser sur elle un regard sombre, indéchiffrable. Étrangement, elle prit peur. Depuis quand rougissait-elle de la sorte en présence d'un homme ?

— Vous désirez quelque chose ? lui demanda-t-elle, le souffle court.

— Non, répondit-il en entrant dans la chambre.

Il referma la porte derrière lui et s'appuya contre le panneau de bois, tout en toisant la jeune femme. Son regard la transperça. Elle reconnaissait ce désir. Sans doute était-il venu lui ordonner de le suivre dans son lit. Elle recula d'un pas.

Son geste le fit émerger de sa rêverie.

— Vous devriez avoir un tapis plus épais, dit-il en baissant un instant les yeux vers le sol.

— Cette natte me convient.

— Non, insista-t-il. Il vous faut quelque chose de plus chaud. Je suis venu vous rappeler notre séjour à Kinlochmore. Vous m'accompagnerez.

Le cœur de Mared se serra. Elle espérait qu'il avait oublié ce voyage ou qu'il avait changé d'avis. Il n'en avait plus parlé depuis qu'il lui avait dicté sa réponse à son cousin, un mois plus tôt. Soudain, elle s'imagina entourée de dizaines de Douglas, elle entendit leurs murmures réprobateurs, leur mépris pour le nom qu'elle portait.

— Non, dit-elle en secouant la tête avec vigueur. Non !

— J'ai besoin de vous, Mared. J'accepte d'emmener l'une des femmes de chambre, afin que vous soyez rassurée quant à votre vertu, mais j'ai besoin de votre présence.

— Ne me demandez pas cela, je vous en prie, Payton ! Je vais être humiliée...

— Non ! Je ne le tolérerai pas ! Jamais ! Mais je...

Il arracha son regard de la jeune femme pour fixer le plafond. Puis il passa la main dans ses cheveux.

— Je tiens à votre présence. J'en ai décidé ainsi.

— Mais je...

— Il n'y a pas à discuter, coupa-t-il.

Mared l'observa, bouche bée, l'esprit en émoi.

— Nous partirons lundi matin à l'aube. Choisissez la femme de chambre qui viendra avec nous.

— Vous êtes vraiment un tyran, murmura-t-elle.

Il crispa la mâchoire, mais ne dit rien. Mared eut l'impression qu'il était à court d'arguments. Il se contenta d'un soupir, puis l'observa, les lèvres pincées.

— Quoi ? fit-elle, agacée. Qu'est-ce que vous voulez ?

— J'ai besoin de vous à Kinlochmore, un point c'est tout.

Mared le fusilla du regard.

— Bonne nuit.

Il ouvrit la porte de la chambre puis, lui lançant un dernier regard, sortit.

— Mon Dieu… murmura la jeune femme en s'écroulant sur son lit.

Le dimanche à Talla Dileas, Mared, Ellie, Natalie et Anna, dont le ventre était énorme, examinaient les robes disposées sur le lit d'Anna.

— Elles sont très belles, déclara Mared. Où les as-tu trouvées ?

— Ma sœur Bette me les a envoyées la saison dernière.

— Elles sont un peu sophistiquées pour les Douglas, marmonna Mared en les triant.

— Répète-nous ce qu'il t'a dit, fit Natalie en admirant les robes.

Ellie sourit à sa fille.

— Natalie est très romantique, en ce moment, grâce aux livres qu'elle trouve à la bibliothèque et aux histoires que lui raconte Anna.

— Eh bien, c'est assez romantique, en effet, répondit Anna. Un beau lord qui emmène une fille pauvre dans un château, en pleine montagne.

— Ladite fille ne partage pas cette opinion, intervint Mared d'un ton lugubre.

— Même pas un peu ? insista Natalie.

— Non. Il n'y a rien de romantique à recevoir des ordres comme un chien.

Anna se mit à rire, mais se tut face à la mine furibonde de Mared.

— Qu'a-t-il dit, au juste ? insista Ellie, pensive.

Mared poussa un soupir exaspéré.

— Il a dit qu'il avait besoin de moi là-bas, que je devais emmener l'une des femmes de chambre pour la sauvegarde de ma vertu, mais qu'il avait besoin de moi.

— Oh ! firent Anna et Natalie.

— À vos yeux, une simple brume matinale est romantique, rétorqua Mared.

— Mais il t'aime, tante Mared, persista Natalie.

— S'il m'aimait, il n'exigerait pas de moi cette épreuve.

— Mais si, il t'aime, assura Anna. Tu ne peux le nier.

Haussant les épaules, Mared enfila une robe en soie bleu pâle.

— Elle est un peu serrée, commenta-t-elle.

— Natalie, va chercher du fil et une aiguille, je te prie. Du fil bleu, précisa Ellie.

— Oui, maman, répondit poliment l'enfant.

Pendant ce temps, Anna examina le reflet de Mared dans le miroir.

— Tu es superbe ! En te voyant, il n'en croira pas ses yeux.

— N'oublie pas de te munir d'un mouchoir. Il risque de te baver dessus, railla Ellie.

— Je suis ravie de vous faire rire, lança Mared, dépitée.

Ellie s'efforça de boutonner la robe.

— Ne sois pas stupide, dit Anna en ajustant les manches. Nous ne voulons que ton bonheur. Nous pensons simplement que tu nies l'évidence, et que tu refuses ce que tu ressens au fond de ton cœur.

Avaient-elles parlé avec Donalda ?

— Qu'y a-t-il donc au fond de mon cœur qui puisse m'inciter à me jeter dans la gueule du loup chez les Douglas ?

Elle vit Ellie et Anna échanger un regard entendu. Puis Ellie fit un pas en avant et posa les mains sur ses épaules.

— Mared, c'est un homme bien. Peu importe le nom qu'il porte. Ce qui compte, c'est qu'il est fou de toi. Il y a tant de femmes dans le monde qui payeraient pour avoir un mari aussi amoureux !

— Un mari ! répéta Mared.

— Je vais te donner un conseil, reprit Anna. Permets-lui de te faire l'amour avant d'accepter de l'épouser.

— Comment ? s'exclama Mared en faisant volte-face. Seriez-vous devenues folles, toutes les deux ? Épouser Douglas ? Lui faire l'amour ? C'est de la folie !

— Ne sois pas si prude, répliqua Ellie. Il se trouve que la… compatibilité, dans ce domaine, est primordiale. Et tu n'as rien à perdre. Cesse donc de me regarder de la sorte ! Tu as juré de ne jamais te marier ! Tu ne vas tout de même pas finir ta vie encore vierge !

Le cœur de Mared s'emballa.

— J'ai l'intention de partir pour Édimbourg. Je veux vivre ma vie. J'ai bien mérité une chance, moi aussi.

— Naturellement, assura Anna d'un ton conciliant, mais puisque c'est impossible tu dois rester ici, où tu as bien peu de chances d'échapper à ton destin, n'est-ce pas ?

Elle avait raison.

— Mais ma vertu ? Dois-je donc la jeter aux orties ?

— Pas du tout ! répondit Ellie en prenant sa belle-sœur par les épaules pour l'obliger à s'admirer dans le miroir. Toutefois, si tu t'accroches désespérément à ta vertu, tu deviendras vite une vieille fille acariâtre et tu gâcheras tout espoir de connaître le plaisir qu'un homme peut t'offrir.

— Et c'est ce qu'il y a de plus sublime, renchérit Anna. Il ne faut pas laisser passer ta chance.

— Vous avez perdu la raison, commenta Mared, néanmoins pensive.

Elles boutonnèrent la robe. La jeune femme se trouva jolie, même si elle parvenait à peine à respirer, tant elle était engoncée. Jamais elle n'avait été aussi élégante. De plus, elle avait beau se mentir, elle brûlait de curiosité quant au plaisir charnel. Comment Payton allait-il réagir en la découvrant dans cette tenue ? Que ressentirait-elle à faire l'amour avec lui ?

Quand Natalie revint, munie d'une aiguille et d'une bobine de fil, elles firent les quelques retouches nécessaires pour que Mared puisse enfin respirer, puis s'occupèrent des sous-vêtements. Dès que ses belles-sœurs furent certaines qu'elle disposait de tous les éléments indispensables à une soirée inoubliable, les trois femmes descendirent au salon où étaient rassemblés les autres membres de la famille.

Duncan était allongé sur un plaid, près de la cheminée, avec le chiot que Mared lui avait apporté. Natalie tenta d'interpréter un morceau au piano, mais elle jouait faux. Toutefois, les adultes l'encouragèrent poliment.

Ils allaient passer dans la salle à manger lorsque Dudley apparut avec une lettre posée sur un plateau terni.

— Un message pour vous, monsieur, de la part de laird Munroe.

— Munroe ? marmonna Carson en décachetant la lettre.

Quand il eut parcouru le message, il fit un geste désinvolte de la main.

— De quoi s'agit-il, père ? s'enquit Griffin.

Carson fronça les sourcils, la mine sombre.

— Encore des bêtises. Munroe affirme avoir vu MacAlister. Il paraît qu'il traîne dans les Lowlands.

Griffin se précipita au côté de son père et lui prit la lettre des mains.

— C'est une excellente nouvelle ! s'exclama Aila.

— Non ! rétorqua Carson. Nous allons de déconvenue en déconvenue. Cette ordure n'est pas en Écosse et il n'y remettra jamais les pieds. Croyez-moi, il mène une vie de pacha à nos dépens, dans quelque contrée lointaine !

Griffin hocha la tête.

— C'est sans doute vrai, père, mais nous ne pouvons ignorer les rumeurs qui circulent sur son retour éventuel.

Carson haussa les épaules.

— Je ne veux pas que Mared se berce d'illusions. Il ne reviendra jamais en Écosse, voilà tout !

Sur ces mots il se tourna vers sa fille, qui lui sourit, car cela faisait des semaines qu'elle s'était résignée.

20

Le temps demeura clément durant tout le trajet à travers les Highlands. Le convoi atteignit le village de Kinlochmore en deux jours. Le château se dressait au bord du loch Leven, au cœur de la forêt de Mamore.

Il s'agissait d'une véritable forteresse perchée au sommet d'une colline. Une moitié du bâtiment d'origine était intacte. Des véhicules étaient déjà alignés dans l'allée. Les domestiques s'affairaient à décharger les bagages des invités. À l'est et à l'ouest, deux tours encadraient la structure massive abritant le grand salon, la salle à manger et plusieurs pièces anciennes transformées en salons.

On accédait à la demeure en franchissant un pont étroit qui menait à un passage sombre destiné à empêcher une invasion ennemie. Talla Dileas possédait un dispositif comparable, mais le château avait été largement aménagé, au fil des années, et présentait aujourd'hui un mélange de plusieurs styles. Mared et Una furent accompagnées dans les longs couloirs par un valet de pied fort sympathique, qui plaisait manifestement à Una, car elle gloussait sans cesse.

Mared demeura discrètement en retrait, portant ses bagages, prenant soin de ne pas glisser sur la pierre polie par les ans.

Una babillait gaiement alors que le valet lui désignait les divers éléments du vieux château. Enfin, ils atteignirent un escalier en colimaçon. Mared gravit les marches jusqu'à un palier exigu. Sur la droite s'ouvrait une porte, tandis qu'un couloir partait dans l'autre direction.

— Vous êtes arrivées, mesdemoiselles, annonça le valet.

Il ouvrit la porte et leur fit signe d'entrer. Una et Mared pénétrèrent dans une petite pièce circulaire située dans la tour. Le plafond était bas. Il n'y avait qu'un grand lit et un tapis, ainsi qu'une coiffeuse près de la cheminée. Deux fenêtres étroites donnaient sur la forêt.

— C'est magnifique, déclara Una en effleurant des doigts une tapisserie qui ornait le mur.

— C'était la chambre de la première lady Douglas. Elle est morte en couches dans ce lit, expliqua le jeune homme. Naturellement, nous avons changé le matelas.

Una gloussa.

— Et le laird Douglas d'Eilean Ros ? s'enquit Mared. Où se trouvent ses appartements ?

— Dans la tour ouest. Les chambres sont plus vastes et plus confortables, dignes d'un seigneur de son rang. Vos valets et cochers seront logés dans les anciennes écuries, qui ont été transformées en chambres pour le personnel.

Il se tourna vers Una.

— Souhaitez-vous connaître le programme des festivités ?

— Volontiers !

— Ce soir, pendant le souper de ces dames et messieurs dans la salle à manger, nous autres dînerons dans les dépendances. Demain sera organisée une chasse traditionnelle. Vendredi matin, le mariage sera célébré à l'église de Kinlochmore, et vendredi soir le *ceilidh* de mariage se tiendra sur la pelouse, près du lac, en l'honneur des jeunes mariés.

— C'est charmant, commenta Una.

— Très bien, mesdemoiselles, conclut-il en s'inclinant. Le souper du personnel sera servi à huit heures précises. J'espère vous y retrouver.

Il sourit à Una avant de quitter la pièce. Dès que le battant se fut refermée, elle porta les mains à sa poitrine.

— C'est magnifique, non ?

Elle s'approcha d'une fenêtre pour admirer la forêt.

— J'espère qu'un jour j'aurai droit à un beau mariage, moi aussi, dans un château en pleine forêt. Pas vous, mademoiselle Lockhart ?

Cette question prit Mared au dépourvu. Son mariage était un événement si improbable... Elle se contenta de dévisager Una.

Aussitôt, la malheureuse comprit sa bévue.

— Je suis désolée, mademoiselle Lockhart ! s'exclama-t-elle, confuse.

Elle balaya la chambre du regard, cherchant quelque chose à faire.

— Calmez-vous, Una, dit Mared avec un sourire. Je vis avec cette malédiction depuis toujours et je n'y pense plus.

Ce qui était faux, bien sûr.

Elles déballèrent leurs effets et allèrent puiser de l'eau dans le puits de la cour. Dès qu'elles se furent rafraîchies, elles descendirent l'escalier en colimaçon pour partir en quête d'Alan et de Charlie.

Elles croisèrent des dizaines d'inconnus, à tel point qu'il était parfois difficile de distinguer maîtres et domestiques. Certains étaient vêtus à la dernière mode londonienne, tandis que d'autres arboraient fièrement leur *féileadh beag*, le kilt aux couleurs de leur clan et ses accessoires traditionnels. Les femmes portaient un *arisaidh* sur les épaules, ainsi qu'un *luckenbooth* à la taille. L'atmosphère était enjouée.

Mared et Una trouvèrent le chemin des anciennes écuries où étaient logés les domestiques masculins. Les chambres étaient rudimentaires, mais les hommes étaient de bonne humeur. L'un d'eux jouait de la cornemuse.

Alan et Charlie semblaient ravis. Charlie entraîna Una dans une danse endiablée.

— La voilà, la plus belle ! lança-t-il. Allez, donne-moi un baiser !

— Ne dis pas de bêtises, Charlie ! répondit-elle en riant.

— Venez donc, dit Alan en offrant son bras à Mared. Nous allons souper entre gens de peu.

Deux longues tables étaient dressées dans une ancienne grange. Des dizaines de domestiques étaient déjà attablés. Ils venaient tous de châteaux différents, mais travaillaient pour les Douglas, ce qui donna lieu à des échanges d'anecdotes croustillantes. Chacun y alla de son pronostic pour les jeux organisés le lendemain.

Très vite, les hommes écartèrent les meubles. Charlie invita Una à danser.

Mared n'avait pas souvent eu l'occasion de danser au cours de sa vie. Ses pieds martelaient le sol en rythme. Elle croisa le regard d'Alan, qui l'entraîna sur la piste improvisée. Ils tournoyèrent gaiement au son de la cornemuse.

La jeune femme passa une soirée magique. Jamais elle ne s'était laissé aller avec une telle insouciance. Elle avait presque l'impression d'être libérée de sa malédiction, comme si elle avait enfin trouvé un endroit où celle-ci ne l'avait pas suivie.

Hélas, le destin n'avait jamais été clément envers Mared. Cette soirée se révéla un baiser de Judas, car, au moment où elle s'écartait d'Alan pour aller boire de la bière et s'éponger le front, elle le vit. Appuyé contre le mur, une chope de bière à la main, il l'observait.

Jamie McGrudy était là.

Payton s'était échappé de ce dîner guindé pour sortir sur la terrasse profiter de la fraîcheur de la soirée. Des notes de musique et des rires lui parvenaient des anciennes écuries. Il s'approcha pour regarder en contrebas. De toute évidence, les domestiques prenaient un peu de bon temps.

Il ne put s'empêcher de se demander si Mared se trouvait parmi eux. Si elle dansait, si elle offrait aux jeunes gens son beau sourire, s'ils la désiraient autant que lui...

Cela faisait maintenant plusieurs jours qu'elle le privait de son sourire.

Lors du trajet, il avait gardé ses distances pour ne pas la compromettre aux yeux des autres. Depuis leur arrivée au château de Leven, il avait dû tenir compagnie à ses cousins, aux futurs mariés, de sorte qu'il ignorait où se trouvait la jeune femme.

Elle lui manquait terriblement. Son rire, la lueur malicieuse de ses yeux verts lorsqu'elle refusait de lui obéir... Même son dédain, sa tristesse, sa colère lui manquaient.

Pourquoi donc l'avait-il amenée ?

Il s'était posé mille fois la question depuis leur départ. En un mois, il avait pourtant eu le loisir de réfléchir. Au départ, il avait tenu à sa présence car il redoutait qu'elle ne s'enfuie d'Eilean Ros, profitant de son absence. De plus, il voulait l'avoir à ses côtés, même si elle se refusait à lui. Il pouvait au moins la voir, la sentir.

Il avait perdu toute objectivité. Il devait se douter qu'elle serait séparée de lui en tant que domestique, reléguée dans quelque dépendance. Les personnes de son rang n'avaient pas coutume de se laisser déranger par leurs gens. L'unique occasion qu'il aurait de la voir et de lui parler serait le moment où elle viendrait chercher ses vêtements.

Il ne pouvait s'en prendre qu'à lui-même. Il était responsable de cette situation fâcheuse, avec cette servitude qu'il lui imposait. Mared était bien née. S'il n'avait pas agi sous le coup de la colère et animé par un désir de vengeance, elle n'aurait jamais eu à supporter ces tâches ingrates. Si seulement il pouvait revenir en arrière !

Sa seule certitude était qu'il allait souffrir d'un grand vide, car Mared ne serait jamais sienne. Et elle finirait par s'en aller...

Avec un soupir, Payton jeta son cigare et l'écrasa d'un talon rageur. À contrecœur, il s'éloigna des rires et des chants pour retourner auprès des invités, avec qui il s'ennuyait à mourir...

Le lendemain matin, il se réveilla de bonne heure et attendit Mared, impatient de partager avec elle ces moments volés, les seuls de la journée sans doute. Elle viendrait certainement à l'aube, quand personne ne pourrait la voir entrer et sortir de ses appartements. En effet, le soleil se levait à peine lorsqu'il entendit sa porte s'ouvrir. Sa tête brune apparut dans l'entre-bâillement.

Elle parut étonnée de le voir tout habillé, mais entra vite et scruta le couloir. Quand elle fut certaine que nul ne l'avait vue, elle se tourna vers lui, les mains dans le dos, un sourire aux lèvres.

— Vous êtes bien matinal, commenta-t-elle.

Il sourit à son tour et la regarda balayer la chambre du regard.

— Voilà une pièce prestigieuse. Le valet avait raison. Elle est digne de votre rang.

Il n'y avait pas accordé la moindre attention. Un lit lui suffisait amplement.

— Comment êtes-vous logée ? s'enquit-il, curieux.

— C'est un peu médiéval. Un seul lit, que je dois partager avec Una.

— Je doute qu'Una vous pose le moindre problème.

— Certes... mais elle ronfle.

— Fort ? demanda-t-il, amusé.

— C'est assourdissant.

Payton se mit à rire. Mared l'observa de plus près.

— Il n'est pas dans vos habitudes d'être aussi aimable, monsieur. En général, vous ne cessez de vous plaindre ou de me donner des ordres.

— Je suppose que je n'ai aucune raison de me plaindre, répondit-il en détournant le regard. Mes cousins font tout pour rendre mon séjour agréable.

Elle remarqua sa tenue de chasse.

— Vous n'êtes guère équipé pour les jeux traditionnels, dit-elle. On dirait plutôt que vous allez partir à cheval. Vous ne participerez pas aux jeux ?

— Les messieurs vont à la chasse, expliqua-t-il. Les jeux sont réservés à ceux qui ne chassent pas, aujourd'hui.

— Vous voulez dire… les domestiques.

Il se tut. Sa réticence à appeler un chat un chat amusa la jeune femme, qui alla faire le lit.

— La nuit fut encore agitée, observa-t-elle.

Il n'avait pu trouver le sommeil. Soudain, il se sentit vulnérable et alla regarder par la fenêtre donnant sur le lac.

— Avez-vous passé une bonne soirée, hier ? demanda-t-il malgré lui.

— Oui. On peut dire que votre cousin traite bien son personnel.

Payton ferma un instant les yeux, imaginant les hommes groupés autour d'elle.

— Vous avez dansé ?

— Un peu. Pas autant que vous, sans doute.

— Vous avez donc dansé… Et ensuite ?

Sa question la fit rire, au point qu'il se retourna. Elle était en train de secouer un oreiller.

— Je me suis retirée. Vous pensiez peut-être que j'allais m'enfuir avec un domestique ?

Piqué au vif, Payton ne répondit pas.

Mared contourna le lit. Elle prit la veste qu'il avait pliée négligemment et alla la suspendre, évitant avec soin de croiser Payton.

— Tout me semble en ordre…

— Mes chaussures, lança-t-il vivement.

Elle baissa les yeux.

— Dites à Charlie de les cirer.

Il alla ramasser les chaussures et les tendit à la jeune femme.

Mared fronça les sourcils.

— Elles me semblent parfaitement cirées.

— Non.

Haussant les épaules, elle prit les chaussures. D'instinct, Payton posa la main sur sa joue, caressant la peau douce, puis la ligne de son menton, son nez, ses lèvres.

— Qu'avez-vous ? s'enquit-elle.

Je pense à vous, à nous… songea-t-il. Il secoua la tête et baissa la main.

— Amusez-vous bien, Mared. Profitez des festivités, vous le méritez. Je n'aurai plus besoin de vous. Considérez-vous en congé.

Elle eut l'air perplexe, mais sourit.

— Méfiez-vous, monsieur. Vous avez une réputation de maître implacable à sauvegarder.

— Je sais, dit-il, se détournant de son regard d'émeraude pour fixer la cheminée. Bonne journée, Mared.

Elle s'attarda un instant, les yeux rivés sur lui. En silence, il l'implora de partir, de le laisser. Enfin, au bout d'une éternité, elle s'éloigna.

— Bonne journée, Payton.

Il entendit la porte se refermer.

21

Mared demeura un instant devant la chambre de Payton, à se demander quelle mouche l'avait piqué. Elle posa les doigts où il l'avait effleurée.

Enfin elle s'éloigna, de peur de succomber à un moment de faiblesse et de supplier Payton de la protéger de Jamie.

La malédiction était réapparue sous la forme du sourire cruel de Jamie et son regard méchant. Puis étaient venus les murmures, les regards horrifiés qu'elle redoutait tant. La rumeur avait enflé dans la foule, se répandant comme une traînée de poudre.

En dépit de son habitude des superstitions des habitants des Highlands, elle avait préféré se retirer...

Elle gagna les anciennes écuries et tendit les chaussures de Payton à Charlie.

— Il veut que je les cire à nouveau ? gémit-il. Mais je viens de le faire !

Il les prit néanmoins et s'éloigna vers la pièce qu'il partageait avec Alan.

— Va-t-il prendre part aux jeux ? demanda-t-il par-dessus son épaule.

N'obtenant pas de réponse, il se retourna, mais Mared avait disparu.

Elle regagna sa chambre, dans la tour. Una devait être en compagnie du charmant valet.

Dans l'après-midi, à l'heure des jeux, elle ne put supporter une minute de plus la solitude de sa chambre. Posant son *arisaidh* sur sa tête, elle alla se joindre à la foule des domestiques et des villageois, parmi lesquels se trouvaient quelques invités bien nés. Elle garda la tête baissée pour admirer les exploits des artisans et des garçons de ferme qui lançaient le marteau ou de gros rochers.

Les Douglas de Leven n'avaient négligé aucun détail. La bière coulait à flots. La foule devenait de plus en plus agitée et encourageait à grands cris ses favoris.

Elle fut soulagée de ne pas voir Jamie, mais cette agitation lui faisait un peu peur. Elle alla donc se promener en forêt, heureuse de se retrouver seule.

Ses longues promenades autour de Talla Dileas lui manquaient. C'était une superbe journée d'automne et le paysage était d'une beauté à couper le souffle.

Elle marcha ainsi pendant au moins deux heures. Lorsqu'elle vit le soleil sombrer derrière les arbres, elle revint sur ses pas. À l'approche du château, elle se retrouva quelque peu désorientée. Elle ne distinguait plus la bâtisse et les dépendances.

Elle s'engagea sur un chemin à droite. En entendant des rires masculins, elle eut la certitude d'avoir pénétré sur les terres du château.

— Dieu merci, murmura-t-elle, le souffle court.

Au moins, elle n'était pas perdue. Elle fit le tour des écuries. En découvrant l'origine des rires, elle se figea. Elle voulut reculer, mais il était trop tard : Jamie McGrudy l'avait aperçue.

Il jouait aux dés avec trois hommes. Aussitôt il se leva, le regard noir.

L'un de ses compagnons l'imita, un sourire cruel aux lèvres.

— Tiens, tiens... fit-il. Qui est-ce ?

— Je vais vous le dire, les gars. C'est la sorcière du loch Chon, Lockhart la maudite.

— La maudite ?

— Ouais, répondit Jamie d'une voix traînante, en s'approchant de Mared. Il paraît qu'elle a l'œil du diable !

Inquiète, elle fit un pas en arrière. Les autres hommes se levèrent à leur tour. L'un semblait curieux, l'autre terrorisé.

— Ne dites pas de bêtises, Jamie, déclara-t-elle en s'efforçant de masquer sa peur. Ce ne sont que des histoires de bonne femme.

— Vraiment ? dit-il en s'approchant encore. Alors pourquoi les tiens t'ont-ils reniée et vendue comme catin au seigneur d'Eilean Ros ?

— C'est une catin ? s'exclama l'un de ses compagnons.

— Ouais, une traînée ! confirma Jamie d'un air lubrique.

Mared était sur le point de céder à la panique. Elle comprit d'instinct quelles étaient leurs intentions.

— Qu'est-ce que vous en dites, les gars ? Je l'embrasse, la diablesse ?

Frénétique, Mared chercha une issue, regardant par-dessus son épaule.

— Tu n'espères pas nous échapper, ma belle ? reprit Jamie avec un rire démoniaque. J'aurais vite fait de te rattraper, tu sais, et je ne serais pas content !

— Laisse-la partir, Jamie ! lui conseilla un de ses camarades. Je parie que tu es incapable de lui courir après. Je mise une couronne sur la fille !

Mared fit quelques pas en arrière. Son foulard glissa à terre.

— Mais c'est qu'elle est mignonne ! s'exclama l'un des hommes. Si le diable n'a pas voulu de toi, je vais peut-être m'en charger !

Les autres s'esclaffèrent. La gorge nouée, Mared fit volte-face si vite qu'elle trébucha. Elle retrouva l'équilibre et prit ses jambes à son cou.

À peine avait-elle atteint l'enclos qu'elle fut projetée à terre, si brutalement qu'elle en eut le souffle coupé.

Les hommes se mirent à crier, mais elle ne comprenait pas leurs propos. Elle ne voyait que la haine dans le regard de Jamie, qui la fit rouler sur le dos.

— À cause de toi, j'ai perdu ma place ! Tu crois que je vais accepter…

Il ne termina jamais sa phrase, car il parut soudain littéralement s'envoler. Une silhouette avait surgi et le martelait de coups. Mared se releva péniblement pour reprendre son souffle. Elle mit un certain temps à identifier Payton. Deux messieurs tentaient de le séparer de Jamie. Payton eut le temps d'assener à son ancien valet un coup de botte dans les reins.

— Arrêtez, monsieur ! cria l'un des hommes.

Deux autres messieurs apparurent et se penchèrent pour examiner Jamie, qui gémissait de douleur.

Payton bouscula les deux hommes et saisit Jamie par le col pour l'obliger à se lever.

— Si tu t'avises ne serait-ce que de regarder dans sa direction, je te tue, c'est compris ?

— Oui... oui, gémit Jamie.

Un homme écarta Payton tandis que les autres soutenaient Jamie pour l'aider à marcher.

— Enfermez-le ! hurla Payton.

— Bien, monsieur, assura l'homme qui se tourna vers Mared, puis vers Jamie.

Il s'éloigna, accompagné des autres témoins de la scène.

Dès qu'ils eurent disparu, Payton se tourna vers la jeune femme. Son gilet était maculé de sang. La mâchoire crispée, il rejoignit Mared en trois enjambées. Il la prit dans ses bras et la berça longuement, tenant sa tête contre son épaule.

— Je regrette, Mared. Je regrette tant...

Il la relâcha et recula d'un pas pour l'examiner. Il avait encore le regard dément et la mâchoire crispée de rage, mais il lui caressa doucement la joue.

Les mains tremblantes, Mared se sentit rassurée par cette étreinte. Elle était au bord des larmes. Soudain, ses forces l'abandonnèrent. Elle enlaça Payton et enfouit le visage au creux de son épaule.

Il la prit par la taille et la serra fort contre lui. Elle se sentait si bien, dans ses bras. Un lien indestructible les unissait. Le cœur de Mared était sur le point de se défaire de son carcan. Elle entendait encore les propos de Donalda. La vérité se trouvait dans son cœur…

Elle tourna le visage et posa les lèvres sur le menton de Payton. Elle l'entendit retenir son souffle.

— Vous m'avez sauvée, murmura-t-elle contre sa joue. Comment vous remercier ?

— Vous n'avez donc toujours pas compris, Mared ? Je suis prêt à donner ma vie pour vous…

Elle le savait. Elle l'avait toujours su, mais c'était la première fois qu'elle était disposée à l'accepter au plus profond d'elle-même. Dans le regard de cet homme puissant, plein d'assurance, elle lisait l'espoir. Comment pouvait-il être à la fois si fort et si vulnérable ? Elle scruta son beau visage, ses épais sourcils au-dessus de ses yeux gris, son nez aquilin, ses pommettes saillantes, sa mâchoire carrée… et ses lèvres charnues. Comment avait-elle pu lui résister aussi longtemps ? Comment avait-elle pu permettre à un simple nom de famille de les séparer ?

Contre toute attente, elle posa sur ses lèvres un baiser appuyé, déterminé. Payton la plaqua contre son corps, caressa le fin tissu de sa robe, puis la peau dénudée de son décolleté.

Il l'embrassa longuement, si bien qu'elle eut l'impression d'être engloutie dans un tourbillon de chaleur. Elle sentait contre son ventre l'intensité du désir de Payton.

Elle se mit à l'explorer à son tour, sa taille mince, son torse ferme. Elle n'avait qu'une envie, arracher le haut de sa robe pour sentir le souffle de Payton sur sa peau.

Au loin, des voix s'élevèrent. Retrouvant ses esprits en même temps que la jeune femme, il s'écarta.

— Nom de Dieu, marmonna-t-il.

Le souffle court, il recula. Son regard la fit frémir. Il y avait tant d'amour dans ses prunelles grises, qu'elle s'embrasa de plus belle.

Payton lui effleura la joue, puis tourna les talons pour rejoindre les hommes venus voir ce qui se passait.

22

Naturellement, Neacel Douglas fut horrifié par ce qui venait de se produire. Il agit sans tarder. Jamie et ses complices furent livrés aux autorités. Jamie serait incarcéré à Fort William, où il serait jugé.

Payton ignorait ce qui était arrivé ensuite à Mared, mais, quand ses hôtes étaient accourus derrière les écuries, elle avait ramassé son châle pour s'en envelopper tandis que la tante Catrine et la cousine Edme, la sœur de Neacel, l'entraînaient.

Il se dit qu'elles l'avaient sans doute reconduite dans sa chambre et qu'elle se portait bien, au moins sur le plan physique, car il imaginait aisément ce qu'elle pouvait ressentir.

Très vite, il sentit monter en lui la peur qu'elle ne regrette ce baiser passionné, la peur de s'être à nouveau dévoilé devant elle, la peur de subir une nouvelle rebuffade de sa part.

Lorsque Charlie lui rapporta ses chaussures bien cirées, il s'enquit de son personnel.

— Tout va bien ?

— Oui, monsieur, répondit le jeune homme. Nous avons été bien reçus. Alan a participé aux épreuves de lancer de tronc.

— Vraiment ? S'est-il distingué ?

— Il a fini dernier, monsieur, avoua Charlie en riant. Mais il a fait de son mieux pour défendre les couleurs d'Eilean Ros.

— Il faudra que je le remercie. Et les femmes ? demanda Payton d'un air faussement désinvolte. Comment vont-elles ?

Étrangement, Charlie se mit à glousser.

— Très bien, monsieur. Elles sont bien jolies, toutes les deux. Les hommes faisaient la queue pour les inviter à danser, hier soir.

Payton fut transpercé d'un accès de jalousie.

— Vous désirez autre chose, monsieur ?

— Non. Vous pouvez disposer. Profitez de la fête. Je n'aurai pas besoin de vous demain, ni des autres. Vous avez quartier libre.

— Merci, monsieur !

Payton attendit que Charlie ait quitté la pièce pour se passer la main dans les cheveux. Comment allait-il endurer une nuit sans elle ? Il avait tant besoin d'elle.

Il se prépara et descendit souper. Il participa aux conversations pénibles qui tournaient autour de la chasse. Ensuite, les femmes emmenèrent la future mariée dans sa chambre pour se livrer au traditionnel lavage des pieds et aux jeux nuptiaux. Les hommes accompagnèrent Neacel au village pour parader au son de la fanfare en buvant de la bière.

À leur retour au château, à minuit, ils étaient passablement éméchés. Si la plupart des femmes étaient couchées, quelques courageuses étaient encore debout. Accompagnée d'une jeune femme, la tante Catrine vint accueillir Payton.

— Tu te rappelles certainement Dora, ta cousine éloignée, déclara-t-elle.

C'était la troisième jeune fille célibataire que Catrine lui présentait depuis son arrivée, mais Payton était accoutumé à ces manœuvres de la part de son entourage. Il sourit et s'inclina.

— Dora est la fille d'un neveu de mon mari, expliqua Catrine. Tu l'as déjà rencontrée, autrefois. Elle était toute petite.

— Je n'arrive pas le croire, ma tante. Jamais je n'aurais oublié un si beau visage, dit-il, galant.

La jeune fille rougit.

Ravie, Catrine poussa discrètement Dora vers Payton. Celle-ci s'assit près de lui pour échanger quelques propos. En regardant ses lèvres, Payton ne pensait qu'à celles de Mared. Il ne voyait que ses grands yeux verts. Quant au chignon impeccable de Dora, il lui préférait la simple tresse de Mared.

Elle évoqua le mariage, son goût de la peinture. Payton imagina Mared sillonnant les Highlands, chaussée de grosses bottes, cueillant des baies.

La soirée lui sembla interminable.

De peur d'une nouvelle catastrophe, Mared passa la soirée cloîtrée dans sa chambre. Elle n'osa pas se joindre aux autres domestiques, qui festoyaient gaiement en buvant de la bière.

Un peu exubérante, Una lui demanda où elle était passée.

— J'étais dans la cour, mentit-elle. Vous ne m'avez pas vue ?

Una jura que non, mais elle n'avait eu d'yeux que pour le beau valet.

Mared ne quitta sa chambre que le lendemain matin, pour le mariage.

Les Douglas étaient enchantés du temps radieux. Le ciel était clair. Une journée idéale s'annonçait.

Mared enfila sa robe violette et demeura avec Una en lisière de la foule rassemblée pour voir défiler le cortège. Trois cents personnes en faisaient partie, tandis qu'une centaine d'autres invités les attendaient devant l'église. La vieille bâtisse en pierre était trop petite pour accueillir tout le monde, de sorte que domestiques et villageois attendraient à l'extérieur.

Mared et Una se postèrent sous un hêtre. Una cherchait Harold des yeux, car elle était tombée follement amoureuse du valet en l'espace de quarante-huit heures. Mared ne prit pas la peine de faire semblant de ne pas guetter Payton.

Comment ne pas le remarquer ? Il faisait partie du cortège familial, superbe dans son costume noir, avec sa chemise à jabot et son gilet vert. À la ceinture, il arborait les couleurs d'Eilean Ros.

Derrière lui et ses cousins se pressaient deux jeunes filles qui jetaient des pétales de roses sur le chemin qu'emprunterait la mariée.

— Elle est magnifique, commenta Una en la découvrant.

Vêtue d'une somptueuse robe crème, elle portait une couronne de bruyère et un bouquet de roses. Le son de la cornemuse se mit à résonner pour l'accueillir.

Les Douglas entrèrent dans l'église, suivis par la mariée et son père.

Les spectateurs massés à l'extérieur n'entendirent rien de la cérémonie. Mared tenta de s'approcher de la porte. Elle ne voyait pas les mariés, mais percevait les paroles du pasteur. Bientôt, les vœux furent échangés.

Au terme de la célébration, le couple s'embrassa sous les applaudissements nourris de la foule. Mared recula pour les regarder sortir de l'église, main dans la main. Ils rejoignirent la voiture qui les attendait pour regagner le château, sous les hourras, au son de la cornemuse.

Mared ne vit pas Payton, sans doute perdu au milieu de cette agitation.

Le repas de mariage avait lieu en deux endroits différents. Pour les domestiques, dans les anciennes écuries, et pour la famille et les invités, au château. Après le repas viendrait un moment de repos, puis la fête commune où tout le monde festoierait quel que soit son rang, en fin d'après-midi, avant le grand bal. Pour finir on accompagnerait les jeunes mariés jusqu'à la suite nuptiale.

Après le repas, Mared et Una réintégrèrent donc leur chambre pour une courte sieste, avant la suite des festivités.

Hélas, Mared ne trouva guère de repos. Amoureuse de Harold, Una ne parvenait pas à se taire plus de deux minutes. Elle ne cessa de vanter les qualités de son bien-aimé, de dépeindre ce qu'elle ressentait quand il l'embrassait.

Mared ne supportait pas de l'entendre parler de la sorte. Elle aussi avait envie d'aimer. Mais elle était habituée à refouler ses sentiments.

Una la coiffa avec soin tout en babillant sur Harold. Mared soupira. Peut-être se marierait-elle aussi, un jour ? Elle aurait des enfants, des enfants aussi beaux et bien portants que le petit Duncan. Elle espérait être aimée et non plus redoutée, et surtout qu'aucun homme ne meure pour l'avoir aimée.

Cet espoir lui redonna courage. Quand elle enfila la robe bleue, avec l'aide d'Una, elle ne put s'empêcher d'admirer son reflet dans le miroir. Jamais elle n'avait été aussi élégante. Elle avait vraiment un port altier, dans cette tenue. Comme par miracle, le regard que Payton avait posé sur elle, derrière les écuries, semblait avoir fait d'elle une femme superbe.

— Mademoiselle Lockhart ! s'exclama Una dans son dos. Vous êtes encore plus belle que la mariée !

Mared se mit à rire.

— Donnez-moi les roses, dit-elle en désignant un vase posé sur le rebord de la fenêtre. Nous allons en glisser dans nos cheveux, qu'en pensez-vous ?

Una était ravie. C'est donc les cheveux parsemés de roses et avec les bijoux que lui avait prêtés Ellie, que Mared se présenta sur la vaste pelouse du château.

Aussitôt, elle sentit tous les regards converger vers elle. Certains semblaient la craindre, d'autres – masculins – ne masquaient pas leur admiration… et leur désir.

Ce succès fit naître un sourire sur les lèvres de Mared.

Les mains croisées dans le dos, elle et Una se postèrent près d'un pin pour scruter la foule et écouter les discours et les toasts. Le soleil couchant était superbe sur les eaux calmes du lac. La foule scanda le nom des mariés, réclamant un baiser.

Quand le soleil eut sombré derrière les collines, on alluma de grands feux de joie annonçant le début des réjouissances. Des joueurs de cornemuse apparurent sur une estrade et entonnèrent des airs entraînants.

Una aperçut Harold. Étouffant un cri de joie, elle demanda à Mared si elle pouvait la laisser seule pour rejoindre le jeune homme. Celle-ci accepta volontiers.

Très vite, elle sentit un regard posé sur elle et se retourna.

Il se tenait à distance, mais Mared le reconnut sans peine. Son cœur s'emballa. Toujours vêtu de son costume traditionnel, il l'observa d'un air approbateur.

Elle lui adressa un signe de tête et lui sourit.

Payton lui répondit.

Elle désigna sa robe. Il arqua un sourcil. La jeune femme se tourna pour lui faire admirer la traîne, avant de faire une révérence en riant.

Payton s'inclina, puis il s'avança vers elle, sans se presser, sans la quitter des yeux. Le cœur de la jeune femme battait de plus en plus fort à mesure qu'il s'approchait.

Quand il la rejoignit enfin, elle avait l'impression de ne plus toucher terre.

— Bonsoir, mademoiselle Lockhart, dit-il en la dévorant des yeux, un sourire canaille au coin des lèvres.

— Bonsoir, monsieur.

— Vous êtes très en beauté. J'avoue que je suis abasourdi.

— Merci, dit-elle, aux anges. Je constate que le costume traditionnel vous sied à merveille. Je me suis souvent demandé si vous étiez un véritable Écossais.

— Je devrais m'offusquer, car je suis aussi écossais que vous êtes belle, dit-il en s'adossant au tronc d'arbre.

Elle se mit à rire, en parcourant la foule du regard. Plusieurs danseurs tournoyaient déjà.

— Vous me flattez, mais vous savez très bien que je ne m'en laisserai pas conter.

— N'en soyez pas si sûre, car je n'ai pas encore commencé mes flatteries.

— Vous perdez votre temps.

— J'ai la ferme intention de persister, et rien ne m'en empêchera. Une femme aussi superbe mérite tous les compliments du monde.

— Hum…

— C'est la première fois que je vous vois dans cette robe. Je m'en souviendrai… reprit-il en s'attardant sur son décolleté. Vous êtes la plus belle de la soirée, je puis vous l'assurer.

Il la toisa d'un œil admiratif, contemplant sans vergogne ses courbes féminines, ses hanches, ses seins, avant de remonter vers ses lèvres.

Elle avait l'impression que son regard avait le pouvoir de consumer la soie de sa robe. D'instinct, elle porta la main à son décolleté.

— Comment avez-vous trouvé ce mariage? s'enquit-elle.

— Très réussi, répondit-il distraitement en contemplant ses cheveux. Comme tous les mariages.

— J'ai un peu de peine pour la pauvre mariée, soupira Mared en s'éventant. Il faut être folle pour épouser un Douglas. Elle ne connaîtra que tristesse et frustration tout au long de son existence.

— Mieux vaut un Douglas qu'un Lockhart, qui dilapiderait sa fortune par son attachement stupide à l'élevage bovin, répliqua Payton en effleurant la clavicule de la jeune femme du dos de la main.

Mared retint son souffle.

— La mariée est issue d'une famille de bergers, je suppose.

— Naturellement. Un Douglas pourrait-il épouser une autre femme? marmonna-t-il en descendant le long de son bras.

Elle était en train de se liquéfier.

— Non, admit-elle en parcourant la foule d'un regard anxieux. Il doit avoir la certitude de pouvoir régenter sa vie.

Il rit et prit sa main dans la sienne.

— De toute évidence, vous n'avez pas entendu les paroles du pasteur. Dans son sermon, il a rappelé qu'une épouse doit obéissance à son mari.

Cette précision amusa Mared, qui le laissa déposer un baiser sur sa paume. Aussitôt, elle fut parcourue d'un frisson délicieux.

— Balivernes! commenta-t-elle. Un mari doit honorer sa femme, et la respecter. Hélas, je n'ai rien entendu de la cérémonie, à part la conclusion, qui ne m'a pas plu non plus, d'ailleurs, car elle était erronée.

— Vraiment? Dites-moi ce qui vous a contrariée à ce point, que je puisse rétablir la vérité.

Il embrassa la peau délicate de son poignet.

— Très bien, murmura-t-elle en prononçant une phrase en gaélique.

— «Jusqu'à ce que la mort vous sépare»? traduisit Payton. Je ne vois pas en quoi cela peut être faux!

Il piqua un baiser dans le pli de son bras.

— À moins, bien sûr, que vous ne croyiez pas qu'une femme puisse rester fidèle à son mari sa vie durant...

— Soyez assuré que je crois en la fidélité, mais je n'aime pas qu'on évoque la mort. Selon moi, il faut se promettre fidélité pour l'éternité.

Ces propos lui firent lever les yeux.

— Vous êtes très romantique, dit-il en contemplant ses lèvres. Quand je pense que, durant tout ce temps, je croyais qu'il n'y avait pas une once de romantisme dans votre... cœur.

Son regard plongea dans son décolleté.

— Vous seriez surpris, monsieur.

— Vraiment? Je suis tout ouïe.

— Et moi, je meurs de faim, répliqua-t-elle un peu lâchement.

Elle se dirigea vers les buffets, non sans s'assurer que Payton la suivait.

Il était bien là, tel un lion guettant sa proie.

En la rattrapant, il la prit par le bras.

Il y avait de quoi nourrir une armée entière. Payton garnit une assiette de gibier et de terrines. Mared prit une carafe de vin que lui tendait un domestique. Payton la conduisit vers un coin herbu d'où ils pourraient observer danseurs et attractions.

Ils s'installèrent côte à côte comme s'ils formaient un couple. Fidèle à la tradition, la mariée entreprit de sauter par-dessus un balai porte-bonheur, mais un chien s'en empara et s'enfuit, sous les yeux effarés de trois valets qui le prirent en chasse. Mared et Payton rirent de bon cœur.

Ils dégustèrent de la grouse rôtie, divers pâtés et pâtisseries. L'ambiance était légère, à l'image du cœur de Mared. Pour une fois, elle se sentait à sa place. Payton avait le don de la mettre à l'aise. Plusieurs parents les rejoignirent. Lorsqu'il la présenta comme étant une Lockhart, ils ne cachèrent pas leur étonnement, ce qui procura à la jeune femme une certaine satisfaction.

Ce qu'elle ressentait était un sentiment nouveau qu'elle ne parvenait pas à identifier, une sorte de chaleur bienfaisante...

À la nuit tombée, les convives avaient bien bu et se mirent à danser. Alan se présenta et invita Mared à un quadrille. Ils se joignirent à un groupe de huit, tournoyant gaiement. À la fin du morceau, Alan confia Mared à un ami, avec qui elle dansa la gigue. Una insista pour qu'elle danse au moins une fois avec Harold. Puis un cousin Douglas au regard fixé sur son décolleté parvint à obtenir un quadrille.

À l'occasion d'une danse paysanne, elle se retrouva au bras d'Alan, puis fit le tour d'un cercle de danseurs, passant d'un cavalier à l'autre, si bien qu'elle se retrouva auprès de Payton, qui posa la main dans son dos.

— Vous êtes encore plus belle quand vous dansez, glissa-t-il à son oreille.

Elle s'éloigna à nouveau, faisant un pas en avant, un pas en arrière, avant de revenir vers lui.

— Je vais rêver de cette danse dans des circonstances bien plus intimes, ajouta-t-il.

Mared rit de bon cœur en tournant sur elle-même. Malgré elle, elle se retrouva serrée contre Payton. Il sourit en la dévorant des yeux. Elle eut l'impression d'être transpercée par un éclair.

Payton la fit tournoyer avec adresse parmi les feux de joie, la tenant par la main avant de l'éloigner, sans jamais la quitter des yeux.

Enfin, hors d'haleine, ils s'arrêtèrent pour se désaltérer. Un groupe d'invités commençait à se rassembler pour escorter les jeunes mariés vers la chambre nuptiale.

À la lueur dorée des flammes, Mared vit le cortège avancer. Payton plaqua la main dans son dos. Des pensées insensées, nées des propos d'Ellie et d'Anna, lui traversèrent la tête. Elle posa sa chope pour faire face à Payton.

— Que se passerait-il, selon vous, si la mariée était une Lockhart et lui un Douglas ?

Cette question l'étonna.

— Il n'y aurait aucune conséquence, répondit-il.

— Vraiment ? insista la jeune femme, sceptique.

— Non. Ce soir, il n'y aura plus ni Lockhart, ni Douglas, là où ils vont.

— Mais si tel était le cas, comment pourraient-ils oublier qui ils sont ?

— C'est facile, répliqua-t-il avec un sourire, en prenant sa main dans la sienne. Quand un homme aime une femme, son cœur le pousse vers elle. Et si cette femme l'aime aussi, son cœur l'accueille. Alors, les deux cœurs se mettent à battre à l'unisson. Les deux êtres ne font plus qu'un.

Il déposa un baiser sur sa main.

Les exclamations de la foule attirèrent leur attention. Le groupe s'engageait dans l'allée menant au château où des musiciens leur jouaient une sérénade.

Mared plaça sa paume contre la sienne. Leurs doigts s'entrelacèrent.

— Une femme sait-elle quand le cœur d'un homme appelle le sien ?

— Oui. Elle le sait.

— Et vous croyez que ce cœur sait que celui de la femme vient vers lui ? murmura-t-elle.

— Il ne le sait pas... Il l'espère, chuchota-t-il en se penchant pour effleurer ses lèvres d'un baiser.

Lorsqu'il se redressa, Mared l'attira vers lui pour l'inviter à la suivre.

Payton plissa le front.

— Mared...

Elle posa un doigt sur ses lèvres et l'entraîna à nouveau.

Payton lui adressa un sourire et la prit par le menton pour l'embrasser encore. Puis ils partirent en courant dans la nuit.

23

Grâce aux jeunes mariés qui attiraient l'attention de chacun, Payton et Mared purent emprunter l'entrée de service en toute discrétion. Dans le noir, ils gagnèrent la chambre de Payton, dont il prit soin de verrouiller la porte.

Il se tourna vers la jeune femme. Elle avait allumé deux chandelles et se tenait au milieu de la pièce, l'air fragile tout à coup. Son audace avait disparu.

La conscience de Payton lui intimait de tout arrêter. Mared valait mieux qu'une liaison clandestine. Troublé par l'invitation de la jeune femme et par son propre désir pour elle, il n'avait pas vraiment réfléchi à ce qu'elle lui proposait.

Comme lui, elle avait succombé à l'atmosphère festive, car c'était une femme passionnée. Toutefois, elle n'avait pas l'habitude de se montrer déraisonnable. En l'observant, il se dit qu'elle regrettait peut-être son impulsion.

— N'ayez crainte, dit-il doucement, bien décidé à se comporter en gentleman.

Mared écarquilla les yeux. Son châle en soie glissa de ses épaules sans qu'elle s'en rende compte.

— Allez, déshabillez-vous, murmura-t-elle.

Étonné, Payton s'esclaffa.

— Toujours aussi directe, *leanman* !

— Je ne prétends pas savoir comment... au juste, dit-elle d'une voix plus assurée. Mais ce que je sais, c'est que vous devez vous déshabiller.

Elle semblait déterminée. Payton fit un pas vers elle et ôta sa veste.

— On peut très bien le faire tout habillés, mais c'est bien meilleur dans le plus simple appareil, admit-il.

Elle esquissa un sourire de satisfaction.

— Et le gilet…

Il dénoua son foulard qu'il jeta à terre, puis se débarrassa de son gilet. Il la rejoignit et posa les mains sur ses bras, caressant sa peau satinée.

— Si cela ne vous ennuie pas, c'est à l'homme de prendre l'initiative.

— Pourquoi?

— Pourquoi? Parce que c'est ainsi, surtout lorsque la femme n'a guère d'expérience.

— Est-ce une règle absolue? demanda-t-elle, les sourcils froncés.

— Non, Mared. Mais les hommes préfèrent prendre l'initiative, et non être dominés.

— Cela ne rime à rien, car…

Il la fit taire d'un baiser. Mared gémit de plaisir et entrouvrit les lèvres, levant la tête pour mieux l'accueillir.

Mais Payton s'interrompit.

— Dis-moi pourquoi? murmura-t-il.

— Pourquoi? répéta-t-elle, troublée.

— Pourquoi ceci, maintenant?

Cette question la fit redescendre sur terre. Elle se redressa et fixa le col ouvert de la chemise de Payton. Puis elle se mordit les lèvres, hésitante.

— Parce que…

— Parce que quoi?

— Parce que… je me suis rendu compte que… tu n'étais pas aussi repoussant que… que je l'ai cru, naguère.

— Tu m'en vois ravi, dit-il en se penchant pour humer le parfum de ses cheveux.

Elle saisit le tissu de sa chemise et s'y agrippa comme si elle avait peur de tomber.

244

— Je voulais dire… que tu es…

Elle s'agrippa plus fort tandis qu'il effleurait sa tempe de ses lèvres.

— Vous voulais-tu dire? chuchota-t-il en déposant sur son visage un chapelet de baisers furtifs.

— Que… peut-être… j'éprouve pour toi des sentiments que je niais…

Lorsqu'il l'embrassa dans le cou, elle se mit à trembler de tous ses membres.

— Oui… Continue.

Elle retint son souffle.

— J'ai compris que… le fait que tu sois un Douglas n'a pas d'importance.

Payton n'en croyait pas ses oreilles. Il s'interrompit pour l'observer, craignant qu'elle ne se moque de lui.

— Cela me paraît superflu, désormais, précisa-t-elle en rougissant.

Il se garda de crier victoire. Jamais il n'avait entendu de plus douces paroles.

— Tu sembles être moins un Douglas qu'un… homme, ajouta-t-elle.

— Je t'assure que je suis les deux à la fois.

— Mon cœur a chaviré, Payton. Il a entendu l'appel de ton cœur et est venu à sa rencontre. J'ignore quand cela s'est produit.

Cet aveu ne fit qu'attiser la passion dévorante de Payton. Il se sentit soudain envahi d'un bonheur indicible. Il prit son visage entre ses mains et l'embrassa avec une ferveur décuplée. Glissant les bras autour de sa taille, il la serra contre lui.

— Si tu savais combien j'ai rêvé d'entendre ces paroles, Mared… avoua-t-il.

Puis, à contrecœur, il la relâcha et s'écarta de la jeune femme.

— Qu'est-ce que tu fais? demanda-t-elle, abasourdie.

— Quelque chose dont je ne me serais jamais cru capable. Je refuse de te prendre comme une vulgaire catin. Je te respecte trop.

Mared tressaillit. Le front plissé, elle croisa les bras, l'air furibond. Il avait apprécié son aveu, mais entendait lui tourner le dos ?

— As-tu une idée du courage qu'il m'a fallu pour m'offrir à toi ? s'exclama-t-elle.

— Certes, mais je suis un gentleman qui tient à respecter ta vertu.

— Comme si ma vertu avait la moindre importance, à tes yeux !

— Mared ! lança-t-il, les mains sur les hanches. Tu es très belle, et pleine de fougue, mais je ne puis commettre une telle erreur.

Elle esquissa un sourire narquois, en saisissant la ceinture de Payton.

— Comme si un Douglas était capable de déterminer l'ampleur de ses erreurs... Un vrai gentleman n'oblige pas une femme à demander trois fois.

Payton baissa les yeux vers ses mains, sur sa ceinture.

— Tu sais vraiment ce que tu fais ?

Elle se hissa sur la pointe des pieds et l'embrassa à la commissure des lèvres.

— J'espérais que tu me montrerais comment procéder...

Elle décela un changement dans son regard. Il l'enlaça.

— Je vais te montrer, car je te désire, Mared. Depuis toujours. Je veux goûter la saveur de tes lèvres, de ta langue. Je veux sentir ton souffle sur ma peau, je veux m'insinuer en toi, t'emplir de mon amour et faire de toi la mère de mes enfants, je te le jure...

Mared poussa un long soupir et pencha la tête en arrière.

— Je te demande simplement de réfléchir avant de m'accueillir dans ton lit, car je prendrai aussi ta vertu, gémit-il.

— Je crois que c'est toi qui vas m'accueillir dans ton lit, murmura-t-elle en lui offrant la peau satinée de son cou.

Dans un râle de désir, Payton dénuda les épaules de la jeune femme, puis déboutonna vivement sa robe.

— Tu vas ressentir une légère douleur, la prévint-il.

— Je sais.

— Et je ferai à jamais partie de toi. Y as-tu songé ?

— Payton, faut-il vraiment que tu sois aussi bavard ?

Il se tut et lui sourit.

— Dieu nous vienne en aide, reprit-il en la soulevant dans ses bras.

Il la dévêtit avec l'adresse d'un homme d'expérience. Mared sentit la soie glisser le long de son corps. Aussitôt, les mains de Payton explorèrent ses bras, ses seins, ses hanches, ses jambes. Autour d'elle, tout se mit à tourner. Enveloppée d'une douce chaleur, elle en voulait toujours davantage.

N'y tenant plus, elle ôta elle-même sa camisole, exposant ses seins au regard avide de Payton, qui les cueillit dans ses paumes. Puis il se pencha pour saisir entre ses lèvres un mamelon dressé.

Mared ne put réprimer un gémissement de plaisir. Elle agrippa les larges épaules de Payton tandis qu'il se penchait vers son autre sein. Jamais elle n'avait ressenti de telles sensations dans le creux de son ventre.

Ses jambes se mirent à trembler. Elle redressa la tête et prit la main de Payton. Face à son regard sombre, voilé de désir, elle se sentit libre, capable de séduire un homme aussi superbe. Elle ignorait le pouvoir qu'une femme pouvait avoir, et ce sentiment lui plaisait.

Soudain, il l'emprisonna contre une colonne du lit et se mit à la dévorer de baisers fébriles. Ses mains traçaient des sillons brûlants sur sa peau. Enfin, il glissa les doigts entre ses cuisses. La jeune femme se cambra pour mieux s'offrir à lui.

Elle flottait dans un océan de délices, attisée par le désir vibrant de Payton. Plus rien n'existait à part ce plaisir qui montait en elle.

La bouche de Payton glissa sur le ventre de la jeune femme. Très vite, elle se trouva entièrement nue entre ses bras.

Il lui écarta les cuisses et les couvrit de baisers. Mared prit sa tête entre ses mains, gémissant de plaisir. En sentant ses lèvres posées sur son intimité, elle retint son souffle.

— Qu'est-ce qui te prend ? Cela… ne se fait pas !

— Mais si, assura-t-il en riant doucement.

Sa langue se mit à explorer les replis humides. Très vite, elle rejeta la tête en arrière pour s'abandonner à ces caresses, qu'elle n'aurait jamais imaginées, même dans ses rêves les plus fous. Du bout de la langue, il titilla le cœur de son plaisir jusqu'à provoquer des spasmes de volupté.

Engloutie par ces sensations nouvelles, Mared gémit. Payton intensifia ses coups de langue, approfondit ses caresses.

Malgré elle, la jeune femme épousa son rythme, agrippée à la colonne du lit. Elle ondula sans retenue contre sa bouche. Payton lui maintenait fermement les jambes pour mieux la tourmenter. Bientôt elle atteignit l'extase, dans une explosion de lumière. Elle eut l'impression de flotter sur un nuage de plaisir intense, pour dériver loin de tout.

Elle l'aimait. En cet instant magique, elle en eut la certitude. C'était bien de l'amour qui lui rongeait le cœur depuis des mois, un amour qui venait d'exploser.

Dans la torpeur qui suivit, elle sentit qu'il l'allongeait sur le lit. Il lui caressa le ventre et les seins, puis les jambes, pour remonter entre ses cuisses.

Nue et repue, elle sourit. Il ôta une à une les épingles de ses cheveux. Puis elle l'attira dans ses bras.

Elle aimait le contact de son corps contre le sien, la puissance de ses gestes, qui exprimaient aussi son respect pour elle. Elle avait maintes fois rêvé de connaître l'amour dans les bras d'un homme, mais n'aurait jamais imaginé ces sensations uniques.

— Tu es si belle, Mared...

Sa voix rauque la troubla. Quand il s'écarta d'elle un instant, elle se sentit désirable et merveilleusement sensuelle.

Elle se dressa sur les avant-bras, pour le regarder se dévêtir à son tour. Elle contempla son corps ferme, ses muscles saillants.

Sa virilité était dressée au cœur d'une toison dorée.

Nu face à son regard, Payton la dévora des yeux.

— On dirait que vous avez retrouvé toutes vos capacités, monsieur, dit-elle d'un air mutin.

Il rit et vint s'allonger sur elle.

— Tu sais donc que je t'aime?

— Je m'en doutais, admit-elle.

— Eh bien, oui, je t'aime, dit-il le plus sérieusement du monde. Je t'aime depuis notre enfance, et je n'ai jamais cessé de t'aimer.

Ces paroles enchantèrent la jeune femme, qui sentit son cœur se gonfler de joie. Il se mit à lui mordiller le cou, puis l'embrassa. Quand il lui murmura encore son amour, elle ferma les yeux. Son cœur battait au même rythme que le sien.

Payton la prit par la taille.

— J'ai tant rêvé de t'enlacer, Mared, de t'aimer.

Doucement, il lui écarta les jambes. Elle sentit l'extrémité de son membre entre ses cuisses.

— Je suis un homme heureux, ce soir, mais il est encore temps d'arrêter si tu le souhaites...

Elle étouffa un rire, le prit par le menton et l'embrassa avec passion.

— Continue, ordonna-t-elle.

Les muscles tendus, il se plaqua contre elle. Mared retint son souffle.

— Tu vas souffrir un peu...

— Vas-y, murmura-t-elle en lui caressant la joue.

Il soupira et s'insinua en elle avec de légers mouvements de reins. Puis il poussa plus fort.

— Serre-moi, souffla-t-il en se dressant sur les avant-bras. N'oublie pas que je t'aime.

Mared l'enlaça, les yeux fermés, et enfouit le visage dans le creux de son épaule. Elle avait l'impression que les efforts qu'il déployait pour se retenir, pour ne pas la brusquer, épuisaient toutes ses forces. Il lui caressa les cheveux, lui répéta inlassablement qu'il l'aimait. Soudain, il la pénétra totalement d'un coup de reins puissant.

Le cri de douleur de la jeune femme fut étouffé.

— Là, là, murmura-t-il. La douleur va se dissiper très vite…

Il ne mentait pas. Dès les premiers mouvements de va-et-vient, elle eut l'impression qu'ils étaient faits l'un pour l'autre.

À présent, elle comprenait.

Elle comprenait ce qu'il voulait dire en affirmant qu'il ferait partie d'elle à jamais. En cet instant magique, elle n'imaginait pas pouvoir se séparer de lui.

Ses coups de reins s'intensifièrent. Elle n'eut aucun mal à épouser son rythme, les jambes repliées sur lui. Payton avait le souffle court. Il se redressa, le regard voilé de désir, et se mit à l'embrasser avec ardeur. Puis il ferma les yeux pour se répandre en elle au terme d'un ultime spasme de plaisir.

Elle sentit sa semence dans son ventre tandis qu'il murmurait son prénom. Il s'écroula près d'elle et la prit tendrement dans ses bras pour l'embrasser sur le front.

— Mared, chuchota-t-il dans ses cheveux. *Tha gaol aga mort*.

Elle l'aimait, elle aussi.

24

Allongés dans le lit à baldaquin, à la lueur des chandelles, ils avaient oublié le monde extérieur et le passé, pour partir à la découverte l'un de l'autre. Ce fut un moment de paix et de bonheur qu'ils n'avaient jamais connu. Ils ne formaient plus qu'un. C'était irréel.

Peu avant l'aube, Payton aida Mared à s'habiller. D'un tendre baiser, il la chassa vite, avant que quelqu'un ne la surprenne.

Il s'habilla à son tour et prépara ses bagages. Ils repartaient pour Eilean Ros dans la matinée. Il ordonna à Alan et à Charlie de se hâter, car il était impatient de rentrer chez lui, où ses rêves pourraient enfin se concrétiser.

Par cette belle matinée ensoleillée, il était persuadé qu'Eilean Ros allait enfin résonner de rires d'enfants. Ce qui venait de se produire entre Mared et lui changeait tout.

Il prit congé de sa famille. En croisant le regard de Mared, il lui fit un clin d'œil avant de monter dans la voiture. Ils avaient choisi de ne pas voyager ensemble pour ne pas éveiller les soupçons. Payton était impatient de rendre visite aux Lockhart pour leur faire part de la bonne nouvelle. Ensuite, il réunirait peut-être son personnel pour l'en informer, avant l'annonce officielle.

Lorsque le convoi fit halte pour la nuit, Payton voulut s'attarder pour échanger quelques mots avec Mared, mais ses domestiques refusèrent toute aide de sa part, de sorte qu'il se sentit obligé d'entrer dans l'auberge afin de sauver les apparences.

Même plus tard, en buvant une bière dans la salle, il ne parvint pas à aborder Mared en l'absence d'Una. Il dut se résigner à attendre leur retour à Eilean Ros, le lendemain soir.

Au matin, un essieu de la seconde voiture se brisa. M. Haig, le cocher, lui annonça qu'il ne pouvait effectuer les réparations : il fallait un nouvel essieu.

— Prenez Charlie et Alan et filez au prochain village, répondit-il en lui tendant quelques pièces de monnaie. Je reste avec les femmes.

— Bien, monsieur.

Il ne restait qu'Una, songea-t-il. En se tournant vers les deux jeunes femmes, il surprit le sourire de Mared qui resserra son *arisaidh* sur ses épaules. Una semblait s'ennuyer à mourir et observait les arbres.

— Je me demande pour combien de temps ils en ont, dit Mared.

— Au moins deux heures, peut-être davantage, répondit Payton.

Elle jeta un coup d'œil furtif à Una.

— Si vous le permettez, monsieur, je crois que je vais dormir un peu.

— Prenez ma voiture, proposa-t-il, voyant où elle voulait en venir. Vous pourrez vous reposer toutes les deux.

Una écarquilla les yeux.

— Dans votre voiture, monsieur ? Oh, non ! Nous attendrons aussi bien sous un arbre.

— J'insiste, Una. Je ne serais pas tranquille si vous dormiez en plein air, à la merci de toutes ces bêtes affamées qui rôdent.

Il n'en fallut pas davantage. Apeurée, Una ne se fit plus prier. En montant dans la voiture à son tour, Mared adressa à Payton un sourire complice.

Il n'eut pas longtemps à attendre. Un quart d'heure plus tard, assis sous un pin, il vit la portière se rouvrir. Mared descendit avec précaution et la referma en silence. Puis elle courut vers Payton et tomba à genoux devant lui en riant.

— Elle dort ?

— Comme un nourrisson !

Il se leva et prit Mared par la main pour l'entraîner dans la forêt.

— Où allons-nous ? s'enquit-elle.

— Quelque part où je pourrai t'embrasser à loisir, car tu m'as beaucoup manqué.

Ils marchèrent jusqu'à une rivière à flanc de colline. Enfin, il enlaça la jeune femme et l'embrassa avec ferveur. Depuis trente-six heures, il brûlait de la retrouver.

Plaquée contre lui, Mared lui rendait son baiser avec abandon. Il la poussa contre un tronc d'arbre pour mieux goûter la saveur de sa bouche.

Lorsqu'il releva la tête, Mared effleura du bout du doigt le contour de sa lèvre inférieure.

— Tu m'aimes ?

— Oui, répondit-il. Depuis toujours.

Elle prit son visage dans ses mains pour l'embrasser encore. Cela suffit à déchaîner les ardeurs de Payton. Depuis cette nuit magique, il ne mangeait plus, ne ressentait plus rien que le besoin d'être avec elle. Il saisit les jupons de la jeune femme.

— Qu'est-ce que tu fais ? murmura-t-elle quand il eut trouvé le haut de son bas, pour caresser la peau dénudée de sa cuisse.

— Je te veux, souffla-t-il.

— Mais, Una... commença-t-elle en regardant en direction de la voiture.

— Elle dort, lui rappela-t-il en glissant un doigt entre ses jambes.

Mared eut un sourire sensuel.

— Vous êtes bien coquin, monsieur, de séduire votre gouvernante, railla-t-elle d'une voix rauque.

— Et vous, bien coquine de m'avoir séduit d'un sourire.

Mared ferma les yeux et appuya la tête sur le tronc d'arbre. Elle leva une jambe.

— Una risque de se réveiller… souffla-t-elle.

— Alors il ne faut pas faire trop de bruit.

— Et les autres ? S'ils revenaient ? insista-t-elle en glissant une main entre leurs corps pour effleurer le renflement viril de son pantalon.

— Faisons vite, chuchota-t-il.

D'une main, il pressa la jambe fuselée de la jeune femme, qu'elle avait enroulée autour de sa taille. De l'autre, il déboutonna son pantalon. Il se mit à la caresser jusqu'à la rendre folle.

— Je me sens défaillir quand tu me fais cela, gémit-elle.

— Défaillir ? Moi, je suis en feu.

Il s'insinua en elle sans attendre et donna un puissant coup de reins.

Plaquée contre lui, elle gémit de plaisir.

Il amorça son mouvement de va-et-vient sensuel en observant le visage de la jeune femme, qui irradiait le plaisir. Il atteignit l'extase quelques secondes après elle.

Mared laissa glisser sa jambe à terre tout en embrassant tendrement les lèvres de Payton.

Ils demeurèrent enlacés, à échanger des baisers, savourant la sensation d'être ensemble à nouveau, se murmurant des mots doux.

Au loin, un bruit les ramena vivement à la réalité. Payton donna un dernier baiser à la jeune femme, puis l'aida à remettre de l'ordre dans ses jupons. Il la prit par la main pour la raccompagner à la voiture.

Plus tard, lorsque les hommes eurent changé l'essieu, il se dit que son avenir ne se trouvait qu'à quelques heures de route, plein de promesses.

Ils arrivèrent en fin d'après-midi. Tandis que les domestiques se chargeaient des bagages, il se retira dans son bureau pour ouvrir son courrier. À peine avait-il commencé que Beckwith lui annonça la visite des Lockhart.

Croyant qu'ils étaient venus voir Mared, il alla les rejoindre dans le salon vert. Mared était déjà parmi eux, tenant le fils de Liam dans les bras.

— Bonjour à vous ! lança Carson en le voyant entrer.

— Bonjour, monsieur, répondit-il.

Mared était décidément très belle, avec un enfant dans les bras. Serait-elle un jour la mère de ses enfants ? En avait-elle autant envie que lui ?

— Vous êtes très aimables d'être venus souhaiter la bienvenue à votre fille à l'occasion de son retour à la maison.

— Il semble qu'elle soit revenue pour de bon, déclara Griffin, près de la cheminée.

Payton remarqua son sourire radieux.

— Nous avons en effet une merveilleuse nouvelle pour tous, ajouta-t-il.

— De quoi s'agit-il ? s'enquit Mared. Je brûle de le savoir !

— Hugh MacAlister est de retour.

Payton en eut le souffle coupé.

— Comment ? s'exclama Mared, abasourdie.

— Non seulement il se trouve en Écosse, mais à Talla Dileas, encore poursuivit fièrement Griffin. Il est rentré et nous a rapporté la bête.

L'espace d'un instant, Payton n'entendit plus rien. Seuls les battements de son cœur résonnaient dans sa poitrine.

Quant à Mared, elle semblait pétrifiée. Elle fixa Payton. La femme de Liam vint lui prendre l'enfant.

— Hugh MacAlister est à Talla Dileas ?

— Enfermé dans les oubliettes, précisa Liam. Il ne risque pas de nous échapper, cette fois.

— Il y a autre chose, déclara lady Lockhart en prenant les mains de sa fille dans les siennes. Mared ! Nous sommes débarrassés de la malédiction !

Mared écarquilla les yeux.

— Je ne comprends pas…

— Après avoir récupéré la bête, nous l'avons emportée chez le forgeron d'Aberfoyle pour la faire découper en morceaux. Dans le ventre de la statuette se trouvait une émeraude sur un lit de paille.

— Une émeraude de la taille d'un œuf ! renchérit Liam.

— Une émeraude ? répéta Mared, ahurie.

— Tu ne comprends donc pas ? fit sa mère en serrant ses mains dans les siennes. Réfléchis ! La malédiction oblige les filles de la famille à regarder dans le ventre de la bête avant de pouvoir se marier. La première lady Lockhart a offert la bête à sa fille, n'est-ce pas ? Ce devait être une sorte de dot dissimulée dans cette affreuse statuette. Au fil des ans, cette histoire de dot s'est transformée en légende.

— Mais… aucune fille Lockhart ne s'est jamais mariée !

— Justement à cause de cette malédiction, expliqua Griffin. Mère a lu les journaux de notre grand-père. La fille de la première lady Lockhart, à qui cette émeraude était vraisemblablement destinée, s'est suicidée après que son amant eut été abattu par son père pour s'être rallié aux Stuarts. La deuxième fille s'est noyée dans le fleuve, avec son amant, alors qu'ils cherchaient à s'enfuir pour se marier en cachette. Il y a également eu quelques filles au physique ingrat. Il suffit d'observer les portraits de famille pour le vérifier.

Mared n'en revenait pas.

— Vous voulez dire que j'étais censée trouver cette émeraude, et non me libérer d'une quelconque malédiction ?

— Précisément, confirma Carson.

Payton eut l'impression que la jeune femme ne savait comment réagir à cette nouvelle. Elle s'écroula sur une chaise et le regarda, avant de détourner aussitôt les yeux. Elle eut soudain le regard vague et parut absente.

Hésitant, il se dirigea vers elle, l'esprit en émoi, mais Griffin le précéda.

— Tu comprends ce que cela implique, n'est-ce pas ? Tu es libre, désormais !

— Oui, Mared, ajouta sa mère, folle de bonheur. Libre !

Mared se contenta de les fixer, au bord des larmes.

— La malheureuse ! s'amusa Carson. Elle ne s'en remet pas.

Aila étreignit sa fille, puis Liam l'embrassa à son tour.

— Je suis libre ? demanda-t-elle à son père.

Griffin sourit à Payton.

— Voilà, Douglas, déclara-t-il. Nous sommes en mesure de rembourser notre dette. Tu peux libérer notre sœur.

Abasourdi, Payton chercha ses mots, mais il était incapable de réfléchir. Agrippée à sa mère, Mared semblait à la fois soulagée et triste. Les autres membres de la famille ne paraissaient guère s'en soucier.

— Quand comptez-vous me régler ? demanda-t-il à Griffin, désireux de gagner un peu de temps.

— Voyons… Cette semaine, nous devons tous nous rendre à Édimbourg. Nous te verserons la somme et les intérêts ensuite. Cela te convient-il ?

Non, jamais Payton ne serait satisfait de cette situation. Il venait à peine de trouver le bonheur, et voilà que les Lockhart entendaient l'en priver.

— Et l'autre aspect de notre accord ? insista-t-il. Qu'en est-il de Mared ?

— Ah, fit Griffin, la mine grave. Tu ne vas tout de même pas la retenir à ton service alors que nous avons trouvé un moyen de te rembourser…

— Vous voulez l'emmener sur-le-champ et me laisser sans gouvernante ?

— Je me moque comme d'une guigne que tu n'aies plus de gouvernante, Douglas ! répliqua Griffin avec un sourire de triomphe. Tu ne garderas pas notre sœur à ton service une minute de plus.

Mared ne méritait pas d'être une esclave. Payton voulut se convaincre qu'elle n'était plus sa gouvernante et qu'ils pouvaient désormais se marier normalement. Dès cette semaine, peut-être.

Mais une petite voix intérieure lui disait que c'était impossible. Tout espoir était mort lorsqu'elle avait murmuré : « Je suis libre. »

— Écoute, Douglas, nous savons combien tu apprécies notre sœur, reprit Griffin. Mais nous ne pouvons accepter qu'elle passe une nuit de plus en tant que domestique. Nous l'emmenons dès aujourd'hui.

Payton le foudroya du regard.

— Je vous demande de me rembourser le plus vite possible. Dans le cas contraire, je prendrai les mesures qui s'imposent.

Griffin opina.

— Je vais dire à une femme de chambre de rassembler ses effets, conclut Payton en sortant dans le couloir vide, où l'écho de ses pas lui parut assourdissant.

Tout s'était déroulé si vite que Mared ne prit pas tout de suite conscience qu'elle quittait Eilean Ros, qu'elle était libérée du fardeau de cette malédiction. Et qu'elle quittait Payton... Elle ne parvenait pas à réfléchir. Son esprit était tourmenté par mille sentiments contradictoires. Les membres de sa famille se montraient exubérants. Ils évoquaient déjà ce qu'ils allaient acheter à Édimbourg. Il était difficile de ne pas se laisser gagner par l'enthousiasme général.

Toutefois, elle ne pouvait partager totalement ce bonheur, à cause de Payton.

— Songe aux bals et aux réceptions ! lui dit Ellie, qui l'avait suivie dans sa chambre pour faire ses bagages. Tu seras très courtisée. Tu vas beaucoup t'amuser, tu verras.

La vie à Édimbourg serait bien éloignée du calme des lacs, et de Payton, aussi.

— Et pense à toutes ces belles robes que tu pourras t'offrir ! poursuivit Ellie. Tu n'auras plus à porter cette vieille robe violette. Tu n'es pas heureuse ?

— Je suis ravie d'être libérée de cette malédiction, répondit-elle. Et cela fait longtemps que je rêvais de partir.

Elle plia quelques vêtements.

— Je sais, tu rêvais de te rendre à Édimbourg, où la vie est si palpitante !

— Oui, à Édimbourg, acquiesça-t-elle sans enthousiasme.

Édimbourg, où il y avait tant de gens à rencontrer... mais pas Payton.

— Qu'est-ce qui te rend si triste ? s'enquit Ellie en riant. Tu devrais être folle de joie !

— Mais je le suis, je t'assure, déclara Mared sans conviction.

— Alors qu'as-tu ?

— Je... je n'arrive pas à assimiler que tout ait changé d'un seul coup, avoua-t-elle, le cœur serré.

— C'est à cause de laird Douglas ? demanda Ellie en pliant la vieille robe violette.

Mared haussa les épaules.

— Tu continueras à le voir, chérie. Mais d'abord, il faut que tu séjournes à Édimbourg, comme tu le souhaitais.

Certes. Elle avait mérité de profiter de la vie à son tour.

— Douglas sera toujours là, à t'attendre. Mais tu dois profiter de ta liberté. Il comprendra, j'en suis certaine. Tu as fait trop de sacrifices jusqu'à présent.

Accompagnée de sa famille, Mared fit ses adieux aux domestiques. Rodina et Una étaient bouleversées, mais quand Mared les prit à part, elle ne songeait qu'à Payton.

— N'oubliez pas le linge de Monsieur, Rodina, dit-elle. Et vous, Una, vous ferez son lit et nettoierez sa chambre.

Una et Rodina se regardèrent.

— Bien, mademoiselle.

Même M. Beckwith semblait attristé par le départ de la jeune femme. Il lui souhaita bonne chance dans sa nouvelle vie.

Quand Alan et Charlie eurent chargé ses bagages, Mared inspecta une dernière fois sa chambre puis sortit d'un pas incertain. Son univers venait de s'écrouler en quelques minutes. Elle avait presque l'impression d'être une autre femme.

Et il y avait Payton, l'homme à qui elle avait offert sa vertu. Que faire ?

La mine triste, il l'attendait près de la charrette, au côté de ses parents. La jeune femme chercha désespérément une chose à lui dire. Elle-même n'était pas certaine d'avoir assimilé ce qui était en train de se passer. De plus, elle n'avait toujours pas compris ce qui s'était produit entre eux à Leven, ce que signifiait vraiment cette nuit d'amour. La seule chose dont elle était certaine, c'était qu'elle l'aimait.

Mais elle avait aussi une autre certitude : la malédiction avait disparu. Elle se sentait plus légère que jamais. Pour la première fois de sa vie, le monde s'offrait à elle. Tout lui était permis.

C'est sans doute pourquoi elle sourit à Payton lorsque sa mère lui tapota le bras en disant :

— Ne soyez pas triste, monsieur. C'est une bonne nouvelle pour Mared, car vous ne vouliez pas qu'elle demeure votre domestique, n'est-ce pas ?

Il ne répondit pas.

Aila ne cachait pas son bonheur.

— Accordez-lui simplement un peu de temps, Douglas, reprit-elle en étreignant son bras. Qu'elle puisse profiter de sa liberté.

Il opina et se tourna vers Mared, qui masqua sa douleur de le quitter.

Elle avait besoin de temps pour réfléchir.

Payton ne lui rendit pas son sourire, mais exprima clairement ses sentiments par son regard. Sans un mot, il lui prit la main et l'aida à monter. Il ne put s'empêcher de serrer sa main dans la sienne, attendant un signe, un mot. Il le méritait... Mais Mared ne sut que dire, que faire.

— Je... Il faut que je réfléchisse, bredouilla-t-elle.

— Je comprends.

Que pouvait-il bien comprendre, alors qu'elle-même n'y comprenait rien ?

— Au revoir, monsieur, dit-elle doucement en dégageant sa main.

La mâchoire crispée, il hocha la tête et recula, tandis que Liam faisait démarrer les ânes, affirmant qu'il allait bientôt acheter le plus beau des attelages.

— Et je ne tolérerai pas la moindre discussion, précisa-t-il, provoquant l'hilarité de sa famille.

Mared avait les yeux rivés sur Eilean Ros et sur Payton dans l'allée, la tête haute, les mains dans le dos. Son expression était indéchiffrable et inquiétante.

25

Au moment du traditionnel verre de porto – l'unique bouteille qu'ils avaient gardée pour une grande occasion –, ils se disputèrent pour savoir s'ils devaient convier Hugh à dîner en leur compagnie. Si les hommes voulaient le laisser croupir dans son cachot, les femmes semblaient plus clémentes.

— Il nous a rendu la bête, affirma Anna. À quoi bon le garder prisonnier ?

— Il a déjà de la chance que nous ne l'ayons pas pendu ! lança Griffin en posant une main protectrice sur le ventre arrondi d'Anna.

— Il fait si froid et si sombre, en bas, dit Natalie à Carson. Il risque d'avoir peur.

— Allons, fit Liam avec douceur. Qu'il reste là où il est.

— Personnellement, j'aimerais bien avoir quelques explications, intervint Mared.

Liam poussa un soupir et se tourna vers son frère.

— Très bien, grommela ce dernier en sortant une clé de sa poche et en la donnant à Mared. Va le chercher. Tu le feras monter ici. Qu'il te donne quelque version rocambolesque des événements. Moi, j'en ai assez entendu.

— Natalie, chérie, va dire à Dudley d'ajouter un couvert pour le dîner, fit Aila.

Hugh n'était plus vraiment enfermé dans un cachot. Il s'agissait d'une pièce du sous-sol sans fenêtre ni chauffage. Mared et ses frères allaient y jouer quand ils étaient petits. La famille y avait naguère rangé des provisions. À la lueur d'une chandelle, Mared descendit les marches de l'étroit escalier et s'arrêta dans un couloir sombre.

Un rai de lumière filtrait depuis la cellule.

— Qui va là ? s'enquit Hugh.

Hugh MacAlister, plus séduisant que jamais, était agrippé aux barreaux de la porte.

— Je ne vous vois pas ! Approchez donc ! Qui est-ce ? Mme Griffin Lockhart ? Anna, Dieu vous bénisse ! Je savais bien que vous viendriez à mon secours. J'ai toujours su que vous m'aimiez davantage que cette crapule !

— Ce n'est pas Anna, Hugh, fit Mared en s'approchant. C'est moi... Votre raison de vivre. Vous vous souvenez ?

— Mared ! s'exclama-t-il avec entrain. J'ai tant espéré que vous viendriez ! Vous m'avez tellement manqué ! Le chagrin de vous avoir perdue a failli me tuer, vous savez.

— Vous me semblez en très bonne santé, répliqua-t-elle en brandissant sa chandelle pour mieux le voir. Vous êtes gras comme un veau. Après tout ce que vous avez fait, vous osez jouer les scélérats !

— Je n'ai rien d'un scélérat ! Je vous ai gardé dans mon cœur, Mared ! Pourquoi croyez-vous que je sois revenu ?

— Griffin m'a dit que vous aviez essayé de dérober la statuette et que vous vous étiez enfui avec une Irlandaise.

— Il cherche à me nuire ! protesta Hugh en se frappant le cœur d'un geste théâtral. Pourquoi répand-il des mensonges aussi cruels ? Non, *leanman*. C'est Mlle Brody qui a subtilisé votre chère statuette. Étant un ami loyal des Lockhart, je l'ai suivie dans l'intention de récupérer votre bien. En Irlande, j'ai failli mourir. Il ne me restait plus qu'à revenir vers vous.

264

— Vous êtes bien galant, railla Mared. Si j'étais vraiment votre bien-aimée, vous m'auriez écrit pour me dire que vous étiez parti pour l'Irlande.

Hugh hésita, puis afficha un sourire béat :

— Mared... je n'avais pas un sou vaillant. Comment aurais-je acheté de l'encre et du papier ? *Leanman*, vous devez me croire...

Elle s'esclaffa.

— Je ne vous croirais pas même si vous étiez le dernier homme sur terre, MacAlister.

Elle glissa la clé dans la serrure pour ouvrir la porte.

Hugh sortit aussitôt et voulut enlacer la jeune femme, sans se soucier de la chandelle qu'elle tenait.

— Seigneur, vous êtes encore plus belle !

Il voulut l'embrasser.

— Jamais je n'aurais cru vous retrouver si ravissante. Vous n'allez pas regretter de m'avoir libéré de ce cahot, murmura-t-il à son oreille.

Mared le repoussa violemment et brandit sa chandelle entre eux.

— Je ne suis pas venue vous sauver, pauvre imbécile ! Je suis venue écouter votre version des faits. Si vous me dites la vérité, vous pourrez dîner à notre table.

— Dîner ? s'exclama-t-il avec enthousiasme.

Il soupira, les mains sur les hanches.

— Je trouve tout de même que vous êtes une très belle femme, Mared. Plus belle encore que la dernière fois que je vous ai vue. Quelque chose a changé, en vous...

À bien des égards, songea-t-elle en désignant l'escalier. Avec un sourire charmant, Hugh lui offrit son bras.

— Si je dois vous escorter, permettez-moi de le faire selon les règles, dit-il avec un regard lubrique.

En se dirigeant vers la salle à manger, il tenta de la convaincre qu'il ne pensait qu'à elle, que son souvenir lui avait permis de survivre dans l'adversité, que c'était pour elle qu'il était revenu à Talla Dileas au lieu de se rendre à Londres, où il aurait pu vendre la statuette et en tirer un bon profit.

En entrant dans la salle à manger, Mared riait de ses tendres murmures, car Hugh était ridicule.

Griffin se méprit sur son hilarité. Dès que Hugh eut franchi le seuil, il l'empoigna et le fit asseoir entre lui et Liam.

— Tu restes à distance de ma sœur, c'est compris ?

— Oui, répondit-il avec un clin d'œil audacieux pour la jeune femme, assise en face de lui.

Mared constata que le repas était bien pauvre, même en comparaison de ce que mangeaient les domestiques à Eilean Ros. Les Lockhart évoquèrent longuement leurs projets. Tous se rendraient à Édimbourg, même Hugh, sauf Anna, Griffin et Natalie qui resteraient à Talla Dileas.

Sur place, ils vendraient l'or et les rubis de la statuette pour régler leurs dettes, et feraient tailler l'émeraude qu'ils vendraient plus tard, selon leurs besoins. L'émeraude était posée sur la table. Mared ne parvenait pas à en détacher le regard. Voilà donc ce qu'elle aurait dû trouver. Ce n'était pas une malédiction. Il s'agissait d'une simple dot ! Comment avait-on pu se méprendre pendant toutes ces années ?

— Combien rapporteront l'or et les rubis ? s'enquit Aila.

— Des dizaines de milliers de livres, assura Griffin.

— Moins cinq pour cent, leur rappela Hugh.

Les hommes de la famille le foudroyèrent du regard.

— Et l'émeraude ? poursuivit Aila.

— Je n'en suis pas certain, fit Griffin, mais elle pourrait valoir des dizaines de milliers de plus.

Plus tard, ils décidèrent de laisser Hugh en liberté. De plus, il avait tout intérêt à les accompagner à Édimbourg pour recevoir son dû. Carson accepta donc de le loger dans une chambre de bonne jusqu'à leur départ.

Les Lockhart étant pressés de tourner la page sur ces mois de pauvreté, la date du départ fut fixée au surlendemain.

Ce soir-là, de retour dans sa chambre, Mared faisait les cent pas devant la cheminée.

Enfin, elle prit une feuille de papier.

À l'honorable laird Douglas, seigneur des moutons et autre bétail douteux, salutations de Talla Dileas.

Elle leva les yeux pour contempler la nuit étoilée par la fenêtre. Elle voulait lui demander comment il se portait, s'il dormait bien, si son lit se retrouvait sens dessus dessous à cause de son agitation, qui s'occupait de sa lessive, désormais.

Remise du choc initial de sa libération, elle ne pensait qu'à Payton, à ce qu'il ressentait. Ils avaient passé une nuit magique à Leven, une nuit qui marquait un tournant dans leur vie. Sans doute avait-elle espéré l'épouser. À présent, elle n'en était plus si certaine. Elle devait vivre toutes ces expériences qui lui avaient été interdites par la malédiction qui pesait sur elle.

J'ai le plaisir de vous informer que nous partons pour Édimbourg dès jeudi pour récupérer notre fortune et régler nos dettes. Naturellement, vous serez le premier remboursé.

Comment puis-je vous laisser ? Comment puis-je ne pas le faire ? Je suis libre désormais, Payton. Libre de voyager, de danser, de me promener parmi le monde sans crainte.

Nous séjournerons à Édimbourg pendant au moins quinze jours, le temps de régler nos affaires. Nous ramènerons peut-être du bétail supplémentaire. Père en parle avec beaucoup d'enthousiasme.

Je ne sais que faire. Je ne sais vers qui me tourner. Je sais simplement que je dois profiter de la vie dont j'ai été

privée à cause de cette malédiction. Je n'ai jamais goûté
à la vraie liberté, au contraire de vous. Pas un seul jour.
Je veux découvrir cette sensation.

Anna et Griffin resteront à Talla Dileas. Moi, je ressens
un besoin irrépressible de découvrir le monde. Voulez-
vous que je reste ? Maintenant que la créance est rem-
boursée, éprouvez-vous toujours les mêmes sentiments
à mon égard ? Vous n'avez rien dit, à part que vous com-
preniez.

Saluez de ma part Una et Rodina. Je penserai à vous
si j'entends parler d'une gouvernante qualifiée dans le
domaine de la lessive.

Bien à vous,

                                                        M

Elle posa sa plume et cacheta le document. Puis,
pour la dixième fois depuis qu'elle avait appris qu'elle
était libre, elle fondit en larmes.

Une pluie glaciale s'abattait sur Eilean Ros. Payton
observait le paysage morne par la fenêtre. Il venait de
relire trois fois la lettre de Mared, y cherchant un signe,
un message entre les lignes, en vain. Pas une allusion
au moindre sentiment.

Il avait fini par se résoudre au pire, noyant son chagrin dans le whisky. Hélas, les sentiments qu'elle avait
éprouvés pour lui n'avaient pas pesé bien lourd face à
l'attrait de la liberté.

Il le comprenait, mais, au fond de son cœur, il se
demandait comment elle pouvait tourner la page
aussi facilement sur cette nuit d'amour qu'ils avaient
partagée. Elle lui avait offert sa virginité, peut-être
même portait-elle son enfant. Comment pouvait-elle
partir ainsi ?

Il consulta la pendule posée sur la cheminée. Cela
faisait trente-six heures qu'elle l'avait quitté. Dans vingt-
quatre heures, elle serait hors d'atteinte. Les dents ser-

rées, il baissa les yeux vers la lettre qu'il froissa rageusement avant de la jeter dans les flammes. Il ne pouvait accepter cette situation. Il n'était pas question qu'elle quitte Talla Dileas sans lui fournir de plus amples explications...

Il se présenta chez les Lockhart le lendemain, juste après le déjeuner. Dudley prit sa cape et son chapeau, et l'introduisit dans le petit salon. Il se réchauffait près de l'âtre quand Mared apparut.

Il sentit sa présence bien avant de se retourner. Il en était arrivé à la percevoir partout où il allait, tant elle lui manquait. Dès qu'il posa les yeux sur elle, son cœur se serra. Elle portait cette robe verte qu'il connaissait bien, mais peu lui importait. Elle était si belle qu'il en avait mal. Ses cheveux cascadaient librement dans son dos, coiffés en arrière et ornés de rubans verts. Ses bottines étaient légèrement crottées, comme si elle revenait d'une promenade sous la pluie – ce qui était sans doute le cas, à en juger par ses joues roses et ses yeux pétillants.

Elle poussa la porte sans la fermer complètement. Puis elle sourit, hésitante.

Ce n'était plus la femme passionnée qu'il avait connue. Elle semblait nerveuse, troublée.

— Comment allez-vous ? s'enquit Payton.

— Bien, dit-elle sans conviction. Et vous ?

Il haussa les épaules. Il se rappelait si clairement son corps nu entre ses bras, cette harmonie merveilleuse...

Pourquoi prolonger ce calvaire ?

— Donc, vous partez pour Édimbourg ?

Elle baissa les yeux et hocha la tête.

— Nous allons récupérer notre fortune.

— Vous me l'avez écrit, dit-il, soudain embarrassé.

Il ne savait que lui dire. Il avait l'impression d'avoir passé trop de temps à la supplier. Il ne lui restait plus que sa fierté, et il n'était pas disposé à s'en départir. Il ne pouvait l'implorer de rester. Fronçant les sourcils, il se passa la main dans les cheveux.

— Nous sommes en pleine saison, reprit Mared. Il y aura des bals, des réceptions…

Oui, il n'ignorait rien des événements qui marquaient chaque saison. Il en avait trop vu et ne s'y intéressait guère. Les membres de la haute société n'étaient que des sangsues qui la priveraient de toute substance pour la former à leur image.

— Je n'ai jamais fait mes débuts, expliqua-t-elle avec un ricanement nerveux. Jusqu'à présent, cela m'était interdit…

Soudain, il eut si mal à la tête qu'il dut se masser les tempes.

— Avez-vous songé que vous étiez peut-être enceinte? demanda-t-il d'une voix rauque.

Elle pâlit, puis rougit furieusement.

— Non, je ne le…

— Comment pouvez-vous en avoir la certitude?

— J'en suis sûre, c'est tout, dit-elle en soutenant son regard.

Il soupira, luttant contre son envie de la prendre dans ses bras, de l'y garder captive.

Mared l'observait d'un air inquiet, voire avec un peu d'affection, peut-être.

— Vous… allez bien? demanda-t-elle doucement.

Payton se sentit blêmir.

— Comment voulez-vous que j'aille bien? rétorqua-t-il, peiné.

Le regard de Mared s'adoucit.

— Payton, dit-elle en s'approchant de lui pour poser la main sur son bras.

Ce simple contact suffit. Sans réfléchir, il l'enlaça avec fougue.

— Payton! s'exclama-t-elle à son oreille. Je regrette, je regrette vraiment, mais je ne sais plus que faire. Je sens que je dois partir, car j'en ai rêvé toute ma vie. J'ai besoin de cette liberté, d'être normale!

— Tu peux mener une vie normale ici même! Et nous deux? demanda-t-il en la prenant par les épaules. Après ce qui s'est passé entre nous?

— Je ne sais pas ! gémit-elle en fermant les paupières. Je suis perdue.

Elle posa la tête sur son épaule.

Il sentait son trouble.

— Combien de temps ? Combien de temps seras-tu absente ?

— Environ quinze jours.

Il ferma les yeux et la serra contre lui.

— Mared… je t'aime.

Elle prit son visage entre ses mains, les yeux embués de larmes.

— Je sais, je sais, et je… je t'aime aussi, Payton. Comment peux-tu croire le contraire ? Mais j'ai tellement besoin d'être comme les autres. Je veux rencontrer des gens qui ignorent tout de cette sale malédiction, je veux voir autre chose que les lacs. À Édimbourg, je serai libre. Ici, je ne le serai jamais totalement, malgré la disparition de la malédiction. Il y aura toujours des imbéciles pour y croire encore. Tu ne comprends donc pas ?

Il comprenait fort bien. En fait, elle voulait la seule chose qu'il ne pouvait lui procurer. Elle voulait partir loin des lacs, où il était retenu par le devoir, pour l'honneur de sa famille.

Avec un sourire triste, il prit ses mains et les ôta de son visage en les embrassant. Puis il déposa un baiser sur ses lèvres.

— Tout est donc terminé, dit-il.

— Non, ce n'est pas terminé, Payton…

— Ne nous voilons pas la face, coupa-t-il en s'écartant.

Mared se détourna. Payton sentit son cœur se déchirer.

Il repoussa une mèche de cheveux de l'épaule de la jeune femme.

— J'ai un cadeau d'adieu, dit-il.

Elle leva les yeux. Il lui tendit le *luckenbooth* qu'il avait commandé pour leurs fiançailles.

Mared retint son souffle. Elle prit le bijou entre ses doigts et en admira l'éclat à la lueur des flammes.

— Tu ne me le jettes pas au visage ? s'enquit-il.

— Payton... je le trouve encore plus beau que la première fois. Mais je ne puis l'accepter. Je ne le mérite pas.

— En effet, tu ne le mérites pas, admit-il, mais je veux que tu l'acceptes, Mared. Il a été réalisé pour toi... Et j'espère que tu le porteras, à Édimbourg.

Elle retourna la broche en souriant pour en admirer les détails.

— Merci. Je le chérirai.

Sur ces mots, elle se hissa sur la pointe des pieds et l'embrassa doucement, avant de prendre sa main dans la sienne.

Que restait-il à dire ? Ils se regardèrent longuement, jusqu'à ce que la douleur devienne intolérable pour Payton. Les lèvres pincées, il essuya de son pouce une larme sur la joue de Mared.

— Adieu, murmura-t-il en s'éloignant.

26

Édimbourg, Écosse, deux mois plus tard

Plusieurs semaines après l'arrivée des Lockhart à Édimbourg, les robes affluaient encore, de toutes les couleurs de l'arc-en-ciel, avec des pantoufles et des gants, sans oublier les bijoux.

Ellie avait toutes les peines du monde à empêcher les petites mains de Duncan de toucher les derniers achats de Mared.

— Seigneur! s'exclama-t-elle. Ta modiste va faire fortune grâce à toi!

Mared éclata de rire en brandissant une robe de soie aux tons vert et prune.

— Il n'y a pas de mal à cela!

— C'est vrai, admit sa belle-sœur en retrouvant son sérieux. Tu mérites ce qu'il y a de mieux, après ce que tu as enduré. Mais il y en a tant…

— Père m'a autorisée à acheter ce qui me plairait.

— Certes, mais… tu devrais peut-être songer à ton avenir.

— J'y songe, assura Mared avec entrain. Il se pourrait bien que l'on me demande en mariage. Tu imagines, Ellie? Un homme me demandant en mariage!

— Quelqu'un l'a fait, lui rappela Ellie.

Mared se figea et l'observa du coin de l'œil.

— Ce n'est pas pareil. De plus, c'est toi qui m'as incitée à venir ici, il me semble.

— C'est vrai, fit Ellie avec un soupir.

Elle s'installa dans un fauteuil, son fils sur les genoux.

— Pourquoi ces soupirs ? demanda Mared en posant sa robe neuve pour en déballer une autre.

— Je voulais que tu prennes un peu de bon temps, que tu t'amuses. Maintenant, je regrette de t'avoir encouragée car tu risques de souffrir.

Mared s'esclaffa.

— Pourquoi diable souffrirais-je ? Tu n'es donc pas au courant ? Je suis la reine de cette saison !

— Mlle Douglas m'a dit que tu étais très appréciée des messieurs, en effet.

— Ah bon ? s'exclama Mared en la regardant par-dessus son épaule.

— Absolument. On ne parle que de toi, dans les salons de Charlotte Square.

Mared fit volte-face pour lui montrer sa robe rouge.

— Regarde !

— Mared, écoute-moi. Les messieurs de la haute société te racontent n'importe quoi quand ils dansent avec toi, mais ils ne te demanderont en mariage qu'après avoir vérifié ta valeur marchande. Ils prennent en compte les origines, la lignée…

— Ellie ! Tu parles comme si les Lockhart n'étaient pas une noble et riche famille écossaise !

— Bien sûr que si. Après tout, j'en fais partie. Ce que j'essaie de te faire comprendre, c'est que les hommes ne s'intéressent pas au nom des Lockhart. Ce qui leur importe, c'est ce qu'ils peuvent obtenir de toi… sans demander ta main.

— C'est donc cela qui t'inquiète ? fit Mared avec un rire désinvolte. Je n'ai rien d'une jeune fille rougissante. Et, en vérité, je n'en ai rencontré aucun qui vaille la peine.

— Mared, je t'en prie, fais attention. Tu es entourée de nombreuses personnes malintentionnées. En une phrase, elles peuvent anéantir ta réputation.

274

— Franchement, Ellie ! Nous ne sommes pas à Londres et je ne suis pas si naïve !

Trop occupée à déballer une autre robe, elle ne remarqua pas le regard sceptique de sa belle-sœur.

Depuis son arrivée, Mared s'était effectivement épanouie. Elle n'avait guère mis de temps à être invitée un peu partout, dans les milieux les plus huppés, où l'on trouvait sa beauté exotique. Jamais elle n'avait autant dansé de sa vie. Son carnet était constamment complet. Ses soupirants, qu'ils soient mariés ou célibataires, lui murmuraient des propos coquins à l'oreille.

Talla Dileas lui semblait bien loin.

Mared aimait être au centre de toutes les attentions et acceptait toutes les invitations. Depuis deux mois, elle profitait de la vie, au point qu'il lui restait peu de temps pour penser à Payton, à part le soir, au moment de s'endormir.

Dans ces moments-là, il était toujours présent.

Mared serrait son oreiller dans ses bras, se demandant ce qu'il faisait. Elle l'imaginait en train de souper, seul, ou de sillonner son domaine à cheval.

De temps à autre, elle avait de ses nouvelles. Sa mère, rentrée à Talla Dileas avec son père dès le règlement de leurs dettes, lui écrivait souvent, de même qu'Anna. Elles évoquaient parfois Payton. Il avait accepté leur paiement. Elles ne précisaient pas s'il demandait de ses nouvelles.

D'après Anna, il accompagnait souvent Beitris à la messe, le dimanche. On spéculait sur un prochain mariage. Griffin écrivit un jour à sa sœur que Douglas avait sollicité son aide pour la construction d'une grange pour M. Craig. Il avait découvert avec stupeur que Payton savait manier le marteau.

Mared n'en fut guère étonnée. Il était capable de tout, car c'était un homme puissant et déterminé, à l'aise en toute circonstance.

Griffin précisa également que Payton avait réuni les fonds nécessaires à sa distillerie, et que les travaux avaient commencé. Mared se doutait qu'il devait passer du temps à surveiller les ouvriers.

Elle lui avait envoyé deux lettres, lui racontant ce qu'elle découvrait, les lieux qu'elle avait visités. Il n'avait répondu qu'une fois, de façon assez sèche.

Elle conservait cette lettre dans un coffret posé sur sa coiffeuse et la relisait souvent. Presque chaque soir, en fait, parce qu'elle sortait son *luckenbooth* de son papier de soie pour chacune de ses soirées.

Chère mademoiselle Lockhart,
Je suis ravi d'apprendre que vous vous plaisez à Édimbourg. Je n'en ai jamais douté. Ici, tout va bien, mais les chiens vous cherchent partout.
Sachez qu'Una a accepté d'épouser M. Harold Fuquay, de Leven. Elle quitte sa place de femme de chambre à la fin du mois pour travailler chez mon cousin Neacel et sa femme. La tonte des moutons commence bientôt, ce qui devrait vous ravir, car les moutons cesseront de paître sur vos terres.
Méfiez-vous des habitants d'Édimbourg et ne les choquez pas trop.

Douglas

Oui, Mared pensait souvent à Payton, qui demeurait au fond de son cœur. Mais elle se disait qu'il poursuivait sa vie sans elle, ce qui lui faisait peur.

Chaque matin, elle se levait avec enthousiasme, se demandait ce que cette journée allait lui apporter, et enfouissait Payton dans un recoin de son esprit.

Il y avait tant de choses à faire! Elle visita le château, parcourut le parc de Holyrood Palace, vers Charlotte Square où elle résidait. Le soir, elle attendait chaque réception avec impatience et s'amusait follement.

De temps à autre, elle croisait Hugh. Comme elle, il avait décidé de rester en ville après avoir récupéré sa part de la vente de l'émeraude. Elle avait entendu dire qu'il avait fait fructifier son capital sur les tables de jeu. Parfois, il recherchait sa compagnie et la faisait rire en lui murmurant des bêtises à l'oreille. Cet homme restait décidément une énigme.

Ce soir-là, elle s'attendait à le rencontrer, car elle se rendait au bal des Aitkin, événement marquant de la saison. Il y aurait plus de deux cents invités. Liam lui servirait de cavalier, car Ellie préférait rester en compagnie de son fils.

Mared enfila sa robe vert et prune, et pria sa belle-sœur de la coiffer dans le style grec en vogue. Un collier d'émeraudes vint parfaire sa tenue. Il lui avait été offert par sa famille, avec des boucles d'oreilles assorties.

— Seigneur, Mared! s'exclama Ellie en reculant pour mieux l'admirer. Je n'ai jamais vu de plus ravissante jeune femme.

— Tu me flattes! répondit Mared, aux anges.

— Non. Parfois, j'ai du mal à croire que c'est bien toi! Tu es une autre femme, avec ces tenues élégantes et coûteuses.

— Je suis restée la même, assura Mared en l'embrassant. Mais un peu de soie et des pierres précieuses font toute la différence, tu le sais bien.

— Peut-être.

Ellie inspecta l'apparence de Mared tandis que celle-ci épinglait son *luckenbooth* à son épaule.

— À mon avis, les messieurs vont se battre pour danser avec toi.

Mared rit gaiement et prit son châle.

— Les caprices du destin sont parfois inexplicables, non?

Liam et Mared arrivèrent au manoir surplombant le Firth of Forth dans une voiture à dorures tirée par quatre chevaux gris, que Liam avait achetés pour Talla Dileas. Il n'appréciait guère les bals, aussi laissa-t-il Mared savourer son succès pour se diriger vers la salle de jeu, annonçant qu'il comptait bien doubler sa pension de militaire, de préférence au détriment de Hugh MacAlister.

En entrant dans la salle de bal, Mared ouvrit son éventail peint à la main, comme elle avait vu faire de nombreuses dames. Aussitôt, plusieurs soupirants se présentèrent.

David Anderson, vicomte d'Aitkin, hôte de la soirée, fut le premier à attirer son attention. Posant une main gantée sur son bras, il murmura :

— Une vision de rêve vient de fondre sur la maison de mon père…

Mared l'observa du coin de l'œil.

— Ne parlez-vous pas de quelque rapace ? répliqua-t-elle avec un sourire.

Il rit doucement et l'entraîna à l'écart.

— Cette vision est une créature que j'aimerais beaucoup prendre dans mes filets et garder dans une cage dorée pour pouvoir l'admirer à loisir.

— Une cage ? répéta-t-elle. Je vous trouve bien barbare, monsieur.

— La barbarie n'a pas que des inconvénients, je vous assure, répondit-il en lui adressant un clin d'œil. M'accorderez-vous cette danse ?

Il l'entraîna sur la piste.

Mared aimait beaucoup danser. Elle badina avec M. Anderson sous les yeux de nombreux admirateurs qui cherchaient à capter son regard.

— Vous êtes vraiment superbe, lui dit Anderson. Il n'y a pas de plus belle femme dans toute la ville.

Mared sourit, un peu taquine.

Elle continua de le provoquer gentiment, ravie de se sentir ainsi admirée et désirée.

Quand M. Anderson dut enfin renoncer à sa compagnie, elle accepta de danser avec de nombreux autres cavaliers, qu'elle charma tout autant. Au bout de neuf ou dix danses, elle quitta lord Brimley pour aller se poudrer, à l'étage. Sur le palier, elle se mit à observer les danseurs, les mains sur la balustrade.

L'orchestre jouait un quadrille endiablé. Les robes aux tons vifs tournoyaient gaiement. Les hommes, de noir vêtus, étaient fort élégants.

En descendant le grand escalier, elle parcourut la foule des yeux. Aussitôt, son regard s'arrêta sur un homme. Elle faillit tomber à la renverse.

Payton. Son cœur s'emballa. Il était superbe, plus encore que dans ses souvenirs. Son costume noir, son gilet de soie blanche, ses cheveux plus longs que ne le voulait la mode faisaient de lui l'homme le plus époustouflant de l'assemblée.

À en juger par les regards admiratifs des femmes, elle n'était pas la seule à le penser.

Il se tenait au bord de la piste, une coupe de champagne à la main, et l'observait d'un air calme, presque indifférent… À part cette lueur dans ses yeux gris, qu'elle devinait même de loin. C'était cette lueur qu'elle avait vue au moment où il l'avait faite sienne.

Ce délicieux souvenir fit naître un sourire sur les lèvres de la jeune femme.

Payton lui sourit également. Pensait-il à leur nuit d'amour, lui aussi ? En voyant son clin d'œil, elle refit les gestes qu'elle avait esquissés ce soir-là, à Leven, faisant mine de lui montrer sa robe.

Et tout comme ce soir-là, il pencha la tête pour indiquer son admiration et leva sa coupe de champagne. D'un mouvement du poignet, Mared ouvrit son éventail et l'agita lentement. Puis elle descendit les marches, comme sur un nuage. Payton fit quelques pas dans sa direction, sans la quitter des yeux.

Ils se retrouvèrent au pied de l'escalier. Payton tendit la main. Riant de bonheur, elle la prit et fit une révérence. Visiblement amusé, il s'inclina sur sa main. Dès qu'il releva la tête, Mared plongea dans son regard d'ardoise, qui la transperça.

— Bonsoir, monsieur, murmura-t-elle.

— Bonsoir, mademoiselle, répliqua-t-il en la toisant.

Elle rougit légèrement.

— Comment allez-vous ? Vous êtes superbe.

— Je vais bien mieux maintenant que je vous vois, Mared. Vous êtes une véritable beauté des Highlands.

— Cela vous plaît ? dit-elle en désignant sa robe, avant de se pencher vers lui. Elle m'a coûté cent livres, vous imaginez ?

— Oui, répondit-il en observant le *luckenbooth*. Elle me plaît beaucoup. Vous êtes incontestablement la plus belle femme de la soirée.

Le cœur de Mared s'emballa. Plus d'un homme avait vanté sa beauté depuis son arrivée, mais le compliment de Payton la fit frissonner de plaisir.

— M'accorderez-vous cette danse ? demanda-t-il.

Elle hocha la tête. Payton l'entraîna dans une valse rapide, la serrant contre lui.

— Je suis heureuse de vous voir, dit-elle avec sincérité.

Il sourit, sans un mot.

— Quelles sont les nouvelles d'Eilean Ros ?

— Rien n'a changé, répondit-il en haussant les épaules.

— Et le personnel ?

— Je suis satisfait de la nouvelle gouvernante, Mme Rawlins.

— Ah, une nouvelle gouvernante. Voilà qui explique la perfection de votre tenue.

— En effet, dit Payton avec une moue ironique.

— Et la distillerie ? Griffin dit que les travaux avancent.

— Le whisky d'Eilean Ros sera mis en bouteille d'ici la fin de cette année.

— Félicitations. Je sais combien cela compte, à vos yeux.

— Merci.

Ses yeux gris scintillaient de cette lueur qui manquait tant à la jeune femme.

— Vous semblez avoir pris goût à... tout ceci, reprit-il en désignant le luxe qui les entourait.

280

— Oui, j'apprécie les bals et les réceptions.

Il la serra un peu plus fort contre lui, les yeux rivés sur son décolleté.

— Je n'en reviens pas... Vous êtes si belle, Mared. Je l'ai toujours pensé, mais ce soir... vous me coupez le souffle !

Mared en fut troublée.

— Vous devriez venir plus souvent à Édimbourg, suggéra-t-elle. J'ai d'autres robes.

Cette remarque lui valut un sourire triste.

— Je dois m'occuper d'Eilean Ros, rétorqua-t-il en secouant la tête. Et de la distillerie. Sans parler des moutons. Vos chiens risquent de les conduire vers la mer.

— Je les ai bien dressés, alors ! dit-elle en riant.

Il rit et l'attira vers lui.

— C'est si bon de vous tenir dans mes bras à nouveau...

Une chaleur familière se propagea en elle, que seul Payton était capable de provoquer.

— C'est bon d'être dans vos bras... répondit-elle dans un murmure.

Cette remarque le ravit. Son regard se fit plus profond, plus intime. Ils dansèrent les yeux dans les yeux, sans se soucier de la foule qui les entourait.

À la fin du morceau, Mared fit une révérence, mais Payton refusa de lâcher sa main.

— Venez faire un tour avec moi.

— Où cela ? demanda-t-elle en riant. Il fait très froid, dehors, et la maison grouille de monde.

— Venez faire un tour, répéta-t-il.

Avec un clin d'œil complice, il posa sa main sur son bras et l'emmena hors de la vaste salle. Une fois dans le couloir, très fréquenté, Payton l'entraîna vers la porte d'entrée.

Au moment de pénétrer dans le vestibule, Payton la poussa vivement dans une pièce à droite, dont il referma la porte. Il s'agissait du vestiaire. Les torches allumées dans l'allée inondaient le réduit d'une lueur ambrée. Il alla regarder par la fenêtre.

— Et si quelqu'un devait partir? demanda Mared. Si quelqu'un venait chercher son manteau?

— Nul ne s'en ira avant un bon moment, affirma-t-il en se tournant vers elle. Tu m'as tellement manqué...

— Toi aussi.

— Ma maison est bien vide, sans toi.

L'espace d'un instant, ils demeurèrent immobiles, à se regarder. Puis il s'avança vers elle. Dès qu'elle se jeta dans ses bras, sa bouche avide chercha celle de Payton. Il plongea la langue en elle, caressant son visage, ses épaules, ses flancs.

— Mared...

Elle avait faim de lui, en cet instant de folie où plus rien n'existait. Mared se rappelait chaque parcelle de son corps, le contact de sa peau sur la sienne.

Payton n'avait rien oublié, lui non plus. Il la porta vers un divan, l'allongea et se mit à la dévorer de baisers ardents. Il glissa la main sous sa robe pour caresser sa jambe, toujours plus haut. Dans la pénombre, Mared devina le feu qui brûlait dans ses yeux. Elle posa les mains sur son torse puissant, puis descendit pour découvrir l'intensité vibrante de son désir. Elle mourait d'envie de l'avoir en elle.

Payton étouffa un gémissement et l'embrassa avidement, ivre d'impatience. Ses mains rôdèrent sur son corps, cherchant une parcelle de peau nue.

— Tu m'as tellement manqué... Si tu savais combien j'ai voulu t'embrasser, te pénétrer, te dévorer de baisers...

— Payton, murmura-t-elle en se cambrant pour lui offrir ses seins.

— Dis-moi que tu me veux, Mared... Dis-moi que tu veux que je t'aime...

— Oui, je te veux, Payton, chuchota-t-elle.

Soudain il s'écarta, le souffle court, et saisit le visage de la jeune femme entre ses mains pour la contempler. Il l'embrassa encore et se redressa.

Curieuse, Mared s'assit. Payton prit un objet dans sa poche et s'agenouilla devant elle.

— Payton! s'exclama-t-elle, au bord de la panique. Que fais-tu? Lève-toi!

— Je me suis dit que nos fiançailles avaient été organisées dans des circonstances bien peu romantiques. Mais je ne t'ai jamais demandé ta main. J'aurais dû le faire il y a longtemps déjà.

Sur ces mots, il montra une bague.

— Non! cria Mared, affolée, en s'agenouillant face à lui. Non, non…

Elle prit sa main dans les siennes et la referma sur la bague.

— Ne fais pas cela, Payton. Je t'en supplie!

Elle posa le front contre le poing crispé qui enserrait le bijou.

— Qu'est-ce…

Il ne termina pas sa phrase.

Mared leva les yeux, bouche bée, et lut une émotion vibrante dans ceux de Payton. Au bord des larmes, elle observa leurs mains jointes.

L'humiliation de Payton fit rapidement place à de la rage. Ses yeux se mirent à lancer des éclairs. Il arracha sa main des siennes et se releva vivement, puis saisit la jeune femme par le bras.

— Mared; dit-il. Je te demande de rentrer à la maison avec moi. Tu me manques, et je…

Il émit un grommellement de frustration.

— Bon sang, je t'aime, Mared! Je t'aime encore! Viens avec moi. Ta place n'est pas à Édimbourg. Tu es une fille des Highlands. Tu n'as rien à faire parmi les loups.

— Payton, dit-elle en lui caressant la joue, mais il repoussa sa main.

— Je ne veux pas de ta pitié! cracha-t-il amèrement. Je veux que tu redeviennes la femme à qui j'ai fait l'amour, la femme qui m'aimait avec passion.

Mared essuya les larmes qui coulaient sur ses joues.

— Je t'aime, Payton, plus que tu ne le penses.

C'était la vérité. Mais elle aimait aussi sa liberté, et elle venait à peine de découvrir qui elle était vraiment, sans la malédiction. Elle était désemparée.

— Mais je ne peux t'accompagner, ajouta-t-elle.

Payton fit volte-face et heurta une lampe, la faisant tomber à terre, sans se soucier du cri de Mared.

— Qu'y a-t-il de si merveilleux, ici ? gronda-t-il. Tu préfères Édimbourg à ta région d'origine ?

— Ici, je vis enfin. Tu ne comprends donc pas ? Jusqu'à présent, je n'avais pas de vie !

— Tu te trompes, répliqua-t-il en la faisant pivoter vers lui. Si c'est la vie qui t'attire, je te l'offrirai. Je te donnerai tout ce que tu voudras. Tu veux voir le monde ? Nous le verrons. Tu veux des robes, des bijoux ? Tu auras ce qu'il y a de plus beau. Mais… reste avec moi !

Sa supplique était sincère. Le repousser serait une souffrance. Elle aimait cet homme de toute son âme, mais elle redoutait de revenir en arrière, de redevenir la Mared d'autrefois.

— Tu ne viendras donc pas à Édimbourg ? s'enquit-elle doucement.

— Je ne peux quitter Eilean Ros.

Mared ravala son chagrin.

— Mais… je ne puis y retourner, murmura-t-elle, au bord des larmes. Je ne veux pas redevenir celle que j'étais.

Payton retint son souffle, comme s'il venait de recevoir un coup de poing. Il émit un long soupir et rempocha la bague. Son regard exprimait le plus profond désarroi.

— C'est la dernière fois que je m'impose à toi, *leanman*, dit-il. Je t'ai aimée, je t'aime depuis toujours. Mais j'étais bien stupide…

Il soupira encore et se tourna vers la fenêtre.

— Plus jamais je ne commettrai la même erreur. Je ne crois pas pouvoir continuer de t'aimer, avoua-t-il d'une voix rauque.

284

Elle eut l'impression de recevoir un coup de poignard en plein cœur. Ses jambes faillirent se dérober sous elle. Elle voulut agripper le bras de Payton, mais il s'écarta. Lui qui avait toujours fait partie de sa vie, lui qui l'avait adorée, courtisée, qui avait fait d'elle son esclave, qui l'avait séduite... comment pourrait-il ne plus l'aimer? Cette simple perspective atterrait la jeune femme.

— Ne dis pas cela, implora-t-elle.

— Il est trop tard, Mared, répondit-il d'un ton las. Ce que je ressentais pour toi depuis toutes ces années vient de s'envoler avec ton refus.

Il voulut s'éloigner.

Mared le saisit par le bras, mais il se dégagea et ouvrit la porte pour disparaître dans le couloir.

27

C'est Ellie qui informa Mared que Payton avait quitté Édimbourg. En rentrant de sa promenade avec Duncan, cet après-midi-là, Ellie tendit sa capeline à un valet et s'exclama :

— Tu ne m'avais pas dit que laird Douglas se trouvait en ville ! J'ai croisé Mlle Douglas. Elle m'a dit qu'il était venu et reparti deux jours plus tard. Mais il s'est rendu au bal des Aitkin. Tu as dû le voir...

— Non, prétendit Mared. Non, je ne l'ai pas vu.

Ellie parut surprise, puis franchement sceptique.

— Il y avait un monde fou, reprit la jeune femme.

— Hum, fit sa belle-sœur en l'observant de plus près. Il a dû te chercher, étant donné ses sentiments à ton égard.

— Bah, fit Mared. Il ne s'intéresse plus à moi depuis des mois. Pas depuis que j'ai abîmé ses foulards.

— Allons ! lança Ellie.

— Je t'assure, insista Mared en prenant un carton d'invitation qu'elle fixa, honteuse de son mensonge.

— Dans ce cas, je lui demanderai pourquoi il n'est pas venu nous voir, la prochaine fois que je le rencontrerai.

— Comment cela, la prochaine fois ? s'étonna Mared en relevant vivement la tête.

— Nous rentrons bientôt à la maison, tu sais.

— Non, je l'ignorais.

— Anna va accoucher et l'hiver arrive. Liam ne t'a donc rien dit ?

— Non, fit Mared en fronçant les sourcils. Sinon, je lui aurais répondu que je ne peux pas retourner à Talla Dileas.

Le soir, au souper, Liam laissa libre cours à sa colère. Ils se disputèrent toute la soirée. Liam refusait de laisser sa sœur sans chaperon, car il n'était pas convenable pour une femme célibataire de sortir seule en ville.

Mared affirmait avec véhémence qu'elle était une adulte responsable, et qu'elle avait gâché sa vie à Talla Dileas à cause de la malédiction. Désormais, elle entendait rattraper le temps perdu. Pas question pour elle de mourir vieille fille, ni de croupir au fond d'un château des Highlands.

Liam s'offusqua de ses propos et lui rappela sans détour qu'elle était originaire des Highlands et ne pouvait tourner le dos à sa région. Mared assura qu'elle n'oublierait jamais son pays, que c'était impossible. Mais elle refusait de passer sa vie là-bas. Ses frères avaient eu l'occasion de voyager. À présent, son tour était venu.

— Pas question! hurla Liam. Il faudra me passer sur le corps!

Mared haussa les épaules.

— Je n'ai aucune envie d'avoir une dame de compagnie, mais si cela peut te rassurer, j'en engagerai une. En tout cas, je ne rentrerai pas à Talla Dileas.

D'autant plus que Payton me déteste, songea-t-elle.

Le lendemain matin, sous la neige, Liam quitta leurs appartements, furieux. Il revint quelques heures plus tard en compagnie d'une femme rondelette aux cheveux gris, vêtue de noir.

— Mared, *leanman*, dit poliment Liam, je te présente Mme MacGillicutty, ton chaperon.

— Enchantée de vous rencontrer, mademoiselle Lockhart, déclara celle-ci avec entrain. Nous allons bien nous amuser, en attendant que votre frère revienne vous chercher.

— Oui, répondit Mared en foudroyant son frère du regard.

Liam, Ellie et Duncan se mirent en route une semaine plus tard, lorsque Liam eut la certitude que la vieille dame était compétente et surveillerait Mared de près. Tandis qu'ils chargeaient la voiture, Liam rappela à Mme MacGillicutty ce qu'il attendait d'elle. Mared ne devait jamais rester seule en compagnie d'un homme, quel qu'il soit.

— Elle a beaucoup de succès, expliqua-t-il. Ce sera encore pire quand ces messieurs apprendront que je suis parti.

— Absolument, acquiesça-t-elle, les lèvres pincées.

— Je ne puis être plus clair, madame MacGillicutty, conclut Liam en enlaçant sa sœur. On ne peut faire confiance à cette jeune femme. Notre Mared peut se montrer manipulatrice quand elle a une idée derrière la tête. Méfiez-vous d'elle.

Mared leva les yeux au ciel.

— Très bien, capitaine Lockhart.

Il relâcha sa sœur.

— Vous m'écrirez au moins une fois par semaine pour me tenir informé, ajouta-t-il.

— Avec grand plaisir, déclara la vieille dame en adressant un sourire mielleux à sa protégée.

Après avoir fait leurs adieux, Liam et sa famille se mirent en route pour Talla Dileas. Mme MacGillicutty les salua d'une main, tout en tenant fermement le bras de Mared de l'autre, comme si elle redoutait qu'elle ne s'échappe.

Mared se garda bien de montrer la moindre résistance. Elle était trop maligne pour éveiller les soupçons de son chaperon. Cependant, Mme MacGillicutty se révéla une adversaire de taille. Si un monsieur se présentait, ce qui se produisit plusieurs fois, elle prenait place sur le divan et lisait un livre pendant que le malheureux s'efforçait d'entretenir une conversation avec la jeune femme, les yeux enamourés, effleurant parfois sa main à la dérobée.

Après son départ, Mme MacGillicutty ne manquait pas de se livrer à quelques commentaires féroces :

— Il est étonnant que lord Tavish ait le temps de vous rendre visite, avec sa femme et ses six enfants qui l'attendent à la maison...

Ou bien :

— M. Anderson semble fréquenter le quartier assidûment, ces derniers temps. Entre Mlle Williams, de l'autre côté de la place, et Mlle Bristol, juste en face...

Mared ignorait ces propos, car le soir, elle était libre de se rendre à toutes les réceptions en vogue.

Lors de ces sorties, elle badinait avec insouciance avec les messieurs qui s'intéressaient à elle et échangeait des ragots avec les femmes qui lui témoignaient de la sympathie. Elle évitait Sarah Douglas, car celle-ci la regardait à peine quand elles se croisaient par hasard.

Deux messieurs semblaient plus assidus que les autres. David Anderson, le fils du vicomte d'Aitkin, lui avait exprimé en paroles et en actes – des murmures à l'oreille, des baisers volés dans la pénombre – qu'il désirait voir leur amitié évoluer, ce qu'elle prit pour une proposition de mariage. Et lord Tavish, le comte déjà marié, lui fit comprendre qu'il appréciait beaucoup son esprit... et son décolleté.

Mared n'avait que faire de lord Tavish, avec qui elle ne comptait partager que des soirées innocentes. Il était marié et trop âgé pour elle. En toute sincérité, M. Anderson n'était pas non plus l'homme idéal, car il n'était pas Payton Douglas. Il n'était ni aussi fort ni aussi intelligent que Payton. Il n'avait pas non plus son humour, mais il était fils de vicomte, le genre de mari que sa famille avait toujours souhaité pour elle.

Elle en était venue à penser qu'elle devrait être heureuse d'épouser un homme aussi important. Elle relégua tout ce qui avait le moindre rapport avec Payton dans un recoin de son esprit. Il ne l'aimait plus. Elle n'avait plus qu'à épouser un autre homme.

Elle appréciait Anderson, mais savait qu'elle n'éprouverait jamais de l'amour pour lui. Elle voyait simplement en lui un époux compatible. Elle n'ignorait pas que le mariage n'était pas une question d'amour, mais une association dont chaque membre devait remplir certaines conditions...

Ce n'est qu'à l'occasion du mariage de Clara Ellis avec Fabian MacBride que Payton parvint à se frayer un chemin dans les méandres de sa mémoire, pour venir la hanter tel un cauchemar.

Ce jour-là, Mared arriva à l'église radieuse, dans la robe bleu ciel qu'Anna lui avait donnée. Elle remonta l'allée centrale pour prendre place parmi les autres invités, souriant aux uns, saluant les autres...

La cérémonie fut plutôt ennuyeuse. Guindés, les gens n'étaient pas aussi exubérants et chaleureux que dans les Highlands.

Lors du repas de noces, servi dans une grande salle sur Princes Street, Mared demeura seule. Les messieurs qu'elle connaissait étaient tous accompagnés de leur famille et n'étaient pas libres de badiner avec elle. À la fin du banquet, elle aperçut M. Anderson, qui s'était montré charmant et plein de sollicitude la veille. Elle se dirigea vers lui, mais sa présence parut le contrarier.

— Bonjour, monsieur Anderson, lança-t-elle gaiement.

— Mademoiselle Lockhart... dit-il en scrutant les alentours, visiblement nerveux.

— Ce fut une belle cérémonie, n'est-ce pas ? La mariée est superbe.

— En effet, répondit-il en s'humectant les lèvres, sans quitter la foule des yeux.

Mared inclina la tête en lui tapotant le bras de son éventail.

— Vous sentez-vous bien, monsieur Anderson ?

— Euh… Très bien, oui, bredouilla-t-il. Ce fut un plaisir de vous voir, mademoiselle Lockhart, mais je vais vous prier de m'excuser, je dois rejoindre ma grand-mère.

— Ah, bien sûr.

C'est étrange, songea-t-elle. M. Anderson s'était toujours montré si entreprenant… Cette fois, il se contenta d'un hochement de tête avant de s'éloigner au plus vite.

Le sourire de Mared s'envola. Ce n'était pas sa grand-mère qu'il était allé rejoindre, mais une jeune femme qu'elle avait déjà vue plusieurs fois. Soudain, elle eut la sensation désagréable que les invités parlaient d'elle à voix basse. Elle sentit ses cheveux se dresser sur sa tête, comme autrefois lorsque les gens lui fermaient leur porte.

Ce fut donc un grand soulagement pour elle d'apercevoir un visage familier, celui de cette crapule de Hugh MacAlister, qui venait d'arriver en compagnie de deux hommes. Mared se dirigea vers lui et lui tapa sur l'épaule.

— Je suis là, mon cher, l'objet de vos désirs ! railla-t-elle.

— Quoi ? fit Hugh en se retournant vivement.

Aussitôt, il sourit en reconnaissant la jeune femme.

— Tiens, tiens, mademoiselle Lockhart ! Vous êtes superbe ! Je parie que vous êtes l'objet des désirs de plus d'un homme !

Mared rit de bon cœur.

— Je suis ravie de vous voir, Hugh. J'ai besoin d'un ami.

— Ah… Je vous aurais volontiers accordé une oreille attentive, mais il se trouve que j'ai un rendez-vous. Plusieurs… personnes m'attendent.

— Vous n'êtes qu'un vaurien !

— Cela ne vous surprend pas, je suppose, dit-il avec un clin d'œil. Alors, bonne…

— Attendez ! s'exclama Mared, comprenant qu'il l'abandonnait. Vous n'allez pas partir tout de suite. Je vous en prie, restez un peu. Je suis toute seule et je viens de me faire rejeter par un homme qui semblait s'intéresser à moi.

— Dommage, répliqua-t-il, la mine grave. Mais je ne puis rester. On m'attend.

Elle fronça les sourcils.

— Je croyais que vous m'aimiez, que vous étiez rentré d'Irlande uniquement pour moi !

À sa grande surprise, Hugh éclata de rire.

— Vous êtes bien naïve, ma pauvre enfant ! Vous m'avez donc cru ?

Mared fut déstabilisée par cet aveu. Bien sûr, elle n'avait pas cru une seconde que Hugh était revenu par amour, mais elle pensait qu'il avait une certaine estime pour elle. Sinon, pourquoi aurait-il prononcé tant de paroles flatteuses ?

Déchiffrant son expression troublée, Hugh se pencha vers elle :

— Ne soyez pas stupide, Mared. C'est ce que font les hommes et les femmes depuis la nuit des temps, non ? Ils se flattent, ils badinent, ils tournent autour du pot jusqu'à ce que l'un d'eux réussisse à attirer l'autre dans son lit.

Elle rougit violemment et ouvrit son éventail.

— C'est peut-être votre façon de procéder, mais pas celle d'un gentleman. J'ai reçu plusieurs soupirants à la maison et nul n'a jamais rien suggéré de tel !

— Vraiment ? s'étonna Hugh en regardant en direction d'Anderson, qui bavardait toujours avec la jeune femme. Et vous pensiez que l'attention que vous portait M. Anderson allait déboucher sur une demande en mariage ?

— Comment le savez-vous ?

— Pauvre petite ! s'exclama Hugh en éclatant de rire. Certes, il s'intéresse à vous. Nul n'ignore qu'il vous prendrait volontiers comme maîtresse. Mais vous ne pensiez tout de même pas qu'il irait jusqu'à vous épouser ? Une femme de votre âge et dans votre situation !

Il s'esclaffa encore et lui tapota le bras avec condescendance.

— Vous êtes vraiment naïve. Retournez donc dans vos Highlands ! Vous êtes trop pure et innocente pour les gens d'ici. Vous ne connaissez visiblement pas les règles du jeu.

Mared trouvait ce paternalisme insupportable. Comment osait-il s'adresser à elle comme à une enfant ignorante ?

— Je regrette, monsieur MacAlister, mais j'aurais dû réfléchir avant de renouer des liens avec un malotru de votre espèce !

Hugh s'esclaffa de plus belle et lui prit la main pour l'embrasser.

— C'est justement ce que je cherche à vous faire comprendre ! Rentrez chez vous, vous y serez plus heureuse, je vous l'assure. Ici, vous allez vous faire dévorer par les loups !

Sur ces mots, il lui adressa un clin d'œil avant d'aller rejoindre ses amis.

Mared aurait dû suivre son conseil, ce qui lui aurait épargné une humiliation cuisante un quart d'heure plus tard, lorsque le père de la mariée tint son discours.

— Mesdames et messieurs, votre attention, je vous prie ! lança-t-il en tapotant son verre pour obtenir le silence. J'ai une autre bonne nouvelle à vous annoncer !

Un murmure impatient parcourut la foule.

— Je suis en effet enchanté de vous faire part de nouvelles fiançailles.

Quelques exclamations étonnées fusèrent.

— Je vous présente les futurs M. et Mme David Anderson !

L'homme qui avait murmuré des paroles audacieuses à l'oreille de Mared et la jeune femme avec qui il s'entretenait s'avancèrent pour recevoir les félicitations des invités.

Mared eut l'impression que le sol s'écroulait sous ses pieds. Toutes ces soirées, ces visites… Abasourdie, elle comprit que Hugh avait dit vrai. En regardant autour d'elle, elle réalisa enfin qu'elle était venue des Highlands pour trouver le bonheur, mais n'avait réussi qu'à se ridiculiser.

Elle y voyait plus clair, à présent ! Les mises en garde d'Ellie, l'inquiétude de Liam, les remarques de Mme MacGillicutty… Pendant toutes ces années, elle avait cru que c'était cette malédiction stupide qui l'avait privée du bonheur auquel elle avait droit. Or le bonheur se trouvait sous ses yeux ! Son bonheur était avec Payton. Hélas, sa peur, sa fierté, son entêtement l'avaient empêchée de saisir sa chance. Son désir d'être une autre personne l'avait emporté sur la raison. Elle avait anéanti son unique occasion d'être heureuse pour courir après une liberté illusoire.

Uniquement parce qu'elle pensait n'avoir encore rien connu de la vie…

Pourtant, elle avait vécu. Elle avait été libre, elle avait aimé un homme qui la vénérait, et elle avait tout jeté aux orties pour courir après une chimère, comme Donalda l'avait prédit. Quelle imbécile elle avait été !

Il fallait qu'elle quitte cette salle oppressante, qu'elle parte loin d'Édimbourg. C'était Payton qu'elle voulait. Mais d'abord elle avait deux mots à dire à David Anderson. Relevant fièrement la tête, elle se dirigea vers lui. Il ne put éviter la confrontation.

— Félicitations, monsieur Anderson, commença-t-elle avec un sourire.

— Euh… merci, mademoiselle Lockhart. Puis-je vous présenter ma fiancée, Mlle Linley ?

Mared lui adressa un sourire radieux.

— Je vous présente mes condoléances les plus sincères, lui dit-elle.

— C… comment ? bredouilla la malheureuse en se tournant vers Anderson, qui rougit.

— Je suis certaine que vous aurez tout ce dont une femme peut rêver, une belle maison, des enfants, la fortune de son père. Vous me semblez très gentille, et cela me fait de la peine de vous voir épouser un menteur doublé d'une crapule.

Mlle Linley en demeura bouche bée.

— Mademoiselle Lockhart ! gronda Anderson.

— Monsieur Anderson, répondit Mared, vous me semblez plutôt surpris d'être ainsi démasqué. Je vous assure que je n'agis pas uniquement en mon nom, mais en celui de Mlle Bristol et de Mlle Williams, qui ont elles aussi fait les frais de votre perfidie.

— Mlle Bristol ? répéta Mlle Linley, atterrée.

— N'oubliez pas Mlle Williams, renchérit Mared. Ce monsieur rendait visite à de nombreuses conquêtes, sur Charlotte Square.

La fiancée se tourna vers Anderson, qui n'osait soutenir son regard.

— Quoi qu'il en soit, je vous salue ! conclut Mared en tournant les talons pour quitter les lieux.

Au moment de sortir, elle fut interceptée par Sarah Douglas. Les bras croisés, la cousine de Payton toisa la jeune femme, qui s'attendait à une réprimande. Mais Sarah lui sourit, au contraire.

— Bien joué, mademoiselle Lockhart.

— Je vous demande pardon ? fit Mared, abasourdie. J'avoue que votre réaction m'étonne.

Mlle Douglas haussa les épaules.

— Anderson est un homme détestable, et j'aime beaucoup Mlle Linley. Merci d'avoir eu le courage de dire à voix haute ce que tout le monde pense tout bas.

— Je vous en prie, répondit Mared, ravie.

Elle contourna Sarah, bien décidée à partir, puis se ravisa.

— Au fait, mademoiselle Douglas. J'aime Payton. Je ne corresponds peut-être pas à l'image que vous vous faites de la fiancée idéale, mais je l'aime.

Ce fut au tour de Sarah d'être prise au dépourvu.

— Au revoir, mademoiselle Douglas, conclut Mared en s'éloignant pour sortir dans le froid glacial.

Elle ôta la capeline qui la gênait dans ses mouvements et leva les yeux vers le soleil. Elle avait toujours eu l'impression qu'il faisait plus froid dans cette ville que chez elle. Elle regrettait ses grosses bottes, les chemins de montagne, parsemés d'une bruyère dans laquelle il faisait bon s'allonger. Elle regrettait le parfum du printemps dans les champs, la rivière dont les eaux tourbillonnantes se jetaient dans le lac. Elle regrettait la brume qui enveloppait le sommet des collines, les sentiers qu'elle arpentait en compagnie de ses chiens.

Les Highlands lui manquaient tout autant que sa famille.

Et que Payton.

Il lui fallait rentrer chez elle, car elle savait désormais où était sa place.

Mme MacGillicutty ne fut pas étonnée le moins du monde par la décision de Mared. Elle se fit même un plaisir de l'aider à ranger ses nombreuses toilettes dans deux malles neuves. Elle rit de bon cœur au récit que lui fit la jeune femme. Dès le départ, elle avait deviné les mauvaises intentions de David Anderson, et lui confirma qu'elle avait été bien naïve de croire à ses belles paroles.

— S'il vous aimait tant que vous le dites, déclara Mme MacGillicutty en évoquant Payton, il doit vous aimer encore.

— Non, répliqua Mared d'un ton morose. Il m'a dit qu'il ne m'aimait plus.

— Les hommes ont parfois des paroles excessives quand ils sont en colère ou blessés. En vérité, ils n'en pensent pas un mot. Ils sont fiers et ont du mal à sauver la face. Rentrez donc chez vous, petite. Vous découvrirez que son cœur vous appelle.

La gorge nouée, Mared se retourna vivement.

— Que dites-vous ? murmura-t-elle.

— Vous découvrirez que son cœur vous appelle, répéta la vieille dame avec un sourire.

Les yeux embués de larmes, Mared se détourna.

Cela faisait des semaines qu'elle n'avait pas senti l'appel du cœur de Payton.

28

Lorsque la diligence atteignit Callander, la neige se mit à tomber. Un marchand accepta de conduire Mared à Aberfoyle, mais le trajet se révéla d'une lenteur extrême à cause des conditions atmosphériques.

Ils approchèrent d'Aberfoyle à la nuit tombée, de sorte que Mared dut se résoudre à passer la nuit à l'auberge. Sa chambre donnait sur la prairie, et au-delà se dressait le Ben Cluaran. Elle contempla la montagne majestueuse en pensant à Payton, qui lui manquait tant. Elle imagina Eilean Ros.

Au moment où le soleil disparut derrière le Ben Cluaran, elle songea qu'elle avait passé des années à détester Payton à cause de son nom, et voilà que cela n'avait plus la moindre importance, du moment qu'il lui pardonnait. Si seulement il pouvait la regarder à nouveau avec cette lueur de désir dans ses yeux gris...

Le lendemain matin, elle se prépara et fit porter ses bagages chez le confiseur.

— Mademoiselle Lockhart ! s'exclama celui-ci en la voyant apparaître. Je vous croyais à Édimbourg.

— J'y ai séjourné un certain temps, en effet, mais je suis de retour. Pourriez-vous veiller sur mes bagages, le temps que mon frère vienne les chercher ?

— Bien entendu ! Pour fêter votre retour, je vais vous faire goûter une nouvelle confiserie de ma création...

— Oh, je ne devrais...

— Profitez-en tant qu'il en reste. Laird Douglas est très gourmand, vous savez, et il m'a presque tout acheté hier pour les offrir à Mlle Crowley.

Cette réflexion la frappa en plein cœur.

— Vraiment ? demanda-t-elle en ôtant ses gants.

— Oui. Ils sont toujours ensemble, ces deux-là. Je parie qu'ils se marieront à Noël.

Cette fois, la douleur faillit assommer la jeune femme.

— Un mariage, dites-vous ? s'enquit-elle en feignant d'examiner les bonbons.

— Oui.

Il regarda par-dessus son épaule en ouvrant sa vitrine.

— J'imagine que vous n'êtes pas au courant, puisque vous étiez en ville. Ils vont annoncer la nouvelle ce dimanche, après la messe. Laird Douglas et Mlle Crowley vont se marier.

Tout était fini. Elle avait laissé passer sa chance…

— Vous vous sentez bien, mademoiselle Lockhart ?

Elle releva vivement la tête.

— Oui. Je suis impatiente de rentrer chez moi, je crois.

— Il fait trop froid pour rentrer à pied. Mon fils va vous conduire, d'accord ?

— Avec plaisir, monsieur Wallace. C'est très aimable.

Il sourit et lui tendit un petit paquet de bonbons.

— Vous les dégusterez en route. C'est un cadeau de bienvenue.

— Merci, dit-elle en les plaçant dans son réticule.

C'était une bien maigre consolation, par rapport à ce qu'elle avait perdu, mais elle parvint à sourire.

Naturellement, les Lockhart furent à la fois étonnés et ravis du retour de la jeune femme. Ils l'accueillirent à bras ouverts, non sans lui poser mille questions sur la fin de son séjour.

Elle endura l'interrogatoire sans trop révéler ses déconvenues. Elle sourit, elle rit, elle parla avec animation d'Édimbourg et de ses sorties, mais elle avait le cœur brisé. Elle se sentait vide.

Ce soir-là, elle refusa de souper, prétextant une migraine pour se coucher de bonne heure. Dans son lit, elle ne trouva pas le sommeil. Elle se leva et fit les cent pas devant la cheminée, en proie à une souffrance qu'elle n'avait encore jamais connue.

Elle avait perdu Payton à jamais. Pourtant, elle mourait d'envie de le voir, de lui avouer qu'elle s'était trompée, qu'elle regrettait amèrement sa décision, qu'elle s'était montrée d'une naïveté impardonnable. Il fallait qu'elle lui dise que son cœur était à lui et qu'il s'était brisé en mille morceaux.

Comment le lui dire ? Elle ne pouvait se présenter sur le pas de sa porte pour avouer son erreur aux yeux de tous. De plus, elle n'osait pas l'affronter après ce qui s'était passé entre eux. Et il était sur le point de se marier avec Beitris…

Le lendemain s'annonça clair et ensoleillé. La neige fondit rapidement. Mared s'efforça de reprendre le cours de sa vie. Elle promena ses chiens, joua avec Duncan, coiffa les cheveux de Natalie en lui parlant d'Édimbourg. Avec sa mère, elle fit l'inventaire des travaux à envisager à Talla Dileas. Chacun semblait plus détendu, maintenant que la famille ne manquait plus d'argent. Les Lockhart attendaient avec impatience la naissance du bébé d'Anna, puis Noël, dans deux semaines.

Dans l'après-midi, Aila lui annonça qu'ils pouvaient désormais se permettre d'engager des domestiques.

— Il nous faut une gouvernante compétente. Je devrais peut-être m'entretenir avec Mme Rawlins.

Mme Rawlins ? N'était-ce pas la gouvernante de Payton ?

— Qui ? mentit-elle.

— Mme Rawlins. Douglas l'avait engagée à son service, mais elle ne semble pas avoir apporté satisfaction.

— Pourquoi donc ?

— Oh, je ne sais pas. Douglas est un peu bougon, ces derniers temps. Il paraît qu'il est très exigeant. Il doit être fatigué, avec la distillerie et les préparatifs du mariage…

Le cœur de Mared se serra.

— Il a toujours été exigeant, marmonna-t-elle.

Elle n'avait qu'une idée en tête : il n'y avait personne chez Payton pour refaire son lit, laver son linge, ouvrir ses rideaux le matin…

Pour la première fois depuis deux jours, elle sourit.

Au beau milieu de son rêve peuplé de barriques de whisky, Payton fut réveillé par un parfum de lilas. Il sursauta, car cela faisait une éternité qu'il n'avait pas humé cette suave senteur.

Il ouvrit les yeux et roula sur le dos pour scruter sa chambre. Dans la pénombre, il ne vit que les braises rougeoyantes, dans la cheminée. Se frottant les yeux, il entendit un bruissement d'étoffe. Aussitôt, il se dressa sur son séant.

Quelqu'un tira les rideaux avec précaution. En se tournant vers la fenêtre, il se figea.

— Une journée bien morose, on dirait, annonça-t-elle en secouant la tête.

Mared. Elle se trouvait dans sa chambre, vêtue de sa robe noire de gouvernante et de son tablier blanc. Était-ce un rêve ? Comment expliquer cette apparition ? Lorsqu'elle s'approcha de l'autre fenêtre, il perçut un effluve de son parfum.

— Je parie qu'il va encore neiger, ajouta-t-elle avec un claquement de langue. Je suppose que les travaux de la distillerie sont retardés, par un temps pareil.

Ce n'était pas un rêve. Elle se tenait là, devant lui !

— Que faites-vous ici ? grommela-t-il.

Elle pivota vers lui, affichant ce sourire radieux qu'il voyait chaque soir avant de s'endormir.

— Je vous apporte un petit cadeau, monsieur. Des friandises. Je sais que vous les appréciez.

Il n'en voulait pas, de ses maudits bonbons! Il voulait qu'elle s'en aille! Il venait de passer un mois à tenter de la chasser de son esprit et de son cœur. Plus question pour elle de revenir, plus jamais, malgré ce que sa cousine Sarah lui avait écrit. Peu lui importait si Mared disait l'aimer. Lui ne l'aimait plus.

N'obtenant pas de réponse, elle s'approcha d'une petite table et déballa quelques friandises qu'elle disposa sur une assiette.

— Comment êtes-vous entrée?

— Grâce à Mme Mackerell. C'est elle qui m'a prêté cette assiette.

— Je n'en veux pas, de vos fichues friandises.

Repoussant ses couvertures, il se leva. Peu lui importait qu'il soit nu comme un ver. Il enfila rageusement un peignoir.

— J'ignore ce que vous voulez ou à quel jeu vous jouez, Mared, mais je vous prie de vous en aller.

— Je vous laisse les bonbons, dit-elle en posant l'assiette sur la table de chevet.

Elle tourna les talons. Payton crut qu'elle partait, mais elle se dirigea vers la cheminée et s'agenouilla pour attiser les braises.

— Bon sang! explosa-t-il. Partez, Mared! Je ne veux pas de vous ici! Je ne veux plus vous voir!

Sur ces mots, il gagna le cabinet de toilette et claqua la porte derrière lui.

Quand il en ressortit, Mared était toujours là, en train de cirer ses bottes.

— Ne touchez pas à cela, nom de Dieu!

Il s'empara de ses bottes et obligea la jeune femme à se lever.

— Qu'est-ce que vous faites?

L'air peiné, Mared tripota sa robe mal ajustée.

— Je suis en train de vous présenter mes excuses, dit-elle.

— En cirant mes bottes ?

— Je vous ai aussi fait préparer un bain chaud.

Il se figea, bouche bée.

— Qu'est-ce que vous êtes en train de me faire ? Vous voulez donc me torturer à mort ? Vous m'avez repoussé, rejeté, vous m'avez expliqué que vous vouliez vivre votre vie, loin d'ici, loin de moi ! C'est fini, Mared. Et voilà que vous surgissez de nulle part pour me faire couler un bain ?

Elle opina.

— Je ne sais que faire d'autre, avoua-t-elle. Je ne sais comment vous faire comprendre ce que je ressens. Je ferais n'importe quoi, je suis prête à vous supplier à genoux de me pardonner l'erreur terrible que j'ai commise.

Elle semblait si sincère que Payton sentit sa détermination fléchir. L'amour était un sentiment tenace qui ne disparaissait pas à volonté. Il l'aimait aussi, et une partie de lui-même voulait se réjouir de son retour, mais il souffrait encore. Il n'avait pas totalement confiance en elle et voulait la chasser avant qu'elle ne le fasse souffrir davantage.

Lorsqu'on frappa à la porte, Mared s'empressa d'aller ouvrir. Charlie entra, portant deux grands seaux d'eau chaude, suivi d'Alan et d'Angus, le nouveau valet, que Mared observa avec curiosité. Elle les accompagna jusqu'à la baignoire. Jugeant qu'il n'y avait pas assez d'eau, elle leur ordonna d'aller en chercher encore.

Payton s'écroula dans un fauteuil. Que faire d'elle ? Il ne pouvait la laisser revenir dans son cœur aussi facilement, pas après la souffrance qu'elle lui avait infligée. Certes, elle était prête à ramper à ses pieds en tenue de gouvernante – ce qui n'était pas facile, pour une Lockhart.

Il poussa un soupir.

— Cela ne fonctionnera pas, dit-il en secouant la tête.

Mared se mordilla les lèvres, sans un mot.

— Vous pouvez me servir toute la journée, cela ne changera pas mes sentiments pour vous, reprit-il, sincère.

— Laissez-moi au moins m'expliquer.

Il haussa les épaules.

— Je vous aime, Payton, déclara-t-elle. Plus que ma vie.

Il ne dit rien. Il n'osait prononcer un mot, car c'était exactement ce qu'il avait envie d'entendre...

Elle baissa les yeux.

— J'ignore au juste pourquoi j'ai cru que je devais partir. Je n'ai pas su comprendre que ce que je cherchais se trouvait à portée de main, si seulement j'avais bien voulu y croire. Regardez ce que j'ai fait. J'ai repoussé l'homme qui était prêt à m'aimer pour la vie...

Il la dévisageait, impassible.

— Et j'ai perdu le seul homme que je pourrai jamais aimer. Je regrette tant, Payton, murmura-t-elle. Je regrette de vous avoir fait souffrir. Je donnerai tout pour arriver à exprimer combien je regrette. Jusqu'au plus profond de mon âme...

On frappa à la porte. Mared posa les yeux sur lui, mais il se détourna. Avec un soupir, elle alla ouvrir aux trois valets apportant de l'eau chaude.

— Ce sera tout, ordonna Payton lorsqu'ils eurent terminé.

Charlie hocha la tête et se retira. Mared referma la porte.

Payton se leva, toujours impassible.

— Je vais prendre mon bain. Si vous y tenez, faites ce que bon vous semble, dit-il en désignant la chambre, avant de gagner le cabinet de toilette.

Il ôta son peignoir et s'immergea dans l'eau chaude. Il demeura quelques instants à écouter la jeune femme s'affairer dans la pièce voisine. Sans doute faisait-elle son lit. Elle paraissait sérieuse dans ses propos. Son humilité était sincère – ce qui était un miracle, de la part d'une Lockhart.

— Mared! appela-t-il en jouant distraitement avec l'éponge.

Il la sentit s'approcher, derrière lui.

— Oui?

— Vous dites que vous regrettez ce que vous avez fait, n'est-ce pas?

— Payton…

Elle apparut près de lui et croisa son regard.

— Je ne puis regretter davantage.

Il opina et pressa l'éponge sur son épaule. L'eau ruissela sur sa peau.

— Vous regrettez aussi d'avoir abîmé mes foulards et mes chemises?

Cette remarque la déstabilisa.

— Euh… les foulards?

— Oui. Vous vous excusez pour cela, aussi?

— Euh…

Elle leva les yeux au ciel, se mordit les lèvres et marmonna:

— Non…

C'était la Mared qu'il aimait. Honnête et entêtée.

— Et ce que vous avez raconté aux femmes de chambre? reprit-il. Les histoires de fantômes, les ragots sur les méchants Douglas? Vous vous excusez?

Mared pinça les lèvres et secoua négativement la tête.

Soudain, il ne put réprimer un rire. Sans lui laisser le temps de réagir, il la saisit par le poignet pour la tirer vers lui.

— Vous ne regrettez donc rien de tout cela.

— Non, rien de mes piètres talents de gouvernante. Comment pourrais-je regretter?

— Dans ce cas, je me contenterai de ce que vous m'offrez, dit-il en l'attirant dans l'eau.

Dans un cri strident, elle se retrouva sur ses genoux. Il fit taire ses protestations en l'embrassant avec toute la colère, la douleur et tout l'amour qu'il avait gardés en lui pendant des années. Un amour dont il n'avait jamais réussi à se défaire, mais qui débordait à présent de son cœur.

Quand il releva enfin la tête, il défit les cheveux de la jeune femme.

— Je t'aime, Payton, plus que ma vie. Je t'aime…

— Cela fait si longtemps que je voulais entendre ces paroles.

— Je sais, répondit-elle en l'enlaçant, la mine plus grave, soudain. Mais maintenant que j'ai trouvé le chemin de ton cœur, il est trop tard ! Jamais je ne me pardonnerai ma bêtise.

— Trop tard ? Il n'est pas trop tard.

— Si, insista-t-elle. Je suis au courant, pour Beitris !

— Beitris Crowley ? s'étonna-t-il.

— Oui. Tu vas l'épouser ! s'exclama-t-elle avec une plainte, les yeux fermés, ivre de douleur.

— Non ! Pas du tout ! assura-t-il en lui caressant la nuque. Elle va épouser le fils du forgeron, M. Abernathy.

Mared rouvrit les yeux.

— Le beau garçon ?

— Oui, confirma-t-il en retrouvant le sourire. Le beau garçon.

— Mais M. Wallace m'a affirmé que c'était toi qu'elle épousait ! Que tu passais beaucoup de temps avec elle ! Que tu lui offrais des bonbons !

Payton se mit à rire.

— J'ai dû intervenir en faveur de ce pauvre garçon. J'ai emporté des bonbons pour soumettre la proposition au père de Beitris. Ils vont annoncer publiquement leurs fiançailles à la messe de dimanche.

— Dans ce cas… tu n'es pas amoureux de Beitris ?

— Seigneur, Mared ! Non, je ne suis pas amoureux d'elle ! Et elle non plus ne m'aime pas. En dépit de tes nombreuses tentatives, nous avons tout de suite compris que nous n'étions pas faits l'un pour l'autre. Et elle m'a confié ses sentiments pour M. Abernathy. Je l'ai aidée, rien de plus.

— Alors il n'est pas trop tard !

Une lueur se mit à briller dans ses yeux verts.

Il plongea dans ses prunelles si profondes, admira ses lèvres pulpeuses, les fossettes de ses joues quand elle souriait. Rien ne pouvait l'empêcher d'aimer cette femme vibrante et impétueuse.

— Sur mon honneur, dit-il dans un soupir, il ne sera jamais trop tard.

Il l'enlaça et l'embrassa ardemment, tel un homme affamé, comme s'il ne devait jamais s'arrêter.

Les mains de Mared glissèrent sur son corps. Sous ses caresses, il s'embrasa. Il fut pris d'une envie de faire sienne cette femme qui lui avait tant manqué.

— Aime-moi, Payton, murmura-t-elle, lisant ses pensées. Montre-moi que tu m'aimes encore... Et ne m'oblige pas à te le demander trois fois.

Il sourit, déboutonnant déjà la robe mouillée pour la lui ôter. Mared se débarrassa vite de sa camisole et vint se placer à califourchon sur ses genoux.

Avec un soupir d'aise, Payton s'adossa confortablement et caressa la peau mouillée de la jeune femme, ses bras, ses côtes, sa taille, ses hanches, puis les replis de son intimité. Les yeux de Mared s'assombrirent. Puis elle soupira, de soulagement, peut-être.

Payton se redressa, le visage contre ses seins pour mieux en goûter la saveur.

Il l'embrassa à perdre haleine, avant de saisir entre ses lèvres un mamelon dressé pour le titiller.

Elle frémit de plaisir, ce qui ne fit que décupler le désir de Payton qui, les mains sur ses fesses, la plaqua contre son membre durci. Il ne ressentait plus que ce désir brûlant de la faire sienne, et le bonheur de la savoir de retour.

— Prends-moi, souffla-t-elle d'une voix rauque. Je t'appartiens, désormais. De mon plein gré. De tout mon cœur. Je t'appartiens.

Un instinct sauvage submergea Payton. Le sang se

mit à bouillonner dans ses veines. Jamais il n'avait éprouvé une telle passion. S'emparant de sa bouche, il la saisit par les hanches et la souleva. Le souffle court, elle baissa les yeux vers lui, une lueur sensuelle dans le regard.

Il la maintint fermement sur ses genoux tout en glissant une main entre eux. Sentant ses doigts s'insinuer en elle, Mared rejeta la tête en arrière, se cambrant pour mieux s'offrir à lui.

Elle s'agita de plus en plus fort contre lui, pantelante. Ses cris de plaisir s'accentuèrent, annonçant une extase imminente. Payton intensifia ses mouvements.

Mared se pencha sur son torse, les yeux fermés, le front plissé, tandis qu'il la faisait monter vers ce plaisir indicible qu'il attendait. Il avait peine à se contenir. Le corps tout entier de la jeune femme se referma sur son sexe dans un spasme d'extase.

Il la rejoignit très vite, en quelques coups de reins saccadés.

Puis elle s'écroula contre lui, haletante et comblée. Payton s'appuya contre la paroi de la baignoire, la jeune femme dans ses bras, pour lui caresser le dos.

Ils ne dirent pas un mot.

Dans ce moment d'amour pur, il ne put détacher les yeux de Mared. Il parvenait à peine à croire qu'elle était revenue. Elle avait la tête sur son épaule, les yeux clos, les lèvres entrouvertes. Ses cheveux ondulaient sur son dos. Mared faisait l'amour comme une femme qui avait été maudite pendant mille ans.

Jamais il n'avait connu un moment aussi intense.

Elle rouvrit les paupières et lui sourit. Puis elle posa une main sur le cœur de Payton, et la sienne sur son propre cœur.

— Écoute, dit-elle. Ils battent à l'unisson.

Épilogue

Après Duncan, Liam et Ellie Lockhart n'eurent pas d'autre enfant. Anna mit au monde une fille, puis une autre l'année suivante.

En 1820, après un long périple en Europe et en Amérique pendant que Griffin s'occupait d'Eilean Ros, Mared eut des jumeaux, pour le plus grand plaisir de son mari. En 1822, elle eut une fille qui mourut à la naissance, puis, en 1824, un troisième fils en parfaite santé. En 1825 et 1826, elle donna le jour à deux autres enfants, un garçon et enfin une fille, qui devint la prunelle des yeux de son père.

Eilean Ros, vaste demeure au bord du loch Ard, s'emplit enfin d'amour et de rires d'enfants.

En 1828, les Douglas et les Lockhart réunirent enfin leurs terres. La région devint vite réputée pour son élevage de moutons et de bovins. En 1830, la première cuvée du whisky d'Eilean Ros, de dix ans d'âge, fut distribuée en Amérique et en Europe avec grand succès. C'est cette année-là que Natalie Lockhart retourna à Londres où elle fit des débuts prometteurs. Elle devint une peintre de renom dont les œuvres étaient recherchées dans la haute société londonienne...

En 1831, à la veille de Noël, le salon vert d'Eilean Ros était orné de houx. Impatients de recevoir leurs cadeaux, les enfants riaient et se chamaillaient dans les couloirs.

Tous les Lockhart et les Douglas étaient réunis. Même Natalie était présente. Anna se mit au piano pour interpréter des chants de Noël. Mared était assise sur le divan avec sa fille Lilias, qui n'avait pas fait la sieste ce jour-là.

Près de la cheminée, Payton observait les siens, le cœur en joie. C'était ce dont il avait toujours rêvé pour Eilean Ros : des rires, de la chaleur et de l'amour. Beaucoup d'amour. Il avait de la chance. Il avait quatre fils robustes, une fille superbe et la plus belle femme du monde.

Il contempla Mared qui chantait pour sa fille. Elle s'était arrondie et quelques cheveux blancs striaient désormais son chignon, mais elle demeurait parfaite à ses yeux. Au fil des années, elle était de plus en plus radieuse. Il leva la main pour prier Anna de cesser de jouer, car il tenait à partager avec toute la famille le cadeau qu'il offrirait à Mared.

— J'aimerais vous montrer quelque chose, annonça-t-il en faisant signe à Natalie de le rejoindre.

Il se dirigea ensuite vers un coin de la pièce où son cadeau était dissimulé. Les enfants étaient impatients de le découvrir.

— Vraiment, Payton, fit Mared en riant, tu fais beaucoup de mystère. Va-t-on enfin savoir de quoi il s'agit ?

— Tais-toi donc et viens ici, dit-il avec un sourire, en tendant la main.

Elle leva les yeux au ciel et confia Lilias à sa grand-mère pour rejoindre Payton, non sans échanger un regard complice avec ses frères.

Elle prit son mari par la taille et l'embrassa sur la joue.

— Très bien, me voici. Que caches-tu donc ?

— Tu te rappelles que je t'ai fait poser pour un portrait miniature ?

— Oui.

— Et tu sais que j'ai vu Natalie à Glasgow, à son retour de Londres ?

— Naturellement !

Payton souleva le drap qui dissimulait un immense portrait de Mared, destiné à la galerie de portraits.

— C'est maman ! s'exclama l'un des jumeaux. Et nous, aussi !

Mared posa sur son mari un regard émerveillé.

— Notre Natalie est très douée, commenta-t-il.

Très fier, Liam étreignit sa fille.

Payton n'avait jamais vu de tableau plus somptueux. Il était très satisfait du résultat.

Mared était assise sur la pelouse, entourée de ses enfants et de ses chiens. Elle portait sa robe de mariée et les émeraudes que lui avait offertes sa famille, sans oublier le *luckenbooth* qu'il avait fait réaliser pour leurs fiançailles, agrafé sur son châle. Ses cheveux noirs cascadaient sur ses épaules. Son visage était serein, avec l'esquisse d'un sourire sur ses lèvres, et une fossette sur une joue.

Une lueur malicieuse pétillait dans ses yeux verts. Natalie avait fort bien capté la personnalité de sa tante.

— On peut dire que les Douglas ont gagné un membre de qualité, commenta Griffin.

Mared se pencha pour déchiffrer la plaque en or.

— « La dixième lady Douglas, lut-elle. Douglas par le nom, mais Lockhart par le cœur. »

Elle se redressa en souriant.

— Tu n'as pas oublié, dit-elle à Payton.

— Comment l'aurais-je pu ? répliqua-t-il en riant.

Depuis leur mariage, il ne s'était pas écoulé une seule journée sans rires et chamailleries.

— Je suis impressionnée, avoua-t-elle. Je me demande comment tu as réussi cet exploit, Natalie, à partir d'un simple portrait miniature.

— Je n'ai pas eu de difficultés particulières, répondit-elle, un peu timide.

— C'est magnifique, reprit Mared. Je n'avais jamais reçu plus beau cadeau…

Sa voix se brisa. Elle s'approcha encore pour observer un détail, derrière ses quatre fils.

— Seraient-ce des moutons, dans ma prairie ?

Payton s'esclaffa et l'enlaça pour l'empêcher de protester. Le portrait la représentait en effet entourée de moutons.

Certaines choses ne changent jamais...

AVENTURES & PASSIONS

Le 1er juin :

L'ange nocturne - Liz Carlyle (n° 8048)

Le jour, Sidonie Saint-Godard est une jeune femme correcte qui enseigne les bonnes manières aux jeunes filles de la bourgeoisie. La nuit, elle devient le séduisant Ange noir, évoluant dans les milieux interlopes et détroussant les gentlemen. Seulement voilà, elle n'aurait pas dû voler le marquis Devellyn !

Le trésor de la passion - Leslie LaFoy (n° 8049)

Tout accuse Barret du meurtre de Megan Richard. Isabella, la cousine de la victime, croit en son innocence et lui offre son aide. Selon elle, le meurtre est lié à une mystérieuse carte indiquant l'emplacement d'un trésor. Une forte complicité naît entre eux lorsqu'ils se lancent à la recherche du coupable...

Le 16 juin :

Une femme convoitée - Johanna Lindsey (n° 4879)

Audrey n'a pas le choix : pour éponger les dettes de son oncle, elle est contrainte de vendre sa virginité aux enchères. Derek Malory n'a pas l'habitude d'acheter des femmes, mais il lui semble criminel d'abandonner cette malheureuse au désir pervers d'Ashford. Un motif de plus à la haine qui les oppose...

L'honneur des Lockhart - Julia London (n° 8052)

Pour payer la dette familiale, Mared Lockhart est obligé de se marier avec Payton Douglas, voisin et ennemi de toujours. Pour éviter ce drame, les Lockhart proposent une solution : Mared sera la gouvernante de Payton pendant un an. Un moindre mal ? Non, pour Mared, c'est l'humiliation... surtout lorsqu'elle réalise que le mariage avec un homme aussi séduisant que Payton n'aurait finalement pas été une si mauvaise chose !

**Nouveau ! 2 rendez-vous mensuels
aux alentours du 1er et du 15 de chaque mois.**

SUSPENSE

Le 1er juin :

La recherche de Laura - Kay Hooper (n° 4998)

Le jour où Laura, dessinatrice, fait l'acquisition d'un miroir à la vente aux enchères organisée chez les Kilbourne, elle ne sait pas que son destin va basculer. Le soir même, Peter Kilbourne tente de le lui racheter et se fait assassiner. Aussitôt après, la vieille Amélia, chef de famille incontesté, lui demande de réaliser son portrait...

Sans laisser de traces - Mariah Stewart (n° 8050)

Gena et John, agents du FBI et anciens amants, enquêtent sur des disparitions de femmes. Ce que Gena ignore, c'est qu'elle va devoir replonger dans son passé pour résoudre l'affaire qui leur a été confiée, car tout est lié à la secte dont ses parents faisaient partie, et en particulier à son mystérieux prêtre...

> **Nouveau ! 1 rendez-vous mensuel**
> **aux alentours du 1er de chaque mois.**

MONDES MYSTÉRIEUX

Le 1er juin :

La communauté du Sud - 5 : La morsure de la panthère - Charlaine Harris (n° 8200)

En Louisiane, Sookie a maintenant une vie agréable. Une seule ombre au tableau : son frère Jason s'est fait mordre par une panthère et va se transformer à la nouvelle lune. En plus, un tireur anonyme abat les créatures étranges. Malgré le danger, Sookie décide de mener l'enquête...

> **Nouveau ! 1 rendez-vous mensuel**
> **aux alentours du 1er de chaque mois.**

Passion intense

Quand l'amour vous plonge dans un monde de sensualité

Le 16 juin :

Plus fort que le désir - Cheryl Holt (n° 8055)

Angleterre, 1813. Pour des raisons financières, Olivia va épouser le vieux lord Salisbury. Dans la bibliothèque, Olivia déniche un livre érotique et découvre ainsi un univers dont elle ignore tout. Sa rencontre avec le séduisant Phillip, fils illégitime du lord, est l'occasion de mettre en pratique ses nouvelles connaissances…

> **Nouveau ! 1 rendez-vous mensuel**
> **aux alentours du 15 de chaque mois.**

Comédie

Le 16 juin :

Chaque homme a son revers - Vicki Lewis Thompson (n° 8053)

La grand-mère d'Ally meurt en lui léguant son argent. La jeune femme peut enfin s'installer en Alaska pour devenir la photographe de paysages qu'elle a toujours rêvé d'être. Seulement, en plus de la fortune, Ally a aussi hérité du bras droit de sa grand-mère : Mitchell, un vrai ringard !

Gloire et déboires - Jane Heller (n° 8054)

Stacey Reiser ne voulait qu'une chose : que sa mère abusive lui fiche la paix ! Elle a 34 ans tout de même ! Mais sa mère devient une icône publicitaire adulée qui n'a plus une minute pour sa fille… Alors, qui surveille ses fréquentations, ses finances, et même… ses amours ? Stacey bien sûr !

> **Nouveau ! 2 titres tous les deux mois**
> **aux alentours du 15.**

Barbara Cartland

Le 1er juin :

Le secret de mon bien-aimé - n° 1274 ⌘ *Collect'or*
Le cœur de l'amour - n° 8047

Le 16 juin :

Rivalités amoureuses - n° 3967

Nouveau ! 2 rendez-vous mensuels
aux alentours du 1er et du 15 de chaque mois.